Ponte das lembranças

Ponte das lembranças

Pelo espírito Schellida

Psicografado por
Eliana Machado Coelho

Ponte das lembranças
pelo espírito Schellida
psicografia de Eliana Machado Coelho

1ª edição — julho de 2010

Direção editorial: *Celso Maiellari*
Preparação de originais: *Eliana Machado Coelho*
Revisão: *Profª Valquíria Rofrano*
Correção digitalizada da revisão: *Eliana Machado Coelho*
Diagramação e capa: *SGuerra Design*
Impressão e acabamento: *Cromosete Gráfica*

Dados Internacionais de Catalogação na Publicação (CIP)
(Câmara Brasileira do Livro, SP, Brasil)

Schellida (Espírito).
Ponte das lembranças / pelo espírito Schellida ; psicografado por Eliana Machado Coelho. -- São Paulo : Lúmen, 2010.

ISBN 978-85-7813-030-5

1. Espiritismo 2. Psicografia 3. Ficção espírita I. Coelho, Eliana Machado. II. Título.

10-04850 CDD-133.93

Índices para catálogo sistemático:
1. Romances espíritas : Espiritismo 133.93

Rua Javari, 668
São Paulo — SP
CEP 03112-100
Tel./Fax: (0xx11) 3207-1353

visite nosso site: www.lumeneditorial.com.br
fale com a Lúmen: atendimento@lumeneditorial.com.br
departamento de vendas: comercial@lumeneditorial.com.br
contato editorial: editorial@lumeneditorial.com.br

Índice

1

Uma grande amizade

Naquela manhã ensolarada, podia-se ouvir o canto dos pássaros nas árvores altaneiras, que se elevavam como gracioso sobrecéu, frente à luxuosa residência dos Linhares.

Atraída por um barulho, Belinda, curiosa, aproximou-se das largas janelas coloniais do andar superior e observou os jardins, sem nada diferente que lhe chamasse a atenção. Depois, pegando a caixa de papelão decorado, que havia deixado sobre o console, diante do espelho, voltou a se sentar na cadeira antiga de assento e encosto almofadados.

Abrindo-a, retirou um álbum de fotografias e começou a contemplá-las.

Sem perceber, seu rosto se abria em agradável sorriso ao manusear as preciosas recordações.

Roçando o passado, tocando nas lembranças, reavivando sua história...

Ficou muito tempo olhando uma fotografia especial, enquanto os seus olhos enchiam de lágrimas pela saudade.

Muitos anos haviam se passado desde aquela foto amarelecida junto a sua melhor amiga no Liceu.

Vestiam uma saia pregueada azul marinho, que descia bem abaixo dos joelhos. Camisa e meias brancas, sapatos pretos, blusa de lã escura e um laço de fita larga prendendo os cabelos escuros e levemente cacheados.

A foto era de 1945! Um ano maravilhoso para elas e muito importante para o mundo.

A Segunda Guerra Mundial havia terminado. Os soviéticos libertaram o campo de concentração de Auschwitz - Polônia - onde os prisioneiros serviram como cobaias humanas para as macabras experiências do nazista Joseph Mengele. O horror do Holocausto era revelado ao mundo. Adolf Hitler e sua amante, Eva Braun, cometem suicídio. Os russos tomam Berlim. O Terceiro Reich termina com a rendição alemã. A ONU foi criada. Tóquio foi bombardeada por aviões norte-americanos e morrem mais de cem mil pessoas, deixando um rastro de profunda destruição. Além disso, o Japão sofre a retaliação americana por ter atacado a base de Pearl Harbor, no Havaí, e mais de cento e oitenta mil pessoas morrem pelo ataque aéreo norte-americano com as bombas atômicas em Hiroshima e em Nagasaki.

O mundo vivia uma incrível tensão.

Apesar de saber o que ocorria, elas não davam importância. Não tinham noção, pois estavam com doze anos.

Por onde andaria Maria Cândida? Há quantos anos não se viam?! Quarenta e poucos, talvez... Ou mais...

Tanto tempo passou e tão depressa!

Belinda levantou-se e colocou as fotografias de lado.

Caminhou pela saleta de estar e abaixou-se diante de uma cômoda de verniz escuro, modelo Luís XV, com puxadores metálicos escuros, semelhantes a pequenas aldravas.

Ao abri-la, sorriu. Estava lá o que procurava!

Era uma caixa de madeira decorada com desenho de flores pirografados. Abriu-a enquanto se levantava.

Colocando-a sobre o móvel, encontrou, entre os vários envelopes, cujas bordas estavam cuidadosamente rasgadas, a última carta que Maria Cândida lhe escreveu.

A data da correspondência era de 1956, ano em que a França concedeu independência ao Marrocos e à Tunísia, e a amiga morava em Paris.

Junto à carta, duas fotografias que Belinda esqueceu ali. Em uma, Maria Cândida estava ao lado do marido em alguma festividade de destaque na capital francesa. Ele, com um alinhado smoking e segurando uma taça, provavelmente de champanhe, pelo formato. Ela, com um vestido de seda preto, longo, ombros à mostra e ajustado ao seu belo corpo. Luvas pretas que cobriam até o antebraço, um belo par de brincos combinando com o lindo colar. Jóias caras! Cabelos presos feito um coque. Refinada e, como sempre, absolutamente feliz. Gargalhava ao inclinar levemente o corpo para trás, recostando-se no marido. Riam de algo que, provavelmente, alguém havia dito. Na outra, a amiga aparecia sozinha, esquiando em Courchevel.

Uma pena essa segunda foto ter sido tirada um pouco longe. Contudo, sabia-se que era Maria Cândida e, no fundo, uma paisagem divinamente exuberante: montanhas cobertas por neve eterna, destacada em impressionante céu azul.

Lembrou-se de que se viram e se abraçaram pela última vez no cais do porto de Santos, em São Paulo, pouco antes da amiga, recém-casada, subir a prancha de embarque do navio, ao lado do marido.

Recordava-se como se fosse ontem!

Tinham dezenove anos e esbanjavam felicidade com um misto de tristeza.

Pela primeira vez o oceano deixaria uma longe da outra, por tanto tempo.

As mães, grandes amigas, conheciam-se desde que nasceram. Aliás, Maria Cândida era, exatamente, um dia mais velha que Belinda.

A primeira nasceu no dia quinze e a segunda no dia dezesseis de janeiro. Sempre comemoravam juntas as passagens dos aniversários.

Remexendo um pouco mais entre os envelopes, encontrou o convite de casamento. O papel, bem amarelado, tinha os ornamentos dourados já sem brilho.

Ali se certificou da data. Maria Cândida se casou em 1952. Esse foi o ano em que viu a amiga pela última vez.

Era como se ainda pudesse vê-la trajando um costume azul bem clarinho, bolsa pequena e sapatos pretos, segurando, com uma das mãos, um belo e amplo chapéu, enquanto seus cabelos pretos e longos cascateavam pelas costas.

No convés, Maria Cândida e o esposo começaram a acenar desde quando o apito tocou e o navio se afastou do porto até não poderem mais reconhecer os familiares e os amigos que ficaram no cais.

Fazia exatamente quarenta e nove anos que não se viam! Era muito tempo!

Trocaram muitas cartas e se falaram nove ou dez vezes, por telefone, em quatro anos. Mas, depois que o filho de Maria Cândida nasceu, na Escócia, em 1955, ela passou a se comunicar cada vez menos. Sabia que o garotinho se chamava George. Recebeu o nome do avô paterno, pois Oscar, seu marido, fez questão disso.

Em 1957, Belinda se mudou com os pais. Escreveu para a amiga novamente, porém não obteve resposta.

Mandou também uma correspondência para dona Filomena, mãe de Maria Cândida, para o endereço que tinha, no interior de São Paulo. Entretanto a carta voltou. Soube, depois, que a senhora havia se mudado para o Rio de Janeiro.

Uma doce saudade apertou seu peito.

Será que veria a amiga novamente?

Gostaria muito de saber como ela estava, de compartilhar sua vida, como fez no passado. Maria Cândida tropeçou e se levantou. Foi espantoso como as coisas aconteceram tão depressa. Depois de tudo, não lhe restou nenhuma amizade a não ser a dela, apesar da implicância de sua mãe que não a queria junto da amiga.

Belinda riu alto. Como o mundo havia mudado!

Nos dias atuais, ninguém se importaria com o que aconteceu.

— Ai! Que saudade!... — declarou em voz alta e sorriu apertando a carta e as fotografias contra o peito.

— Falando sozinha, mamãe?!

— Que susto, Nanci!!! Você ainda vai me matar do coração, filha!!!

Ela riu, não dando importância à reclamação. Aproximando-se, beijou-a no rosto e perguntou:

— O que a senhora está fazendo?

— Remexendo no passado! — sorriu Belinda.

— Quando o passado é bom, fica gostoso remexê-lo. Quando não, fica complicado.

— Veja... — pediu a mãe, entregando-lhe a foto nas mãos. — Esta é mais uma foto da minha amiga. Eu havia me esquecido dela junto com a carta que me mandou.

— Nossa! Ela sempre aparece bonita! Elegante!... E quem é esse?

— O Oscar, marido dela.

— Bonitão! É bem mais velho do que ela, não é?

— Acho que ele é uns dez anos mais velho. Não tenho certeza. — Após segundos, comentou: — Não nos vemos há quarenta e nove anos! Depois que ela se casou e foi morar na Europa, nós nos correspondemos por alguns anos. Ela viajava muito. Trocamos fotos... A última carta que me escreveu foi há quarenta e cinco anos.

— Ela não sabe que a senhora se casou?

— Não. Escrevi para ela depois desta última carta — disse balançando o envelope na mão —, em 1956, mas ela não respondeu. Em 1957, os seus avós decidiram mudar de residência. Escrevi novamente e nada. Depois, mandei uma carta para a dona Filomena, mas a correspondência voltou, pois ela se mudou para o Rio, conforme nos contou uma amiga de sua avó alguns anos depois.

— E por telefone? Tentou?

— Telefone não era algo tão comum e prático como hoje. Precisávamos de uma telefonista para fazer uma ligação e esperar por ela, principalmente interurbano internacional. Você nem imagina o que era isso! — riu. — Depois que nos mudamos, o número do telefone também mudou. Com o tempo, não tentei mais.

— Seria muito legal a senhora poder entrar em contato com ela, não seria?!

Os olhos de Belinda brilharam ao responder:

— Seria maravilhoso!

— O que a senhora sabe sobre ela, mamãe?

Belinda não entendeu muito bem o propósito da filha e começou a contar:

— Como eu já disse, milhares de vezes, ela é um dia mais velha do que eu. Sua avó Matilde era amicíssima da dona Filomena, desde que eram jovens. Depois de casadas, ficaram grávidas ao mesmo tempo e nascemos quase no mesmo dia. Éramos vizinhas e, por nossas famílias pertencerem à alta sociedade, ficávamos sempre juntas enquanto nossas mães e suas amigas se reuniam para chás, eventos sociais e até mesmo festas. Fazíamos aula de piano juntas. — Belinda gargalhou. — Deixávamos o professor maluco! Ele era um homem de meia idade que fazia de tudo para não exibir os seus trejeitos afeminados, algo absurdamente terrível naquela época.

— Hoje ainda existe muita gente preconceituosa quanto ao homossexualismo.

— Ah, filha! É muito diferente! Não sei se hoje as pessoas se acostumaram, se os homossexuais são mais corajosos e vivem sem inibição ou se a ciência teve grande importância ao esclarecer que uma pessoa nasce homossexual. Talvez tudo isso junto. Não sei. Contudo posso afirmar que hoje em dia tudo é mais fácil. Nós éramos muito bobas! — riu. — Achávamos engraçado e brincávamos com essa situação. Tentávamos não deixá-lo ver, porém o professor percebia e ficava louco conosco.

— Ele não contava para os seus pais?

— Contar o quê?! Iria dizer que ríamos de seu jeito afeminado? De seus gritinhos? Hoje, entendo que foi errado fazer aquilo. Mas... Éramos crianças, não entendíamos. — Breve pausa em que pareceu ver o passado em sua mente e prosseguiu: — Sempre estudamos juntas! Isso foi maravilhoso! — sorriu. — Ficávamos de castigo juntas! Fomos suspensas juntas! Fomos reprovadas juntas!

— Nunca nos contou que levaram suspensão! E deixou o Kléber de castigo quando ele foi suspenso na escola! — reclamou Nanci, referindo-se ao irmão.

— O seu irmão foi um capeta na escola! — riu Belinda. — Aliás... Os seus irmãos! O Guilherme é terrível até hoje! Parece que não pensa! Quando eles eram pequenos, não houve uma semana, sequer, que eu ou o seu pai não éramos chamados à escola por eles terem aprontado alguma.

— O que vocês duas fizeram para serem suspensas? — quis saber curiosa.

A mulher gargalhou gostoso. Procurou a cadeira na saleta de estar e sentou-se. Nanci fez o mesmo, ficando diante dela.

— A Maria Cândida furtou dois charutos do próprio avô e levou para a escola. Não sabia o que fazer com eles. Nós duas não tínhamos idéia do que era fumar, muito menos de fumar um charuto. Porém, sabíamos que, se o fizéssemos, ficaríamos impregnadas com o cheiro e nossos pais perceberiam. Então a minha amiga teve uma brilhante idéia. Naquele dia, na escola, teríamos aula de natação. Se fumássemos os charutos e fôssemos para a piscina, depois tomaríamos banho e, certamente, não ficaríamos com odor algum.

— E foi isso o que fizeram? — perguntou animada.

— Foi. A nossa sala de aula era só de meninas. Sabíamos que a outra sala, só de meninos, estaria vazia, pois eles estariam na piscina. Estávamos além do meio de uma aula de aritmética e...

— O que é isso?!

— Matemática — explicou a mãe. — Então eu pedi a professora para ir ao banheiro e a Maria Cândida pediu para sair, depois de mim, dizendo que uma outra professora havia dito para procurá-la antes do término daquela aula. A professora consentiu. Fomos para a sala dos meninos, que estava vazia. Nós nos colocamos perto das janelas, acendemos os dois charutos e começamos a fumar. O gosto era horrível!!! — riu de si mesma. — Mas, era proibido. E toda proibição é sempre uma aventura. Nós fumamos e fumamos... Aquela coisa horrorosa adormeceu nossas bocas e começamos a ficar tontas e enjoadas, por isso não percebemos que a sala de aula estava esfumaçada e a fumaça saindo pelas janelas. De repente ouvimos a sineta, que era o alarme de incêndio. Quando nos levantamos, ficamos mais tontas e caímos. Aconteceu que uma professora chegou à sala e nos viu caídas e com os charutos ainda acesos.

Belinda riu e parou de contar. Mas Nanci, rindo junto, insistiu:

— E depois?

— Apesar de estarmos muito mal, mal mesmo, fomos levadas à diretoria. Nossos estômagos embrulhavam e chegamos a vomitar. Nossos pais foram chamados e fomos suspensas, além de ficarmos de castigo.

— Quantos anos vocês tinham?

— Quatorze! Por causa disso, minha mãe quis que eu me afastasse da Maria Cândida. Mas isso era algo impossível.

— Vocês duas eram bem levadas!

— A Maria Cândida era pior do que eu! O que a irmã tinha de bem comportada, ela tinha de peralta! Nesse mesmo ano, em que levamos essa suspensão escolar, ela arrumou um namoradinho. Era um rapazinho de dezessete anos, filho de amigos de seus pais. Começaram a namorar escondido quando os pais se visitavam, e isso era freqüente. No ano seguinte, Maria Cândida ficou grávida. Foi uma tragédia! Uma vergonha para os seus pais e um escândalo na nossa sociedade. Quando ficou sabendo, minha mãe não deixou que nos víssemos. Minha amiga deixou de ir à escola e ninguém mais a viu. Quase um ano depois, fiquei sabendo, por ela, que as famílias pensaram em casar os dois. Porém a mãe do rapaz queria que ela fizesse um aborto, pois os dois eram muito jovens. A dona Filomena foi absolutamente contra o aborto, por princípios morais e religiosos.

— E a criança nasceu?

— Nasceu! Era uma linda menininha! Maria Cândida tinha só quinze anos! Seu pai ficou desgostoso. Naquela época, isso era um absurdo. A vergonha foi tão grande que eles se mudaram para Campinas. Mas, no ano seguinte, voltaram para a capital por causa dos negócios da família. O escândalo havia perdido força e o assunto, abafado. Dona Filomena criava a netinha como se fosse sua filha e ninguém mais falava no caso. Não voltamos a morar tão perto. Nossas mães retomaram a amizade, porém não como antes. Contudo, nós duas voltamos a nos ver com freqüência. Eu esqueci o assunto e Maria Cândida parecia não se dar conta de que era mãe.

— Voltaram a estudar juntas na mesma escola?

— Não. Mas era difícil ter um dia em que não nos víamos ou não nos telefonávamos. Éramos inseparáveis.

— A vovó não foi preconceituosa pelo fato dela ser mãe solteira?

— No começo foi! Nossa!!! Como foi!!! Depois viu que não conseguiria nos separar. Quando fizemos dezessete anos, em janeiro, nosso pedido, como presente de aniversário, foi uma viagem a San Carlos de Bariloche, na Argentina, no inverno. Queríamos ver a neve e esquiar, sozinhas, naquele ano.

— E foram?

— Fomos! — sorriu. Manuseou o álbum de fotografias e mostrou: — Olhe aqui! Inverno de 1950, Bariloche, Argentina.

— Lá é lindo. A beleza se compara aos Alpes. Nem parece que estamos na América do Sul! — riu Nanci.

— Foi um presente maravilhoso e férias espetaculares! No fim desse ano, os pais de Maria Cândida decidiram fazer um cruzeiro. Não iriam passar o ano-novo aqui. Foi nesse cruzeiro que ela conheceu o Oscar, que passava férias no Brasil. Eles se apaixonaram e começaram um romance.

— Ele sabia que ela tinha uma filha?

— Minha amiga sempre foi extrovertida, despojada, espirituosa, de personalidade forte, no bom sentido, e não escondeu nada dele. No final de janeiro, quando ele retornou à Europa, estavam compromissados, apesar de dona Filomena não botar fé no romance. Ele era britânico, filho de uma escocesa e pai inglês. Foi surpreendente quando o Oscar retornou, três meses depois, trazendo consigo os pais para que conhecessem a Maria Cândida.

— A família dele deveria ser bem de vida!

— E como! Eram donos ou sócios majoritários, não sei direito, de uma grande companhia aérea, que não sei o nome, pois o nome mudou depois e... Bem... Após apresentar a Maria Cândida aos pais, o Oscar decidiu que ficariam noivos. Foi de surpresa! Um verdadeiro susto para a dona Filomena e o senhor Armando. Brindaram com um fino champanhe e o Oscar lhe deu um legítimo e esplêndido anel de brilhante, trinta quilates, para firmarem o noivado. Como se não bastasse, um par de brincos de igual valor, combinando.

— Uaaauhhhh!!!... Provavelmente uma fortuna!

— Com certeza! A Maria Cândida ficou cerca de três dias sem dormir, olhando para o anel em sua mão e observando-se com os brincos no espelho!!! — riu gostoso.

— E a família do Oscar, não se incomodou pelo fato dela ter uma filha?

— Se isso aconteceu, não se manifestaram nem foi um empecilho. Eu os conheci. Eram pessoas extremamente elegantes e pareciam pertencer à realeza. Bem discretos e educados. Não conversamos muito. Fiquei um tanto inibida para exibir o meu inglês — riu de si. — Falei um pouco mais com o Oscar. Apesar de seu português não ser tão bom, nós nos entendemos bem.

— Nossa, mamãe! Famílias tão ricas e uma ocasião tão importante, não quiseram oferecer uma festa ou receber amigos para celebrarem o noivado?

— Não. Desde que voltaram a morar na capital, por causa do constrangimento de ter uma filha que era mãe solteira, dona Filomena mostrava-se muito retraída. Não se reuniram mais nas altas rodas da sociedade. A única pessoa com quem ainda passava uma tarde para um chá era com sua avó.

— E depois do noivado? — tornou Nanci.

— O Oscar e a família retornaram para a Europa. Ele voltou ao Brasil depois e levou todos para passarem o Natal na França e o ano-novo na Inglaterra, pois tinham negócios em Londres também. Parece que era uma grande rede de hotéis luxuosíssimos. Depois ele veio a São Paulo por mais três ou quatro vezes e, por fim, casou-se com Maria Cândida e foram de vez para a Europa. Soube que tiveram um filho três anos depois. Nós nos correspondemos até o George nascer. Depois...

— O Oscar deve ter se apaixonado imensamente por ela. Isso é uma coisa ímpar. Não acontece duas vezes! O cara atravessou o oceano para encontrar o seu amor aqui! Que ironia do destino!

— Por quê?!

— Penso que isso só acontece em contos de fadas, em filmes, em romances... Raras vezes na vida dos outros. Nunca na nossa. — Nanci sorriu de modo enigmático e mudou de assunto: — A saudade nunca acaba quando gostamos mesmo de alguém. Todos os anos, desde que me conheço por gente, no mês do seu aniversário, eu a vejo revirando este cômodo e olhando fotos.

— É impossível esquecer uma amizade tão sincera e verdadeira. Principalmente na data do nosso aniversário. Desde que éramos bem pequenas, escolhíamos juntas o presente que desejávamos ganhar de nossos pais — sorriu com nostalgia.

— Mamãe, e a irmã da Maria Cândida? Não teve notícias dela?

— Oh!... Pouco conversávamos! — riu. — Era uma menina chata! Azeda feito limão! Vivia de cara amarrada! Você acredita que, ao retornarem para São Paulo, a Maria Elvira, a irmã da Maria Cândida, pediu aos pais para ir estudar em um colégio na Suíça?

— Por quê?!

— Vergonha de ter uma irmã que era mãe solteira! A Maria Cândida me contou que, quando moravam em Campinas, a irmã dizia a todos que Danielle era sua irmã e não sua sobrinha.

— Danielle?!!! — perguntou Nanci, surpresa.

— Sim, Danielle! Esse foi o nome que minha amiga deu à filha. E eu o achei tão lindo que dei o mesmo nome a sua irmã.

— Por que não fui eu que recebi esse nome?

— Porque foi o seu pai quem escolheu o nome do primeiro filho e da primeira filha. Eu já disse isso! — sorriu.

— É que eu não gosto do meu nome! — protestou. — Poderia haver uma lei que nos permitisse mudar de nome!

— Deixe de ser tola, Nanci!

— Mas... E depois? A tal Maria Elvira foi para a Suíça?

— Ah... Sim. Foi. Ela morria de vergonha da irmã, da sobrinha, da família.

— Nossa! Era tão absurdo assim uma mãe solteira na família?

— Você nem imagina! Creio que a Maria Elvira tinha medo de ser rejeitada pelos rapazes de família por acreditarem ela ser igual à irmã.

— Que besteira! Conta uma coisa: a Maria Cândida levou a filha para a Europa?

— Não. A dona Filomena não deixou. Ela e o marido morriam por aquela neta.

Nanci tinha algo espirituoso, no olhar, ao perguntar à mãe:

— A senhora sabe onde a Maria Elvira foi estudar na Suíça?

— Deixe-me ver... Ah... — Belinda levantou-se e pegou novamente a caixa de madeira repleta de correspondências e comentou: — Em uma dessas cartas a Maria Cândida contou que foi visitar a irmã em... Não lembro o nome do colégio ou do lugar, mas está escrito... Tenho certeza. Recordo-me muito de ela ter mencionado sobre a irmã estar bem... — riu com gosto — bem mesmo. Bem azeda como sempre! — Revirando envelopes, alegrou-se: — Veja! É nesta carta aqui!

Nanci pegou a carta, olhou o envelope e perguntou:

— Esse é o nome de casada da Maria Cândida?

— Sim, é! Os dois últimos sobrenomes são do marido. Ficou bem comprido, não acha?

— É verdade — concordou a filha. — Ah! Aqui está o nome do colégio! — encontrou ao ler o conteúdo da carta. Bem animada, disse: — Sei que isso aqui é uma relíquia para a senhora, mas pode deixar um minutinho comigo?

— O que vai fazer?!

— Nada que destrua as suas recordações! — riu, ao se levantar com os papéis nas mãos.

Belinda deu um longo suspiro e sorriu, pondo-se em pé atrás da filha. Em seguida, indagou:

— O seu pai está lá em baixo?

— Quando eu subi, ele disse que iria até o escritório e voltaria logo.

— Seu pai... Esse homem nunca vai aposentar!

— Ah, mamãe!... Ia me esquecendo... O Kléber telefonou. Chegaram ontem de viagem. Pediu para avisá-la que ele, a Vanessa e aqueles dois capetinhas dos seus netos, virão almoçar.

— Não fale assim dos meus anjinhos! — exclamou a mãe sorrindo, dando-lhe um tapinha de repreensão. — Estou com tanta saudade do Vinícius e do Rodrigo!

— Bem... Deixe-me correr e trancar o meu quarto e o escritório antes que esses anjinhos, como a senhora diz, cheguem a esse paraíso!

— Nanci!... Quero ver quando tiver os seus filhos!!!

— Não terei filhos! Nem vou me casar! Conto de fadas só existiu para a Maria Cândida! Esse ano faço trinta e um e, se não me casei até agora, não vou me casar mais. Estou conformada!

— Não brinque! — riu. — É praga de mãe! Você vai casar e ter três filhos muito, mas muito peraltas para pagar sua língua!

Ao caminharem juntas pelo corredor, antes de chegarem às escadas, Belinda perguntou:

— Sua irmã ligou?

— Hoje não. Ontem conversamos e ela contou que o Raul está em choque ainda.

— E quem não está? Um rapaz jovem, bonito, bondoso... Tão pouco tempo de casados e ele com uma doença dessas.

— Hoje em dia existem tratamentos ótimos, mamãe. Não se preocupe.

— Não sei não, Nanci. Sinto uma coisa... Coitada da Danielle. Tão alegre, cheia de vida e com tantos planos! Nenhum dos dois merecia isso.

— É... Justo agora que eles pensavam em arrumar um nenê.

— Vou ligar para a Danielle e convidá-los para o almoço. Com o seu irmão aqui, talvez se distraiam.

— Não creio que virão. Ela me disse que, por causa da quimioterapia, o Raul não se sentia bem.

— Ainda não melhorou?! — admirou-se Belinda.

— Não. Parece que não quer nem sair de casa.

— Ele não quer receber visitas. Não quer sair de casa... Deus! O que vai ser desse moço?!

— O Raul vai ficar bem, mamãe. Tudo é muito recente. Vamos rezar.

— É o que nos resta. — Em seguida, decidiu: — Vou dar umas ordens para as empregadas prepararem um belo almoço. Depois, ligar para sua irmã e convencê-los a virem aqui. O que você vai fazer? Vai sair?

— Não! Vou dar umas voltinhas pelo planeta! — riu.

— Ah! Sei!... Essa maldita internet!

A filha riu gostoso e retrucou:

— A senhora ainda vai me agradecer muito por eu gostar de internet! Vai me agradecer de joelhos e beijar as minhas mãos!

— Vai esperando, Nanci! Vai esperando!

Nanci foi para o escritório e colocou-se, de imediato, frente ao computador. Entendeu que sua mãe esqueceu ou ignorava a poderosa ferramenta tecnológica, capaz de ajudá-la a encontrar sua melhor amiga. Por mais que lhe custasse, decidiu achar Maria Cândida e reuni-las novamente.

Ficaria feliz e muito satisfeita em ver de perto uma grande amizade, pois, para ela, o mundo parecia perder essa bênção de amor.

2

O TEMPO COMO TESTEMUNHA

Nos últimos dias, Nanci estava uma pilha de nervos. Havia discutido com o pai a respeito de não ir trabalhar em seu grande e conceituado escritório de advocacia. Ele não advogava mais, pois era um renomado professor universitário e jurista. Ela formou-se em direito, mas não tinha a menor aptidão para a profissão.

— Eu não quero ir para o escritório com o senhor, papai! — dizia categórica. — Não pode decidir o que é bom para mim!

— Você não passa de uma menina mimada!!! — vociferou o senhor Osvaldo, impaciente. — Está desperdiçando tempo e sua vida! Passa horas, dias reclusa nesta casa! Mal vai ao clube ou sai com as amigas! Já tem quase trinta e um anos! Não tem namorado!

— Oh!!! Obrigada por me lembrar! — retrucou brava.

— Por que se pune assim?!

— Quem está se punindo, papai?! Eu levo a vida que gosto!

— Então faça alguma coisa! Tente outra faculdade!

— Eu bem que quis fazer outra faculdade, mas o senhor

não me deixou. Disse que não pagaria um curso daquele! Esqueceu?!

— O que você queria era um curso de artesanato ou coisa parecida! Deveria ser proibido chamarem esse tipo de curso, de superior! Isso nunca poderia existir em uma faculdade!

— É faculdade de Artes, papai! E é algo muito legal!

— Legal! Legal! Coisa legal não põe dinheiro no banco!

— Então vai ter de me agüentar aqui em casa, como estou, porque eu não vou para aquela empresa!

Calmamente Belinda entrou no escritório e pediu com jeitinho:

— Eih! Eih! Eih!... Parem vocês dois! — Virando-se para a filha, falou: — Telefone para você, Nanci.

Sem dizer nada, a moça os deixou e o senhor Osvaldo, contrariado, reclamou:

— Ela foi muito mimada!

— Você precisa ter paciência. A Nanci vai encontrar o que procura.

— E o que ela procura? — perguntou zangado.

— Como vou saber? — riu engraçado. — Ela ainda não encontrou! — Aproximando-se do marido, afagou-lhe os ombros e o massageou com carinho, dizendo: — Calma, Osvaldo. A Nanci é uma boa filha, só que ainda não sabe o que quer.

— Ela vive socada nesta casa e pendurada no computador. O que será dessa menina quando morrermos?!

— Eu não pretendo morrer agora — sorriu. — Não me convide para isso! E quanto a ela viver socada aqui dentro de casa... Ainda bem! Sabemos onde está!

— Isso não é suficiente. Ela precisa ser mais produtiva.

O casal continuou conversando, enquanto Danielle acabava de chegar.

Estava sem o marido. Não encontrando a mãe pela casa, perguntou a uma das empregadas que lhe respondeu:

— Dona Belinda está no escritório com o senhor Osvaldo. — Por apreciar fofoca, sussurrando, a mulher contou: — Eles estavam discutindo feio com a sua irmã. A Nanci subiu correndo! Está lá no quarto agora.

Danielle a conhecia bem. Sabia que gostava de aumentar as coisas. Diante do relato, sorriu e pediu:

— Quando minha mãe sair do escritório, avise que estou lá em cima, por favor.

— Pode deixar! — prontificou-se a outra.

Poucas batidas à porta e entrou no quarto antes de ouvir a irmã permitir.

Nanci, animada ao telefone, terminava uma conversa.

A outra sentou em sua cama e aguardou. Não demorou e, após se cumprimentarem, Danielle perguntou:

— Com quem estava falando? Está tão alegre!

— Com a Val, minha amiga. Quero fazer uma surpresa para a mamãe! — contou. — Sabe, quero fazê-la encontrar com aquela amiga, a Maria Cândida.

— A mamãe sempre fala dela. Mas essa amiga não mora na Europa? Talvez na França?

— Isso mesmo!

— Não será fácil! Acho que o papai já tentou isso.

— Ora, Dani! O papai tentou em mil novecentos e bolinha! Quando o fez, não se esforçou muito, ou não se empenhou como poderia. Ele nunca se importa, realmente, com os nossos sentimentos. Hoje temos a internet e muita tecnologia! Esqueceu?!

— Mesmo assim... — disse, deitando-se em sua cama.

— Não seja pessimista, Dani! Tive progresso! Consegui localizar a irmã da amiga da mamãe! Ela mora nos Estados Unidos.

— Como fez isso?!

— Entrei em contato com o colégio onde ela estudou na Suíça. Eles mantêm uma impecável atualização de dados para aquelas reuniões anuais de antigos alunos e propagandas, é lógico. Expliquei o caso. Precisei fornecer todos os meus dados e, por fim, confirmaram que têm meios de contatá-la. Vão mandar um e-mail falando sobre mim e minhas intenções de fazer a mamãe se encontrar com a Maria Cândida.

— Se a Maria Cândida estiver viva.

— Ai, Danielle!!! Que horror!!! Você nunca foi assim!!! — protestou Nanci.

Realmente Danielle não era pessimista. Nunca foi. Estava abalada, ferida e decepcionada com a vida, com seus planos jogados por terra.

Sem que esperasse, a irmã se sentou, abraçou-a com força e começou a chorar.

— Calma... Não fique assim — pediu comovida. Aguardando-a se recompor, Nanci comentou: — Sei que você está sofrendo. Eu nem sei o que dizer, pois nos pediu para não tocarmos tanto no assunto.

— Não estou agüentando mais, Nan!

— O Raul está lá em baixo ou você veio sozinha?

— Ele quis ficar em casa. — Suspirou fundo, passou as mãos pelo rosto pálido e ajeitou os cabelos para trás. — Está sendo muito difícil, minha irmã. Às vezes acredito que não vou suportar. O comportamento do Raul, nos últimos dias, está complicando ainda mais a situação. Preciso de alguém que lhe dê uma injeção de ânimo, porque eu não consigo. Hoje o convidei para vir aqui e... Na verdade, implorei, mas não quis. A minha cunhada ficou com ele. Eu precisava sair um pouco, precisava respirar. Tem momentos que fica quieto, parado... Não sei como agir. Tento de tudo para animá-lo, porém não consigo. Há horas em que não acredito no que está acontecendo. Parece tão irreal! Vem uma angústia, um medo infindável!

Depois do desabafo, Danielle permaneceu em silêncio. Era a primeira vez, desde quando descobriram a doença do marido, que falava daquela forma.

Antes era uma moça tranqüila e despretensiosa, embora fosse firme quando tinha propósitos e ideais. Maravilhava-se ao cumprir suas metas e objetivos. Sua vida sempre foi bem planejada.

— Tudo é muito recente, Dani. Vocês... Ou melhor, todos nós, levamos um susto com esse diagnóstico. Ele é jovem e foi tão inesperado. Acho que até deveriam procurar outros médicos.

— O que me assusta é saber que estamos somente no começo do tratamento. A estrada será longa e solitária. É um tratamento que consome todos em volta do doente. O câncer é terrível... — Um soluço embargou sua voz. — Eu pensei que teria mais força, mas estou desse jeito...

— Eu acho que você e o Raul se isolaram muito desde que descobriram. Ele não está indo à empresa, está?

— Não... Não tem o menor ânimo. Também penso que ele deveria ir à firma. Isso iria distraí-lo, certamente. Mas não quer. Agora, que começou a quimioterapia, está pior, emocionalmente falando. E foi só a primeira.

— Esse tipo de doença, ou mesmo o excesso de química do tratamento, pode provocar depressão.

— Eu amo meu marido, Nanci! — falou quase em desespero, com lágrimas correndo pelo rosto. — Adoro o Raul! Não suporto vê-lo assim, sofrendo.

— Sabe... — disse a irmã com jeitinho, secando-lhe o rosto com as mãos para não se demonstrar emocionada. — Você não deveria ter parado de trabalhar. Eu sei que quer ficar ao lado dele, cuidando, ajudando e acompanhando tudo. Porém essa dedicação acirrada, excessiva pode ser prejudicial a você e fazer com que o Raul deixe de reagir.

Um pouco mais recomposta, Danielle abaixou o olhar para suas mãos, tensamente entrelaçadas, e disse em um sussurro:

— Não consigo me concentrar em mais nada. Eu adoro o Raul! Quero ficar com ele! — Olhando para a irmã, trazia uma expressão de medo ao dizer: — Ninguém tem idéia do que estou vivendo. Não consigo dormir... Não posso ficar triste perto dele...

Suaves batidas à porta e Belinda adentrou ao quarto. Ela não precisou de explicações para entender o que acontecia. Sentando-se na cama ao lado de Danielle, abraçou-a e beijou-lhe no alto da cabeça com carinho. A filha agarrou-se a ela. Escondeu o rosto em seu peito e chorou abafado. Passados poucos instantes, a filha se recompôs e a mãe perguntou, parecendo animada:

— O Raul não quis vir?

— Não.

Belinda não sabia ao certo se deveria falar sobre a doença do genro ou não. Acreditava que o desabafo faria bem à Danielle, mas a filha havia pedido à família para não falarem tanto naquele assunto, pois os desgastava. Entendeu que ela estava ali para se refugiar da tristeza e se recompor um pouco.

Relanceando-lhe os olhos de cima a baixo, notou o quanto a moça se achava abatida, pálida e até mais magra desde a última vez que a viu. Danielle tinha vinte e sete anos. Alta, elegante e muito bem educada. Era uma moça bonita. Pele alva, cabelos loiro-escuro, lisos e compridos até pouco abaixo dos ombros. Olhos castanho-claros, que expressavam, junto com seu sorriso simpático, generosidade.

Pensando um pouco, a mãe decidiu:

— Venha! Vamos sair um pouco!

— Eu não quero sair — resmungou.

— Daremos uma volta, nem se for pelo jardim! Você precisa estar bem para dar força ao Raul. Caminhar, refazer-se. Fará bem a você e, consequentemente, a ele também, pois vai vê-la bem.

A contragosto, ela aceitou e a mãe sentiu-se vitoriosa. Sorrindo para a filha, conduziu-a.

* * *

Cerca de dez dias haviam passado e Nanci, insistente, propunha à mãe:

— Vamos até Ubatuba passar o fim de semana e o feriado! Aquela casa está sozinha e abandonada!

— Não é um bom momento, filha. Não quero ir para lá agora. Quero ficar com sua irmã. Você viu como a Danielle está?!

— Vamos levá-la conosco, mamãe! Será ótimo para a Dani!

— Ela não vai sem o Raul. Você sabe que não.

— Quem sabe ele aceita ir também?! Eu vou conversar com ele. O Raul sempre foi um cara legal, consciente...

— Viu como ele está nos últimos dias?!

— Puxa! Sei que não é por menos, porém ele precisa pensar um pouco na esposa! A Danielle não pode se sacrificar, se enterrar em vida por causa dele! Desculpe-me falar assim, mas quem está doente é o Raul e não ela!

— Não fale assim, Nanci — repreendeu a mãe, zangada. — Se o Raul fosse meu filho e seu irmão, gostaríamos muito que a esposa fosse dedicada, no mínimo, diante de uma situação como essa.

— Mamãe, a senhora não percebeu que a Dani está mais abatida do que ele? Até a irmã do Raul reparou isso. Ela não pára, não dorme, não descansa!... E se ela ficar doente?! Como vai ser?! Quem vai cuidar do Raul?! O pai dele é daquele jeito: só se preocupa com a empresa da família. Ele não tem mãe. O irmão não está nem aí! É como o pai. A irmã tem três filhos pequenos e cuida da sogra, viúva, que está em uma cama porque caiu e quebrou a bacia. — Breve pausa e Nanci censurou: — Mamãe, a Dani está se acabando! Sua filha largou um ótimo emprego, que adorava, arrumado depois de tanto esforço e estudo até no exterior. Ela está servindo de enfermeira! O pai do Raul só colabora financeiramente e bem mal, diga-se de passagem. Não sei se a senhora sabe, o papai está ajudando a pagar o tratamento do Raul.

— Seu pai me contou — respondeu sobriamente preocupada, caminhando poucos passos pelo quarto. — Já pensei em tudo isso que está me falando, Nanci. — Havia um queixume em seu tom de voz e uma expressão aflita em seu rosto ao perguntar: — Mas, o que eu posso fazer?

— Faça a Danielle viver para ela também! Vamos passar um final de semana na praia, com ou sem o Raul!

— Vou falar com ela — decidiu Belinda.

— Eu vou falar com ele — determinou-se Nanci.

* * *

Naquela tarde, Nanci foi até o apartamento da irmã, decidida a conversar com o cunhado e fazê-lo entender o que acontecia.

— Raul, você não pode continuar desse jeito! — dizia calmamente, porém com energia. — Se gosta da Danielle, precisa reagir e enfrentar a situação.

— Eu falei para a Dani não deixar o emprego. Não era isso o que eu queria.

— Agora está feito! Ela abandonou tudo para dar mais atenção a você. No entanto, não está retribuindo. Fica trancado em casa, não quer conversar, não visita a família... Desse jeito, está se entregando à doença. Está deixando que o problema o consuma! Pesquisas mostram que pessoas acometidas por doenças graves têm mais qualidade de vida e se curam quando saem, passeiam, trabalham, divertem-se e até praticam Karatê, Judô, Yoga... Você abandonou a vida, Raul! Dessa forma, está se abandonando!

— Não é fácil, Nanci! Quando eu pensei que estava estabilizado e ia começar a viver bem, ao lado de quem amo, acontece uma coisa dessa! — começou a chorar. — Sinto um medo horrível! Fico apavorado ao pensar que vou morrer... Vou sofrer muito antes de morrer!...

— Quem disse isso?!

— É o que vemos acontecer. Essa doença é triste, terrível, dolorosa. Não posso me iludir.

— Você não está se iludindo quando pensa positivamente! Porém se prejudica quando se entrega desse jeito. Deixando de lutar, de viver você não se dá uma chance e se condena. Com essa atitude, está torturando todos a sua volta, principalmente sua esposa. Pense nisso! Ela está triste, deprimida, preocupada não só com sua doença, mas também, e principalmente, com seu comportamento diante do problema. A Dani faz de tudo para animá-lo, para vê-lo saudável emocionalmente, pois sabe o quanto essa atitude é importante. E como você retribui a todo esse apoio e estímulo que ela lhe dá?! Se enfiando em casa e não querendo ver ninguém! Você está acabando com a Dani! Acabando consigo mesmo!

Raul estava pálido, abatido. Com os olhos marejados, mirava-a em uma visão nublada. Leve suspiro e perguntou:

— O que acha que devo fazer, Nanci?

— Deve procurar viver normalmente tudo o que puder. Saia, visite amigos e familiares. Volte para a empresa do seu pai e assuma o seu serviço.

— Não gosto que as pessoas fiquem perguntando se estou bem, o que estou sentindo... Algumas chegam a ter o desejo mórbido de querer saber como é que se sente quando se está com uma doença fatal...

— Só pessoas pobres de espírito vasculham os sentimentos dolorosos dos outros. Quando estiver diante de gente assim, seja firme ao dizer que não quer falar sobre o assunto. Peça para não lhe perguntar mais nada sobre isso.

— Não posso falar desse jeito!

— Por que não?! Se elas se julgam com o direito de serem indiscretas e inoportunas, coloque-as no devido lugar. Você tem direito à privacidade!

— Não agüento mais os outros virem falar de doença comigo. Todos os que se aproximam sempre têm um caso triste, sofrido e trágico para contar.

— Concordo totalmente com você. Muita gente não seleciona o que fala quando visita alguém, principalmente, quando a visita é para alguém doente. São pessoas mesquinhas, pobres e desagradáveis. Só falam de tragédias, de moléstias, sintomas, dores, doenças... A falta de bom senso é horrível! As pessoas são incômodas, fazendo visitas longas. Esperam ser servidas com café, almoço, jantar ou algum tipo de banquete. É um transtorno! Não reconhecem que o doente e os familiares estão cansados, sobrecarregados... Se elas estimassem mesmo a pessoa enferma, fariam uma visita de, no máximo, quinze minutos. Isso é tempo pra caramba! Como se não bastasse, além de se esquecerem de irem embora, essas visitas ficam fazendo perguntas indiscretas, falam alto, comentam assuntos negativos sobre todo e qualquer tipo de tragédia e desastre. Isso é aversivo!

— Então você entende por que estou me afastando de todos?

— Entendo, mas não aprovo, Raul. Você tem todo o direito de dar um basta a determinado assunto. Educadamente, diga que não quer conversar a respeito. — Vendo-o pensativo, Nanci declarou: — Bem... Eu não vim aqui somente para conversarmos a respeito do seu comportamento.

— Não?... — sorriu entristecido.

— Não. Vim aqui para irmos a Ubatuba no próximo final de semana. Tem o feriado prolongado... Podemos passar uma semana lá. — Ao vê-lo reflexivo, ela entendeu que o cunhado procurava uma desculpa para não ir, por isso acrescentou: — A Danielle está precisando de uma viagem. Isso fará bem a ela e a você.

Nanci, apesar de delicada, era uma moça obstinada e inteligente. Amava a irmã e era muito apegada à família. Prestativa, gostava sempre de ajudar.

Raul olhou-a bem dentro de seus belos olhos verdes e, após um momento, concordou emocionado:

— Você tem razão. Se não for por mim, vou pela Danielle.

O rosto de Nanci se abriu em um lindo sorriso e, aproximando-se dele, envolveu-o com carinho.

Danielle, que acabava de chegar com algumas compras, presenciou a cena e sorriu, dizendo:

— Que bom vê-los alegre! Isso se deve a quê?!

— O Raul concordou em ir conosco à praia. Talvez fiquemos uma semana lá! — anunciou Nanci com alegria.

— Nós vamos mesmo, amor?! Jura?!!! — indagou a esposa com extrema felicidade.

— Vamos sim! Se você quiser, lógico!

— É claro que eu quero! — afirmou, abraçando-o e beijando-o com ternura.

Os olhos de Nanci brilharam de forma incrível. Ela estava ansiosa e entusiasmada. Tinha tudo planejado e juntaria o útil ao agradável. Sabia que dificilmente sua mãe a acompanharia sozinha em uma viagem à praia por tantos dias. Mas, se a irmã fosse para fazer-lhe companhia, a mãe aceitaria ir sem contestar. Todos percebiam que Raul precisava se distrair e Danielle de se recompor, pois a luta de ambos estava sendo difícil.

* * *

A casa, que tinha uma parte sustentada por pilastras gigantescas na encosta, era simplesmente esplêndida. Os empregados já haviam organizado tudo para a chegada de Belinda, das filhas e do genro, que ficariam ali por cerca de dez dias.

Como se esperava, o senhor Osvaldo, o filho Kléber, a esposa e os filhos passariam somente o final de semana e retornariam por causa de assuntos profissionais.

No início da semana, após o feriado, Belinda procurava por Nanci, que não largava o telefone.

— Quem era?

— Uma amiga — a filha sorriu explicando.

— Onde está sua irmã?

— Ela e o Raul foram fazer uma caminhada pela praia. Acho que essa viagem está fazendo muito bem para os dois.

— Certamente. Sua irmã está até corada. — Ao ver a filha se levantar, perguntou curiosa: — Aonde você vai?

— Falar com a empregada e pedir para ela preparar um chá especial para hoje à tarde.

— Por quê? Não íamos até a cidade?

— Vamos deixar para amanhã? Será melhor! — respondeu Nanci, saindo da sala, e sem esperar pela opinião de sua mãe.

Pelo fato da filha ser um tanto irreverente, Belinda não se importou e foi para o terraço, onde havia uma vista espetacular do mar.

* * *

No início da tarde, Nanci achava-se inquieta.

Após o almoço, Danielle e o marido foram repousar e Belinda se encontrava em uma das salas amplas com paredes de vidro, lendo uma revista.

Fazia calor demais para sair e dar uma volta. O melhor a fazer era ficar em casa. A senhora jogou a revista de lado, largou-se no sofá, esticando as pernas e pensava na vida. Trazia grande preocupação pela filha Danielle e pelo genro doente. Também se inquietava por Nanci. Achou que ela deveria estar casada, em sua opinião.

Nessa fase da vida, aos sessenta e oito anos, desejaria ter os filhos encaminhados, como ela dizia. Todos com família, um bom emprego, muita estabilidade... Mas nem tudo se consegue controlar.

Guilherme, seu filho mais velho, aos trinta e seis anos, ainda era solteiro. Dedicou-se muito aos estudos. Não perdeu a oportunidade de estudar e trabalhar em Berlim. Havia seis meses que não via o filho e sentia muita saudade.

Deixando os pensamentos vagarem, imaginou que Guilherme, por brincadeira do destino, poderia conhecer uma moça na Europa e, talvez, essa moça fosse filha de sua melhor amiga. Quem sabe Maria Cândida tivesse outros filhos e da idade próxima dos seus? Daí, quando conhecesse os pais da moça, a surpresa! Seria filha de sua amiga!

Belinda riu.

Realmente aquilo seria uma grande brincadeira do destino. Algo quase impossível de acontecer. Mesmo assim poderia sonhar. Que mal faria? Era bom sonhar, pois a saudade da melhor amiga seria mais doce e não tão amarga.

— Mamãe!!! Tem uma senhora aqui dizendo que a casa foi vendida e que pertence a ela!!! — gritou Nanci eufórica ao entrar na sala.

Belinda sentou-se rápido. Assustada, levou a mão ao peito e perguntou:

— Que história é essa?!!

Ao ver, na sala, a filha acompanhada de duas outras pessoas, Belinda se levantou às pressas e séria. Logo observou o rosto de Nanci, desmanchando-se num riso ao anunciar:

— Veja quem está aqui!!!

Lágrimas brotaram nos olhos das mulheres que se reconheceram imediatamente.

Trêmulas, aproximaram-se vagarosamente, tocando-se nos ombros. Em seguida, as mãos percorreram os braços e os rostos até, em meio a gritinhos emocionados, abraçaram-se firmes, balançando-se de um lado para outro. As lágrimas e os risinhos eram abundantes e elas se apalpavam, quase se beliscando, como se não acreditassem naquele momento.

Emocionada, Nanci virou-se para o rapaz, filho de Maria Cândida, que a acompanhava, e sugeriu:

— Não acha que seria melhor deixá-las sozinhas?

Sem qualquer vergonha das lágrimas que secava no rosto, ele concordou, falando em um português com forte sotaque:

— Claro! Será melhor! — E brincou: — Vamos ficar de olho para não terem um enfarte.

Virando as costas, deixaram-nas sozinhas.

Mais refeitas da grande emoção, ficaram horas conversando. Tinham muito que falar.

— Por que não respondeu às minhas cartas?! A última vez que me escreveu foi em 1956! Tentei encontrar sua mãe, mas ela tinha mudado.

— Aconteceu tanta coisa, Belinda! — disse sob forte emoção. — Eu lhe escrevi, mas as correspondências retornaram.

Maria Cândida explicou que no final de 1956, seu filho George, com menos de um ano na época, precisou sofrer uma cirurgia. Necessitaram ir para Londres. O caso foi sério, pois ele teve complicações pós-operatórias. Passou meses internado, e ela permaneceu ao seu lado dia e noite.

A amiga falou que ficou desesperada pelo fato dos médicos, praticamente, desistirem do caso. Disseram até que foi um milagre George sobreviver.

Contou que residiu na Inglaterra no ano seguinte e, somente em 1958, retornou à França e retomou a vida, apesar de ainda muito abalada com o ocorrido.

Encontrou, ainda fechada, duas correspondências de Belinda, mas nenhuma avisando sobre o novo endereço. Escreveu-lhe, no entanto as cartas voltaram, informando a mudança.

Tentou telefonar, mas o número havia sido trocado também. Depois, mudou-se novamente para outro bairro de Paris.

Belinda explicou-lhe que os pais mudaram e, na antiga residência, os empregados dos novos proprietários sempre informavam que não haviam recebido qualquer carta.

Maria Cândida também relatou que seus pais foram para o Rio de Janeiro, para junto de sua avó que, na época, estava bem doente. E sua mãe, dona Filomena, aos oitenta e sete anos, ainda morava lá.

— Eu me casei em 1963! Aos trinta anos! — disse Belinda. — Até pensei que iria ficar para titia. Era o segundo casamento do meu marido. Ele era viúvo e não tinha filhos. Hoje temos quatro. O Guilherme, com trinta e seis anos, está fazendo Pós-graduação na Alemanha e também trabalha lá. O Kléber, com trinta e quatro, trabalha com o pai, é casado e me deu dois lindos netos: o Vinícius e o Rodrigo. A Nanci, com trinta anos, é solteira e a... — Com olhos brilhantes, fez suspense antes de dizer: — Danielle! — A amiga ficou séria e sem ação, mas Belinda não notou e concluiu: — Sempre adorei o nome que você deu a sua filha. Aos quarenta e um anos, quando percebi que seria minha última filha, não resisti e coloquei o nome de Danielle!

Os olhos de Maria Cândida se encheram de lágrimas quando disse timidamente:

— É um lindo nome. Foi uma homenagem maravilhosa... — afirmou, secando o rosto com as mãos.

— E a sua Danielle?! Está morando com a avó?! Já se casou?!

Com a voz embargada, semblante sério que tentava esboçar um sorriso forçado, Maria Cândida falou:

— A minha Danielle faleceu. Foi em 1963. Ela tinha quinze anos... Foi em um acidente de carro.

Belinda sentiu-se gelar. Não acreditava no que estava ouvindo.

— Meu Deus!... Como eu podia imaginar?!... Eu me lembro dela... Eu... Não sei o que dizer.

— Nem eu... Até hoje a dor ainda é grande. O meu pai, que faleceu há dois anos, nunca se perdoou. Era ele quem estava dirigindo.

— O senhor Armando faleceu?!

— Há dois anos. O meu pai nunca se conformou. Segundo testemunhas, ele dirigia com excesso de velocidade. Sabia que estava errado. Precisou de tratamento psiquiátrico. Viveu à base de terapia e remédio. Eu não podia dizer nada. Fiquei revoltada, é lógico, mas falar o quê?! Ele já se punia o suficiente. Criou a Danielle como filha. Eu sempre quis levá-la para a Europa para morar comigo, porém ela não se decidia e eles não deixavam, você sabe. — Vendo a amiga triste e perplexa, contou para animarem a conversa: — Bem... Depois do George, que está com quarenta e seis anos, eu tive ainda o Edwin, que vai fazer quarenta, a Olívia, que fará trinta e cinco o mês que vem e a Desirée, minha caçula, com vinte e nove. O George está casado e tem um filho, o meu príncipe! — sorriu. — O nome dele é Henry! É a coisa mais linda deste mundo! De tantos filhos e eu só tenho um neto! — riu. — O Edwin e a Olívia não querem saber de casar! Imagine! A Desirée está casada há dois anos e ainda não tem filhos. Tem um marido maravilhoso! Que homem! Só que ela não o valoriza. Está me dando mais trabalho do que quando era solteira. Ela é extremamente ciumenta! É terrível! Tem hora que me dá vontade de ficar com o William, meu genro, em casa e mandá-la embora para morar sozinha naquele apartamento — riu. — Tem uma vida maravilhosa e não sabe aproveitar nem valoriza. Tem muito que aprender.

Aproveitando a oportunidade, Belinda contou:

— A minha Danielle está casada há um ano e também não tem filhos. Estamos passando por uma situação bem turbulenta agora. O Raul, marido dela, está bem doente, mas vai ficar bom. — Sem demora, ela animou-se: — Mas, me conta! Como aconteceu este nosso encontro?! — exclamou, tateando o braço da amiga como se ainda não acreditasse. — Como veio parar aqui?!

— Foi coisa do Edwin e de sua filha! Ah! Foi! — riu. — Nós viemos ao Brasil para levar minha mãe conosco para Paris. A irmã e a sobrinha estavam morando com ela desde que meu pai faleceu. Há dois meses, minha tia também faleceu e minha prima avisou que queria ir morar com o filho na Bahia. Então chegou à hora da mamãe vir morar comigo. Só que ela é muito teimosa, você sabe! — riu. — Recusa-se a deixar aquele casarão! Quer viver sozinha, somente com os empregados. Eu já deveria tê-la levado antes, mas fiquei com dó e fui adiando. No meio desse processo todo, de eu vir para cá hoje ou amanhã, repentinamente, o Edwin decidiu: "Vamos para lá na próxima semana!" Larguei tudo e vim. Na viagem, o meu filho veio com uma conversa muito estranha. Disse que estava interessado em comprar uma casa no litoral brasileiro. Achei absurdo. Porém, o Edwin contou que olhou uma pela internet e estava bem interessado. Hoje cedo, sem mais nem menos, avisou que iria ver uma casa e viajamos horas para chegar aqui. Ao ver a Nanci, ela ficou brava, dizendo que a casa não estava à venda, mas deixou a porta aberta e meu filho, zangado, foi entrando. Eu fiquei muito nervosa e queria ir embora. Então... Viemos parar no meio da sua sala! — riu gostoso.

— Isso só pode ser coisa da Nanci mesmo! Ela é endiabrada! Não sei a quem essa menina puxou!

Rindo emocionadas, ainda se abraçavam, vez e outra, para acreditarem no que estava acontecendo.

As duas amigas passaram a tarde conversando e se atualizando, sem se importarem com os filhos.

Sentiam-se como duas meninas. Era como se os anos não houvessem passado. Somente o tempo testemunhava aquela amizade.

3

UMA PAIXÃO INESPERADA

Enquanto as mães conversavam, Nanci levou Edwin para caminhar aos arredores da luxuosa propriedade. O lugar era incrível.

Apesar do sol se embrenhar atrás de nuvens fofas, estava muito quente.

Retornando, próximo da residência, frente ao mar, Edwin olhou o telhado de sapé do quiosque, em seguida, para os bancos que circundavam a mesinha e decidiu se sentar. Educadamente, indicou para Nanci fazê-lo primeiro.

Suspirou profundamente. Ao olhar para o mar, ele comentou, em português, com forte sotaque:

— É uma paisagem extraordinária! Devo confessar que nunca vi lugar tão fabuloso!

— Já conhecia as praias brasileiras? — interessou-se ela.

— Conhecia sim. Já estive três vezes no Rio de Janeiro e duas em Pernambuco. As praias brasileiras são espetaculares! Em minha opinião, são as mais lindas do mundo! Veja que areia branca e fina!... E a distância, a largura da faixa de areia até o mar!... Tudo impressiona! Vocês têm uma casa maravilhosa!

— Obrigada — sorriu.

— Temos uma casa nesse estilo em Côte Vermeille, Costa Avermelhada. Fica na costa do Mediterrâneo, entre Perpignan e a fronteira com a Espanha. Faz tempo que não vou até lá. É um lugar muito bonito. Mas, para ser sincero, aqui é muito mais. O clima, a temperatura são tão convidativos para um mergulho...

— Quer aproveitar para um mergulho?

— Ora... Não! Não!... — sorriu, envergonhado, ao recusar. Em seu íntimo, desejar aceitar o convite.

— Vamos! Agora, no final da tarde, é o melhor horário para um banho de mar. A água está quentinha! Quer experimentar? Pode usar uma roupa de banho do meu cunhado, se não se importar.

— Para ser sincero... — riu. — Eu vim preparado para vir à praia e tomar banho de mar. Trouxe roupa. Está na mala, no carro. Mas... Só vou se me fizer companhia!

Nanci ficou encabulada, sentiu o rosto corar. A primeira coisa em que pensou foi em estragar o seu cabelo, que era bem cacheado, longo e só ficava liso, como estava, depois de muito tempo fazendo escova com um secador.

Como iria arrumá-lo rapidamente depois? Afinal, tinham convidados e não seria elegante se afastar por muito tempo para secá-los.

Além disso, o rapaz era europeu, assim pensava. Deveria ter ouvido falar muito sobre os belos corpos das mulheres brasileiras. Corpos dourados pelo sol, elegantes, magros, altos... Ela não tinha um corpo escultural. Suas formas eram lindamente femininas, bem arredondadas, mas estava, como alguns diziam, acima do peso.

A praia e o mar seriam ingratos com ela. Exibiriam seus cachos e sua pele muito branca, além de suas dobrinhas. Tudo o que desejava esconder, e conseguia disfarçar.

Nanci era muito bonita, apesar de não ter quem a fizesse acreditar nisso. Seus olhos verdes e grandes eram chamativos e expressivos no seu rosto redondo, rosado e lindamente feminino. As sobrancelhas, bem delineadas, tinham uma combinação perfeita com seus cílios longos e curvados, com sua boca bem feita de lábios bem carnudos.

Ao vê-la pensativa e relutante, Edwin pegou-a pela mão e a puxou em direção a casa, dizendo:

— Agora me animei! Vamos nos trocar e dar um mergulho!

— Mas eu...

— Ora, Nanci! Seja uma boa anfitriã!

Sem alternativa e apesar de todo o constrangimento, ela aceitou.

Usava um bonito maiô que, a princípio, escondeu sob uma saída de banho e foi para a praia. Demorou muito para tirar a saída, mas, por fim, entrou no mar e ficaram muito tempo, na água, brincando e conversando como se fossem grandes amigos. Como se já se conhecessem há muito tempo.

O sol dormia no horizonte quando os dois, cansados, saíram do mar e se deitaram na praia, assistindo ao espetáculo do firmamento: o astro beijando a água.

Após alguns minutos, Nanci passou a se preocupar com seus cabelos, que começavam a secar e enrolar. Pensava em como pedir para irem embora por causa disso. O rapaz conversava animado e não parecia querer entrar.

Ao seu lado, Edwin falava sobre o belo pôr-do-sol. Repentinamente, olhou-a e disse:

— Nossa! Seus cabelos estão ficando tão bonitos!

— Pelo amor de Deus! Pare com isso! — protestou, parecendo zangada. Ajeitou os cachos com as mãos, torceu-os e tentou prendê-los.

— Não! Não! Não faça isso! — pediu, ajeitando-lhe os cachos e dando-lhe um tapinha na mão enquanto sorria. — Está bonito desse jeito! Deixe-os ao natural! Eu não sabia que seus cabelos eram tão bonitos! Antes estavam tão... comuns!

— Ah! Não!... Meus cabelos são horríveis!

— Não são! Deixe de ser boba!

— Não pense que vai me convencer! Eu reconheço minha falta de atrativos.

— Não diga isso, Nanci! Você é linda! Linda em tudo! Adorei o seu nome: Nanci! — pronunciou, vagarosamente, com uma voz cálida, romântica. — Estou encantado com seus cabelos, seu corpo... seus olhos!

— Ah! — deu um gritinho. — Você é o maior mentiroso que já conheci! Meu nome é horrível! Meu corpo é feio e meus cabelos detestáveis!

— Você é cega! Muito cega!

Ela se sentou, pegou à saída de praia para se cobrir e pediu:

— Vamos embora. Ouvi muitos absurdos por hoje.

Segurando com generosidade em seu braço, ele a fez parar. Olhou-a nos olhos e disse:

— Não estou falando nenhum absurdo. Absurdo é você não se amar. Não se dar valor e não acreditar quando uma pessoa diz que gosta de você. — O silêncio reinou por minutos enquanto se olhavam firmes. Em seguida, Edwin prosseguiu: — Durante todo esse tempo que conversamos pela internet, eu achei você uma pessoa inteligente, sensata, bonita, sensível, amorosa, com uma alma linda... Agora, pessoalmente, vi que é muito mais do que pensei. — Bem sério, afirmou categórico: — Lamento muito não acreditar em mim. Não sei o que posso fazer para que acredite. Talvez o tempo... O tempo vai fazer com que você se ame e creia em si mesma. Somente depois disso, poderá amar e acreditar em alguém.

Aquelas palavras tocaram o coração de Nanci, que se sentiu envergonhada por um instante.

Séria, ela o fitava como se estivesse sob o efeito de uma hipnose. Alguns segundos e sorriu, meio sem jeito, depois disse sem encará-lo:

— É que... Sabe, normalmente as pessoas procuram na outra a beleza física e isso eu sei que não tenho.

— Quem disse que não?! — protestou Edwin. — A beleza não pode seguir normas nem padrões. O que é bonito para os outros, pode não ter graça para mim. Muitas pessoas vão atrás do que está na moda sem entenderem do assunto. Quer um exemplo? — Ela pendeu com a cabeça e ele explicou: — Arte moderna! Vejo muita gente com a boca aberta e queixo caído diante de uma tela onde esfregaram um monte de tinta. Para mim, a pintura não faz o menor sentido. Uns dizem que o pintor expressou isso ou aquilo. Mesmo assim, eu não consigo entender. A pintura não faz sentido aos meus olhos. Eu só posso dizer que o pintor não sabe pintar nada e que, aquela tinta jogada em uma tela, até eu posso fazer parecido.

— Mas a arte moderna... — tentou defender.

— Espera! Espera!... — sorriu, pedindo educado. — Eu sei o que vai me dizer. Já ouvi de amigos e entendidos de arte tudo a respeito, mas não conseguiram me convencer. Sabe por quê?

— Não.

— Porque eu tenho opinião e afirmo, categoricamente, que não gosto! Não gosto e pronto! — sorriu. — O que admiro e fico encantado é com uma pintura que retrata algo com forma, com definição. Uma paisagem, uma pessoa... Gente! Bicho! Flor! Eu olho os detalhes e, até mesmo sem saber fazer igual, consigo criticar uma ou outra coisa como a profundidade, a cor, o brilho, a luz!... Eu gosto do que entendo e do que está ao meu alcance. Admiro o que é natural, o que é bom, o que faz bem. É esse o meu jeito de ver as pessoas. Esse é o mesmo método que uso para admirar as mulheres.

— Então vejo que você gosta de baixinhas e gordinhas — riu gostoso.

— Não. Eu gosto da harmonia do que vejo. Se for baixa, alta, gorda, magra e for natural, eu gosto. É simples! — sorriu. — Talvez, por ser tão simples, as pessoas não entendam.

— A moda é mulher alta, magérrima, loura, dourada...

— Oh!... Pare com isso! — gargalhou. — É um absurdo fazer uma forma e querer impor que todas as mulheres sigam esse padrão, se encaixem nessa forma. Somos seres humanos! Não somos robôs! Ande pela rua e me diga quantas mulheres, com corpo exuberante, de modelo, você vê? Uma, duas no máximo! O resto das mulheres são normais! E outra coisa: por quanto tempo esse corpo de modelo ficará assim? — Nanci riu e ele acrescentou: — O tempo passa e a idade chega para todos! Sem exceção! Por isso, quando conheço alguém, eu gosto do que a pessoa tem. Admiro e aprecio a bagagem que ela traz consigo. Nunca quero que ela se encaixe nos padrões de beleza ou que seja de outra forma, pois, se for assim, deixo de gostar.

— Nem todos pensam assim.

— Então todos têm muito que aprender! — Aproximando-se, beijou-a no rosto e afirmou: — Você é linda! É apaixonante! Gostei muito de você!

Nanci ficou envergonhada.

Torcendo os longos cabelos, que estavam bem cacheados, sorriu com jeitinho e pediu:

— Que tal irmos para casa?

— Sim. Vamos sim.

Ao caminharem pelo gramado, perto da piscina da casa, Nanci comentou:

— Apesar do sotaque forte, você fala português muito bem.

— Aprendi com minha mãe. Foi algo natural. Desde pequeno. Não sou muito bom na escrita desse idioma — riu. — Ah! Isso não! Viu pelos meus e-mails.

— O que acha de ficarem por aqui até o fim de semana?

— Não sei... — falou com um brilho no olhar. — Eu gostaria. Preciso ver com minha mãe. Como expliquei, pegaremos minha avó no Rio de Janeiro e vamos direto para Nova Iorque, para a casa da tia Maria Elvira. Ficaremos alguns dias lá. Depois, junto com minha irmã Desirée e o marido, que estão lá, voltaremos para Paris; e eu, para Londres. Tenho de voltar a trabalhar.

— Quer dizer que, se não fossem essas pequenas férias, que vieram para o Brasil buscar sua avó, não iríamos fazer nossas mães se reencontrarem?

— Tudo aconteceu no momento certo! — admirou-se Edwin. — Foi impressionante! Elas se reencontrariam, mas demoraria um pouco. Certamente não faríamos essa surpresa. O incrível é que, nos últimos dias minha mãe não parava de falar na dona Belinda!

— Foi uma surpresa boa! Você viu a cara das duas?

— E como vi! — Parando um pouco no jardim, Edwin, diante dela, perguntou sem jeito: — Nanci, depois que nós formos embora... Não nos veremos mais?

— Bem... Eu não sei...

— Você vai muito à Europa?

— Não. Já fomos muito, mas... Cada vez que íamos a Paris, minha mãe esperava encontrar a sua — riu. — Meu pai tem parentes em Portugal, Espanha e Itália, mas... Nos últimos anos, não fomos muito para lá.

Era fácil perceber que Edwin havia se interessado muito por Nanci. A moça era uma excelente companhia e queria conhecê-la melhor. Estava nitidamente inquieto e um tanto preocupado com uma situação recém-resolvida em sua vida.

— Podemos falar sobre isso depois, não é? Tecer planos... — propôs ele com largo sorriso. — O que acha?

— Sim. Podemos — concordou a moça.

Eles entraram e Nanci nem podia acreditar no que acontecia.

Edwin era um rapaz simpático, inteligente, educado, muito maduro e atraente. Sabia o que pretendia da vida.

Encantou-se com ele. Alto, bonito, ombros largos, cabelos pretos e lisos, olhos castanhos. Tinha uma voz linda, para ela, estonteante. O tipo de pessoa que sabia se comportar em qualquer ocasião.

Nanci percebeu-o interessado nela. Não podia acreditar. Aquilo era o máximo. Sentia-se muito sozinha há algum tempo. Namorou alguns rapazes, mas nada deu certo.

Havia momentos em que seu coração apertava. Queria alguém ao seu lado para conversar. Ouvir alguém que fosse inteligente como ela, gostasse das mesmas coisas ou quase... Gostaria de ter uma pessoa para compartilhar a vida, os momentos, os passeios, as viagens. Desejava uma companhia para pedir opinião ou apenas ficar ao lado, quietinhos, em silêncio.

Para não perder tempo, após o banho, ela decidiu deixar os longos e fartos cabelos cacheados caídos lindamente pelas costas, prendendo-os somente com uma tiara no alto da cabeça. Isso chamou a atenção do rapaz.

Durante o jantar, Edwin contou a sua mãe seus planos de pernoitarem ali, mas, se ela quisesse, ficariam até o final de semana. Maria Cândida ouviu o filho, pensou, porém não deu resposta e voltou a falar sobre algum assunto animado com a amiga.

Danielle conheceu a amiga de sua mãe, entretanto não se falaram muito. Ela precisou dar atenção ao marido, que não se sentia muito disposto.

Nanci e Edwin deixaram suas mães conversando na sala e foram para a varanda, de frente para o mar, de onde podiam ouvir as ondas quebrando nos rochedos.

O rapaz falou um pouco de si e ela narrou toda a sua vida. Ele ouviu com imensa atenção e prazer. Nanci tinha uma fala calma e voz macia, gostosa de ser apreciada. Era prazeroso escutá-la falar, rir e vê-la se expressar com graça.

Estavam lado a lado, sentados na mureta da varanda.

Já conversavam longamente, noite adentro, quando ele não resistiu. Tocando-lhe em uma mecha cacheada, interrompeu-a, dizendo bem baixinho:

— Você é linda! Gostei muito de você!

Nanci emudeceu. Paralisou. Edwin desceu de onde estava e ficou frente a ela. Tocou seu rosto com delicadeza, curvou-se e a beijou com ternura.

Foi maravilhoso tê-la em seus braços. Sentir o seu perfume suave. Era como se a conhecesse e a esperasse por muito tempo.

Aconchegados um ao outro, trocaram carinho, demonstrando afeto, e permaneceram juntinhos até a madrugada chegar. Depois decidiram, contra a vontade, ir deitar.

Não dormiram, encantados com a magia daquele momento.

Entristeciam-se com a idéia de se separarem, pois, certamente, isso iria acontecer.

Na manhã seguinte, Belinda deu ordens para que o café da manhã fosse servido na varanda de frente para o mar.

O dia estava lindo e tão alegre quanto às amigas que não se viam há muito tempo.

Sentadas à mesa para o desjejum, Belinda comentou:

— Estou com saudade da dona Filomena. Gostaria de vê-la!

— Vamos até o Rio!

— Por que não a trouxeram?

— Eu não sabia que viríamos aqui. Porém, o Edwin fez bem em não trazê-la. A viagem foi longa e seria cansativa para ela.

— Sabe que eu não dormi essa noite!

— Eu também não! — riu Maria Cândida. — Menina!... Eu fiquei tão eufórica que não consegui pegar no sono!

— Deveria ter ido ao meu quarto! Ficaríamos conversando!

— Pensei nisso, mas achei indelicado — riu de novo, pegando a mão da outra sobre a mesa.

Pareciam duas crianças encantadas.

Um pouco mais séria, Belinda perguntou:

— Será que vamos demorar mais quarenta e nove anos para nos vermos novamente?

— Daqui a quarenta e nove anos estaremos no plano espiritual, pensando em reencarnar de novo! — riu com gosto. — Sabe, tem hora que não acredito que temos sessenta e oito anos! Eu não me sinto com sessenta e oito anos!

— Nem eu! — exclamou animada. — Às vezes, me surpreendo com isso! Sinto-me com dezenove anos, quando estava lá no cais vendo você partir para a Europa em lua-de-mel e de mudança!

— Onde você passou a lua-de-mel? — perguntou Maria Cândida.

— Íamos para Miami. Passamos em Nova Iorque antes. Porém, com o assassinato do presidente americano John Kennedy, em Dallas, no Texas, tudo ficou muito tenso no país.

Nem chegamos a Miami. Tomamos outro rumo. Fomos até o Caribe e depois voltamos para o Brasil.

— Você está brincando?! — falou surpresa. — Eu e o Oscar estávamos em Nova Iorque quando o presidente Kennedy morreu! Não acredito que não nos encontramos! Também...

— Também o quê?

— Eu não saí muito. Só fiquei presa na casa da minha irmã. Sabe como é... Fazia pouco tempo que a minha Danielle havia partido e eu não estava nada bem. O meu marido acreditou que, se viajássemos, se eu fosse visitar meus parentes, seria bom para mim... Eu gostaria tanto de ter o seu endereço nessa época! Como precisei de você, Belinda!

— Agora não vamos nos separar! Eu prometo! — expressou-se risonha.

— Diga-me uma coisa: o que o marido da sua Danielle tem exatamente?

— Câncer.

— Meu Deus!... Um rapaz tão novo! — lamentou.

— Estamos todos muito abalados ainda. A descoberta é recente. Foi tão rápido. Nem acreditamos no acontecido. A Danielle é quem mais está sofrendo.

— Pobre menina! Pareceu-me tão abatida!

— Minha filha era cheia de vida. Alegre, espontânea e sempre feliz. Nunca a vi desanimada. Eles namoraram desde o colégio.

— Estão casados há um ano. Por que demoraram tanto para se casarem?

— A Dani sempre foi esforçada e estudiosa. Quis terminar a faculdade de Computação que fazia no Canadá. Ela decidiu por um curso com especialização em *Web Design*. Não entendo muito bem. É uma espécie de desenhista de página de web, na internet.

— Eu também não entendo de internet — confessou a amiga. — Ela trabalha?

— A Danielle fez intercâmbio no Canadá e uma pós. Fala muito bem inglês e francês. Depois que retornou ao Brasil, voltou com emprego arrumado na área de Marketing, em uma multinacional. Após um ano, ela e o Raul decidiram se casar. Quando completaram um ano de casados, decidiram arrumar um nenê. Ela não engravidava e começou a ir ao médico fazer exames quando ele ficou doente. Meu genro parecia ter contraído uma gripe muito forte. Sentia dores nas costas e em todo o corpo. O médico disse que estava com começo de pneumonia. Prescreveu medicamentos fortes por dez dias. Os sintomas da gripe desapareceram, mas a dor nas costas continuou. Outro especialista foi consultado e disse que se tratava de um problema muscular. Com o passar dos dias, o Raul dizia que não conseguia respirar direito, pois o movimento de encher os pulmões, simplesmente, provocava dores horríveis. A Danielle o levou a outro médico que pediu mais exames e até biópsia. Foi então que, repentinamente, descobriu-se a doença que já se espalhava por diversas partes do corpo. Os pulmões foram os órgãos mais comprometidos. Quando isso aconteceu, há pouco tempo, minha filha decidiu pedir demissão para cuidar dele, pois o médico foi bem honesto e explicou detalhadamente a seriedade do caso. Após as duas cirurgias, ele ficou bem. Depois que começou a fazer quimioterapia... O Raul ficou muito abatido, depressivo. A Nanci fez questão de trazê-lo para cá a fim de vê-los mais animados um pouco. Mas parece que não funcionou.

— Percebi que não estavam bem. Pouco ficaram conosco ontem.

— Não repare, por favor — preocupou-se Belinda.

— Imagine se vou reparar! — Breves minutos e perguntou: — Já pensou em um tratamento fora do país?

— Tudo é muito recente. Estamos nessa luta há dois meses. Nunca falamos a respeito. Essa opinião é algo que podemos considerar! Vou falar com minha filha.

— Sei que é uma doença terrível. Ela destrói a pessoa física e mentalmente. O desgaste emocional é imenso, mesmo quando sabemos que, para muitos casos, existem tratamento e cura. Sabe, o meu cunhado teve um tumor maligno no peito.

— O marido da Maria Elvira?! — admirou-se Belinda.

— Ele mesmo! De repente ele encontrou uma espécie de bolinha entre o mamilo e a axila. Foi ao médico, extraiu o nódulo e um exame de biópsia revelou ser maligno. Outro exame encontrou mais dois nódulos em seu corpo. Todos ficamos desesperados, menos ele. Nossa! Foi impressionante a fibra daquele homem. Consultaram vários médicos e ele fez um tratamento rigoroso de quimioterapia, radioterapia... Nem sei direito. Apareceu outro nódulo e, após a cirurgia, mais tratamento. Agora ele está ótimo. Não tem mais nada há dez anos! Nossa, o Matt mudou sua vida. Melhorou sua alimentação, trocou os hábitos... Agora, para ele, tudo precisa ser o mais natural possível e muito saudável, inclusive mentalmente.

— Ele é americano?

— É. — Em seguida, propôs: — Por que não tentam especialistas renomados no assunto e bem experientes?

— Podemos falar com a minha filha. Ela é aberta para sugestões. Vai gostar.

Nesse momento, Danielle apareceu. Estava pálida e desanimada. Caminhava vagarosamente até a mesa.

— Bom dia, dona Maria Cândida. Bom dia, mamãe — disse curvando-se e beijando Belinda.

Sob aquela luz da manhã, Maria Cândida pode olhar melhor e por mais tempo para a moça. Cada minuto que passava sentia algo estranho, algo que a deixava inquieta, quase aflita.

Surgiram alguns assuntos corriqueiros e elas conversaram bastante até a visitante querer saber:

— Danielle, quantos anos você tem mesmo, minha querida?

— Vinte e sete.

— Sua mãe me disse ontem, mas me esqueci. É a minha idade! — sorriu ao brincar. — Você aparenta ser bem mais nova. Parece uma menininha! É muito bonita!

— Obrigada.

— Eu tive uma filha com o seu nome. Sua mãe deve ter lhe dito.

— Não. Nunca disse — admirou-se a moça, olhando para a mãe.

— Nunca contei isso. A não ser para a Nanci, há poucas semanas, quando perdi as esperanças de encontrá-la. Sempre pensei em fazer uma surpresa. Quando visse minha melhor amiga novamente, apresentaria a família e minha filha com o mesmo nome. Somente o Osvaldo, meu marido, sabia dessa história.

— E a vovó? — quis saber Danielle.

— Ah! Seus avós sabiam, lógico. Mas levaram o segredo quando partiram.

Voltando-se para a amiga de sua mãe, perguntou:

— A senhora disse que teve uma filha com esse nome. Ela...

Percebendo seu embaraço misto à curiosidade, Maria Cândida contou:

— Minha filha faleceu aos quinze anos. Foi em um acidente de carro.

— Lamento — tornou generosa e educada.

— Você é incrível, Danielle! Gostei do seu jeito, menina!

— Obrigada! — agradeceu envergonhada por não encontrar motivo que justificasse o elogio.

— E o seu marido? Não vai fazer o café da manhã conosco?

— Desculpe-me pelo Raul. Não sei se minha mãe contou que ele está em tratamento e a medicação é muito forte.

— Contei sim. Falávamos sobre isso quando chegou. A Maria Cândida comentou que o cunhado teve a mesma doença e ficou curado depois de um tratamento rigoroso.

Elas ficaram conversando sobre o assunto e Danielle pareceu muito interessada no que a amiga de sua mãe dizia. A mulher lhe dava esperança e, de alguma forma, oferecia-lhe uma energia, uma força interior muito grande, fazendo renascer sua fé.

Enquanto isso, Nanci e Edwin faziam longa caminhada pela praia. Os olhos do rapaz brilhavam enquanto lhe oferecia extrema atenção. A moça era encantadora, delicada, gentil e muito agradável. Decidiram se sentar em uma grande pedra de onde tinham uma magnífica vista do mar com longínquos barcos singrando.

Por um momento, notou-a sem jeito de tanto que a olhava, como se absorvesse cada detalhe seu.

— Adorei seus cabelos hoje! — elogiou. — Reparou que tem cachos com fios dourados em diferentes tons? Meio aloirados, castanho-escuros, claros...

— Você me deixa sem graça.

— Sem graça estou eu que não suporto a idéia de ter que ir embora hoje.

Nanci, surpresa, não disse nada e Edwin tomou-a em seus braços e a beijou com ternura.

Depois da troca de carinho, ele a aninhou nos braços e perguntou:

— Você não pode ir para o Rio? Ficaremos lá até o sábado.

— Não sei. Talvez...

— E... Talvez possa ir também para Nova Iorque, depois para Paris e Londres, não pode? — falava de um jeito romântico.

Nanci riu. Pensou, por um momento, que ele estava brincando. Mas algo em seu íntimo dizia que não. Sentia que Edwin era verdadeiro.

— Podemos conversar pela internet — disse ela.

— Sabemos que isso não é o que queremos — concluiu sério, olhando firme em seus lindos olhos verdes. Tocando em seu rosto com delicadeza, em seguida, afagando-lhe os cabelos macios, Edwin falou: — Nanci, eu gostei muito de você. Muito mesmo! Quero conhecê-la melhor. Em, no máximo, quinze dias, preciso retornar à Europa. Porém, primeiro, como contei, preciso ir para os Estados Unidos levar minha avó para ver minha tia, antes de retornar a Paris. Preciso decidir o que fazer agora. Não tenho muito tempo... Ou melhor, não temos. — A moça não disse nada, e ele perguntou: — Você trabalha?

— Não. Sou formada em Direito, mas não gosto dessa área. Nem sei por que fiz essa faculdade.

— Você não quer vir comigo? Pode passar uns dias ou meses com minha mãe em Paris. Eu moro praticamente em Londres, porque de lá fica mais fácil o meu trabalho na rede de hotéis. Porém estou toda semana em Paris. Sendo assim, tenho certeza de que sua mãe vai concordar! — disse sorridente e esperançoso.

Ela ficou entusiasmada e bem alegre.

— Não sei... Você me pegou de surpresa com esse convite. — Um pouco sem jeito, prometeu: — Vou conversar com minha mãe.

Edwin a abraçou com ternura e a beijou com carinho. Depois comentou, demonstrando felicidade:

— Eu nunca, nunca poderia imaginar que, após o primeiro e-mail com você, eu iria fazer uma viagem dessa e me apaixonar. Nunca! — sorriu satisfeito.

Nanci sorriu encantada e ele a apertou contra si, beijando-a novamente.

4

A VIDA É ESCRITA POR NÓS

Naquela tarde bem quente, o céu estava encoberto e o sol aparecia raramente entre nuvens acinzentadas.

Danielle, parada no gramado do jardim de frente para o mar, olhando o horizonte, trazia o semblante sério. Abraçava o próprio corpo. Pálida e silenciosa, aparentava cansaço. Ouvia o som ininterrupto das ondas e sentia o vento forte soprar seus cabelos e esvoaçar sua blusa.

Desde aquela manhã, Maria Cândida tinha se interessado muito por ela. Havia algo na filha caçula de sua melhor amiga que atraia sua atenção e a encantava.

Vendo-a sozinha, ali, parada, a senhora alta, esguia e bem disposta, contornou a piscina, passou pelo jardim e chegou até o gramado ficando ao lado da moça.

Ao percebê-la, Danielle se virou, oferecendo um sorriso simpático. A outra perguntou:

— E o Raul? Não quis dar uma volta?

— Não. Ele adormeceu. — Não demorou muito e quis saber: — Dona Maria Cândida, a sua irmã me forneceria o endereço do médico que cuidou do marido dela?

— Lógico! Se quiser, ligarei para ela daqui mesmo! Você está interessada?!

— Muito interessada! A senhora não imagina! — exclamou com tristeza no olhar. — Sabe... Não comento isso perto do Raul nem para a família, mas... O caso do meu marido é grave, eu sei. Procurei, sem que ele soubesse, o médico que cuida dele e, apesar de dizer que não devemos perder as esperanças, esse oncologista afirmou que eu precisava ser bem forte, me preparar para tudo... — Seus olhos ficaram empoçados nas lágrimas e sua voz embargou.

— Vamos dar uma volta, minha querida?

Danielle aceitou sem dizer nada. Enquanto caminhavam, contou:

— Demoramos para descobrir a doença e as metástases se espalharam. O que pensávamos ser uma íngua, abaixo do queixo, perto do ouvido e outra na axila, eram tumores malignos. A pneumonia exibiu a doença inicial nos pulmões... Ele nunca fumou... Só bebia socialmente...

— Não deve perder as esperanças. Não é por acaso que o Raul está passando por isso e você está ao lado dele.

— Às vezes me pergunto por que Deus faz isso.

— Sabe, filha... — Maria Cândida parou frente à moça e experimentou um frio cortante em sua alma. Seus olhos pareciam invadir Danielle, que também se surpreendeu com a sensação estranha e familiar. A senhora sacudiu a cabeça ligeiramente e, com os olhos lacrimosos, olhou para o mar, respirou fundo e disse: — Desculpe-me.

— O que foi? — perguntou generosa e também confusa.

— Eu não sei. Senti uma coisa tão... Tão forte, tão terna...

— Não querendo dar importância, falou novamente: — Desculpe-me, por favor. Como eu estava dizendo... Creio, Danielle, que não é Deus que faz isso conosco.

— Não?! Se não é Deus quem permite as coisas acontecerem, quem o faz?!

— Nós mesmos. Eu entendo que Deus é amor, bondade, evolução, progresso, prosperidade, vida.

— Por que, então, alguns ficam doentes, como o Raul, enquanto outros têm saúde perfeita até o fim de seus longos dias de vida? Já li livros, mas não entendi ainda.

— Eu acredito em reencarnação. Sempre acreditei. Minha mãe é espírita e ensinou a mim e a minha irmã conceitos dessa filosofia. Encontrei, nessa doutrina, explicações lógicas para muitas situações na vida, para não dizer todas. Principalmente para aqueles acontecimentos tristes e desagradáveis. Entendo que Deus é bom e justo. Deus é amor, conforme Jesus nos ensinou. Quando se enfrenta um desafio, pode ter certeza de que fomos nós que o atraímos para nós mesmos.

— Pode-se dizer que o Raul está doente porque ele mesmo atraiu essa doença para si?

— Se não acreditar nisso, então tem que se crer em um Deus injusto, perverso e cruel. Sabe, a própria ciência prova, hoje em dia, que as pessoas irritadas, nervosas, impacientes tendem a ficar mais doentes do que as mais calmas. Muitos problemas de saúde estão relacionados ao tipo de comportamento e de personalidade. São as chamadas doenças psicossomáticas. Como é o caso da gastrite ou de uma úlcera no estômago, ser, tipicamente, uma doença de pessoas irritadas, estressadas, nervosas. Você não encontra uma criatura calma com gastrite. Já percebeu?

— É verdade.

— Assim são outras coisas. As enfermidades que o nosso corpo apresenta não estão somente acontecendo por um comportamento desta vida atual. Podemos trazer um problema, um desafio de outra existência.

— E onde está a bondade de Deus?

— Em nos dar a vida eterna para nós nos corrigirmos, passo a passo, dia a dia e aprendermos que o que fazemos, o que desejamos a outra pessoa, vamos experimentar, vamos viver. Só entendemos as dores dos outros quando passamos pelo mesmo grau de sofrimento. Infelizmente é assim que aprendemos a não fazer o mal.

Danielle suspirou fundo, olhou para o firmamento e perguntou:

— O que o Raul fez para sofrer isso?

— Deus é tão bom que, aqui, encarnado, provavelmente nós não vamos saber. Não seria nada agradável ter consciência das coisas erradas que fizemos no passado, dos maus tratos proporcionados aos outros... Sendo que esse outro pode estar ao nosso lado hoje. Se ficarmos cientes de uma vida passada, isso deve acontecer com um propósito muito importante e com permissão do plano superior. Não devemos ir atrás disso.

— Isso faz sentido. Mas por que uma pessoa tem uma doença grave, leva só um susto e se cura, enquanto outra sofre muito e morre do mesmo mal?

— Porque, certamente, o que uma precisava harmonizar

era diferente da outra. Tudo depende do planejamento reencarnatório feito no plano espiritual.

— Quer dizer que sabemos o que vamos sofrer antes de reencarnarmos?

— Não só sabemos como, muitas vezes, escolhemos sofrer o que sofremos. Existem espíritos que têm um reencarne compulsório, forçado, sendo o seu planejamento reencarnatório feito por entidades superiores. Mas nem sempre é o caso. Todos nós vamos evoluir um dia, quer desejemos ou não. Isso é Lei de Deus. Para evoluir, precisamos harmonizar e corrigir os erros que cometemos. Para isso Deus nos proporciona muitas oportunidades e se não evoluímos de um jeito, evoluímos de outro.

— Será que alguém pede para sofrer tanto, a fim de corrigir os erros do passado?

— Pedindo ou não, uma criatura deseja, inconsciente e desesperadamente, corrigir esses erros, pois o sofrimento, na consciência do espírito, é tão grande, tão intenso que ele sabe que qualquer sofrimento encarnado é bem menor do que o sofrimento consciencial.

— Eu não queria ver o meu marido sofrer assim — falou em tom triste.

— Ninguém quer ver o outro sofrer. Isso também é Lei. É a Lei do Amor! Porém, daqui há muitos, muitos anos, no plano espiritual, você e ele se encontrarão e felizes vão dizer aliviados: que bom! Tudo acabou! Como é maravilhoso não ter débitos e estar em equilíbrio! — falou com leve sorriso.

Danielle sorriu e perguntou:

— Será que é assim mesmo?

— Se não for isso, será bem parecido. E creia, vai acontecer! — afirmou com convicção. — Tudo passa tão rápido! Quando estamos vivendo uma situação, um problema, ele parece eterno. Depois de tudo concluído, nós olhamos o passado e até nos assustamos de como passou rápido. — Alguns segundos e ainda disse: — Confie no Pai. Ele é bom e justo. O que parece ser difícil e cruel, é o que nos faz forte, nos faz evoluir, nos liberta e nos faz caminhar para a felicidade. Deus é tão bom que não nos deixa sós. Sempre temos uma mão amiga para nos amparar, fortalecer, orientar. O Pai colocou você ao lado do Raul e muitas outras pessoas ao seu lado.

— Mesmo pensando e acreditando em tudo isso que a senhora me diz, não é fácil aceitar e viver feliz e naturalmente com o problema que temos.

— Embora acreditando no que digo e tendo a certeza de que o futuro será de harmonização, de evolução, se você, hoje, viver naturalmente feliz diante de um problema, de uma doença como essa, eu vou dizer que você não é uma pessoa equilibrada. Ninguém normal pode gostar da dor, do sofrimento e de problemas. Crendo na lei de ação e reação, na harmonização, não se deve ficar feliz com uma dificuldade, mas deve-se procurar manter o equilíbrio emocional e fazer o melhor de si diante do desafio. Ficar triste, chorar faz parte da evolução. Significa que você tem sentimentos. Porém se desesperar e se entregar dizendo que não tem forças, não sabe o que fazer com aquele problema, tanto quanto banalizar a situação, significa irresponsabilidade.

— Ou seja, se eu gritar e me desesperar e não conseguir fazer nada, será o mesmo que virar as costas para o problema como se ele não existisse?

— Lógico! Diante de um desafio, precisamos encontrar o equilíbrio e fazer o melhor que podemos. Haverá momentos de tristeza, de choro, de emoção, porque isso faz parte da vida, da evolução humana. Certamente chegará o momento de respirar fundo, aliviado e feliz, dizendo: acabou! Consegui! Tudo o que nos acontece foi escrito por nós mesmos, inclusive a morte, que não deixa de ser a continuação da vida.

Danielle tinha o semblante mais leve e quase esboçava um sorriso. Há tempos não se sentia tão confiante e com fé no futuro, fé em Deus.

Olhando para Maria Cândida, suspirou fundo, sorriu e, num impulso, abraçou-a com força, dizendo emocionada:

— Obrigada! Suas palavras me deram força... Sinto-me mais animada! Deus a colocou no meu caminho!

— Ele a colocou no meu! — disse emocionada. Afastando-se, ficou contemplando-a por alguns segundos e prosseguiu: — Quando precisar, procure-me. E quando não precisar, lembre-se de mim!

— Obrigada! — exclamou, apertando-a novamente junto ao peito.

Em seguida, sob o efeito das lágrimas que disfarçou, Maria Cândida sugeriu:

— O que acha de voltarmos para eu ligar para minha irmã?

— Acho ótimo! Vamos!

Concordou a moça que enlaçou seu braço e ainda inclinou a cabeça em seu ombro, agarrando-se à mão da outra enquanto caminhavam pela praia sentindo o vendo soprar contra seus rostos mais leves, aliviados. Maria Cândida conseguiu deixá-la em paz.

* * *

O encontro com Maria Cândida trouxe novas perspectivas para as filhas de Belinda.

Todos conversaram muito naquela noite. Depois de alguns telefonemas, Maria Cândida decidiu, junto com o filho, que iriam para São Paulo. Ficariam alguns dias na casa de Belinda. Tempo suficiente para Danielle e Raul se organizarem para a viagem aos Estados Unidos. Iriam junto com eles, depois de passarem no Rio de Janeiro.

Belinda ficou satisfeita em ter a companhia da amiga por mais tempo, principalmente, por ela conseguir animar e poder ajudar sua filha caçula.

Antes de dormir, Nanci, muito ansiosa, foi falar com a mãe a respeito de ir junto com Danielle para Nova Iorque e depois para Paris. Contou que ela e Edwin se apaixonaram e desejavam se conhecer melhor.

Belinda não pareceu surpresa, apesar de não ter percebido nenhum romance entre os dois. Ninguém percebeu. Mas ficou feliz com a notícia.

* * *

Na tarde do dia seguinte, estavam em São Paulo.

Logo à noite, um jantar especial marcou a recepção da amiga na casa dos Linhares.

O senhor Osvaldo conversou bastante com Maria Cândida, porém foi Edwin quem o impressionou muito com sua inteligência, expressividade e facilidade de comunicação. A política no mundo, era o assunto principal entre os dois, muito embora falassem sobre outras coisas também.

Maria Cândida apreciava contar casos de sua família, e Nanci ficava bem atenta e interessada no assunto. Em determinado momento, Belinda, brincando, comentou:

— O Kléber, meu segundo filho, e a Danielle, minha caçula, encontraram-se na vida. Estão formados e casados. Mas o Guilherme e a Nanci não sabem direito o que querem! — riu, trocando olhares com a filha, que não ficou satisfeita com o rumo da conversa. Porém a mãe não se intimidou com seu olhar e continuou: — A Nanci fez faculdade de Direito, mas não se realizou. Não gostou. O Guilherme também fez Direito e mais outras faculdades e não sei quantas pós-graduações. Trabalha para uma grande empresa, atualmente, e cursa mais uma pós em Berlim, entretanto não quer saber de casar.

— Estamos empatadas nisso, minha querida! — riu a amiga. — O meu Edwin e a minha Olívia se formaram, mas só trabalham. Casar que é bom, nada! O Edwin só sabe namorar! — riu. — Quando eu penso que encontrou uma nora para mim, ele me apresenta outra namorada! — O filho lhe arregalou os olhos, tentando fazê-la parar, entretanto não conseguiu. Maria Cândida não entendeu sua expressão aflita e continuou sem trégua: — Agora ele está namorando a Agatha, filha de um diplomata canadense. A moça é muito geniosa e...

Nanci fuzilava Edwin com o olhar. Sentiu-se magoada. Foi uma tola quando se permitiu envolver e se apaixonar.

Sabia que um homem como ele só poderia brincar com os seus sentimentos.

Sem que os demais entendessem a brusca atitude, Nanci se ergueu repentinamente e, com semblante sério, sisudo, disse firme:

— Com licença!

Sem prestar atenção em ninguém, ela se virou e saiu da mesa de jantar.

Imediatamente, Edwin se levantou. Aflito, olhou para Belinda e pediu:

— Se a senhora me permite... Posso ir atrás dela?

— Vá logo! — respondeu num impulso.

Sem olhar para trás, ele a seguiu.

— Com licença? — perguntou o senhor Osvaldo muito educado. — Eu deveria saber de algo que está acontecendo?

— Não, querido. Não deveria. Fique tranqüilo — tornou a esposa.

— Belinda... — tentou dizer a amiga, muito surpresa, ao começar a entender o que estava acontecendo. — Falei demais? — perguntou arrependida.

— Acho que sim, minha amiga. Acho que sim.

Edwin alcançou Nanci na sala de estar, próximo às escadarias. Segurando-a delicadamente pelo braço, falou parecendo implorar:

— Escute-me, por favor!

— Você não tem nada para me explicar. Fui uma idiota mesmo!

— Não! Não foi! Por favor, preste atenção! Eu e a Agatha terminamos dois dias antes de eu vir para o Brasil com minha mãe. Eu não contei a ela porque a conheço bem! Minha mãe ficaria a viagem toda falando e reclamando que eu não dou certo com ninguém!

— Deveria ter me contado. Apesar do que, acredito ser apenas mais uma na sua coleção!

— Você é diferente, Nanci! Nunca conheci alguém assim! Nunca senti o que sinto por você!

— Deve ter dito isso para todas as outras — replicou com olhos cheios de lágrimas. Com o coração partido, decidiu:
— Com licença. Preciso subir.

Edwin sentiu-se mal. Aquilo não poderia ter acontecido. Nunca havia sentido por uma garota o que sentiu quando viu Nanci pela primeira vez. Queria tê-la ao lado sempre. Adorava ouvir sua voz, respirar seu perfume suave, admirar seus cabelos lindos, longos, naturais, sentir sua pele macia...

O que fazer? Como reverter aquilo? Teria tão pouco tempo para isso!

Naquele momento não queria ver nem falar com ninguém. Por essa razão não voltou para a sala de jantar e resolveu ir para o jardim, caminhar um pouco.

Enquanto isso, em seu quarto, Nanci experimentava uma angústia infindável com um misto de arrependimento, pois acreditava que se deixou enganar. Perplexa, pensava no quanto a vida era imprevisível e surpreendente.

* * *

Na manhã seguinte, bem cedo, Nanci não queria que a paixão compartilhada entre os dois fosse o assunto mais importante do dia. Por isso saiu antes que a vissem.

Impaciente, e sem saber que ela não estava, Edwin a procurou por onde pôde até a dona da casa encontrá-lo na varanda e perguntar:

— Tudo bem, Edwin?

— Não, dona Belinda. Não está nada bem.

— A Nanci havia me dito que gostaria de ir com vocês para Nova Iorque e depois para Paris. Mas parece que minha filha mudou de idéia.

— A senhora conversou com ela?

— Não. — Em seguida, convidou: — Venha, Edwin, sente-se aqui. — indicou os sofás de vime almofadados com tecidos de estampas florais, bem coloridas, que havia na larga varanda da mansão. Acomodando-se a sua frente, pareceu bem à vontade, enquanto o rapaz tinha uma postura mais tensa. — Não conversei com a Nanci. Ontem a procurei, mas ela me pediu para deixá-la sozinha. Hoje, quando levantei, ela já havia saído.

— Liguei para o celular, mas não me atendeu.

— O que aconteceu para minha filha reagir assim?

Edwin ergueu os olhos, encarou-a com rosto sério e lívido. Após um momento, declarou:

— Estou apaixonado por sua filha. Quando minha tia me procurou, contando sobre a proposta da Nanci de reencontrar a senhora e minha mãe, achei graça. Não no sentido de sarcasmo, zombaria, não! Testemunhei como as coisas aconteciam de forma interessante. De repente vocês duas se separaram e, quando não tinham mais esperanças de se reencontrarem, os filhos cuidaram disso. Porém, se não fosse a ajuda da tecnologia... Bem, entrei em contato com a Nanci por e-mail. Falamo-nos muito... Perdi as contas de quantas vezes telefonei para ela. Cada vez que ouvia sua voz, queria ouvir mais. Não foi isso que começou a abalar meu namoro com a Agatha. A verdade é que eu nunca me apeguei a alguém. Nunca me atraí por ninguém. — Olhando-a nos olhos, disse, parecendo confessar: — Eu nunca me atraí por alguém como me atraí por sua filha. Acredite!

— Eu acredito — afirmou tranqüila.

— Quando eu a vi, foi... foi... — Edwin tropeçava nas próprias palavras. Só saberia dizer que estava louco por Nanci, mas não era assim que desejava falar. — Não sei explicar o que aconteceu! Adorei a Nanci! Adorei tudo em sua filha! — Esfregou o rosto e passou as mãos pelos cabelos lisos e teimosos que voltavam para o mesmo lugar. Curvando-se, apoiou os cotovelos nos joelhos, entrelaçou as mãos frente ao corpo e encarando-a, contou: — Meu namoro estava estremecido e dois dias antes de virmos para o Brasil, terminei tudo. Só não contei para minha mãe. Ela iria falar sobre isso a viagem inteira e era tudo o que eu não queria. Agora não sei o que fazer. A Nanci não acredita em mim. Está magoada. Não quer nem falar comigo.

— A Nanci é uma pessoa maravilhosa, Edwin. Mas é muito sensível quanto a um romance porque, geralmente, entrega sua alma. Já se feriu muito por isso. Acredito que não quer se machucar novamente.

— Parece que ela não acredita nas pessoas. Não acredita que alguém possa gostar dela.

— Insegurança! — afirmou a mãe.

— Será que é insegurança? Ou será que ela não permite alguém amá-la de verdade? Pode ser falta de amor em si mesma?

— Não sei dizer.

— Estou para ir embora e não sei o que fazer. A distância será um grande obstáculo. Tenho certeza de que ela não vai abrir qualquer e-mail meu. Se eu telefonar, não vai atender e...

— Calma, filho! — sorriu Belinda. — A mágoa que ela está sentindo vai perder força. A Nanci vai parar e refletir melhor. Vamos aguardar. Não fique assim.

Edwin não concordava, mas precisava aceitar. Não tinha outro jeito.

Maria Cândida ficou inconformada com o que havia feito. Não se perdoava por aquilo. Tentou falar com Nanci que, educadamente, ouviu-a, mas não disse nada. Ficou irredutível, em seu silêncio.

Enquanto isso, Danielle providenciou tudo para ela e Raul seguirem para o Rio de Janeiro e depois para Nova Iorque. A amiga de sua mãe fazia questão de ajudá-la, e ela necessitava daquele apoio.

Ao se despedirem, apesar de ouvir tudo o que Edwin queria lhe provar, Nanci permaneceu calada e somente lhe desejou boa sorte, após lhe dar um beijo no rosto. Enquanto ele precisou reprimir as lágrimas.

* * *

Após algumas horas chegaram ao Rio de Janeiro, depois de uma viagem cansativa, em que tiveram de parar várias vezes, pois Danielle não se sentiu bem devido a muito enjôo. Na casa de dona Filomena, Maria Cândida estava com grande expectativa para apresentar a filha de sua amiga a sua mãe. A mulher pareceu em choque ao ver Danielle que, simpática, cumprimentou-a e a beijou com carinho, sentindo uma emoção desconhecida.

Perplexa, a senhora de oitenta e sete anos procurou um lugar para se sentar.

— Meu Deus, filha!... Meu Deus!...

— O que foi, vó?! — quis saber Edwin sem entender.

Sem rodeios, Maria Cândida decidiu esclarecer, até porque Danielle e o marido ficaram preocupados, estranhando o comportamento dela e da senhora.

— Sua avó está surpresa com a semelhança de Danielle com sua irmã.

Edwin achou muito exagero. Ela lembrava Olívia, mas nem tanto.

— Ela se parece um pouco com a Olívia, mas...

— Não é com a Olívia. E não se parece, é igual à Danielle, irmã que você mal conheceu, pois tinha dois anos quando ela faleceu. O seu irmão deve se lembrar bem melhor. O George tinha oito anos.

— Sério?! — perguntou Raul, curioso.

— Eu disse isso para a Belinda, mas parece que não acreditou — acrescentou Maria Cândida.

— Eu posso provar, minha filha! — disse dona Filomena confiante, levantando-se imediatamente. Após retornar de seu quarto, a senhora passou para as mãos delicadas de Danielle, um porta-retrato e disse: — Veja você mesma!

— Meu Deus! — assustou-se a moça. — O que é isso?! — riu de modo nervoso. — Parece eu quando tinha uns... dezessete anos!...

— Ela estava com quinze! Quase dezesseis! — tornou dona Filomena.

Danielle entregou o porta-retrato ao marido, que também ficou impressionado. Em seguida, Edwin o pegou e começou a comparar:

— A semelhança é incrível!

— Bem... Não vamos incomodá-la com isso. Viajamos muito e ela está cansada. — Olhando para a mãe, contou: — Ela enjoou muito. Deveríamos ter vindo de avião, enquanto o Edwin trazia o carro.

— Ai... Perdoem-me pelo transtorno. É que sempre, em toda minha vida, passo mal quando viajo de carro por muito tempo. Mas hoje, talvez pelo calor, foi bem pior. Não sei por que isso acontece. Já fui a médicos e os remédios não resolvem esse problema.

— Não se incomode com isso! Venha, filha — propôs dona Filomena muito generosa —, vou mostrar um quarto gostosinho, onde poderá descansar depois de um banho.

Raul as acompanhou.

Ao ficar a sós com sua mãe, Edwin quis saber:

— A senhora não está pensando que ela é minha irmã, está?

Percebendo que o filho poderia repreendê-la, Maria Cândida fez prevalecer seu jeito altivo e respondeu firme:

– Eu ainda não pensei nada. Quando decidir, eu falo. Agora vamos. Quero ver se partimos para Nova Iorque amanhã ou depois.

Por um momento, Edwin se preocupou.

Sua mãe era uma mulher muito consciente, pés no chão e jamais viveu de ilusões. Porém, lembrando-se da fragilidade do coração de toda mãe, acreditou que ela poderia, de alguma forma, querer substituir o vazio deixado pela primeira filha. Embora não houvesse nada que pudesse fazer, de certa forma, já a tinha alertado.

5

Em Nova Iorque

Maria Elvira, irmã de Maria Cândida, que morava em Nova Iorque, recebeu a todos com muita satisfação. Aquela pessoa "azeda", como brincava sua irmã e Belinda, havia se transformado em uma criatura alegre, tolerante e muito tranqüila.

De imediato também ficou impressionada com a semelhança entre Danielle e sua sobrinha falecida. Não só a aparência, como disse sua irmã, mas também o jeito, o riso, a personalidade da moça eram incrivelmente semelhantes aos da outra.

Maria Elvira prontificou-se em auxiliar, orientar e até acompanhar ela e Raul aos médicos e clínicas que conhecia. Matt, seu marido, que também viveu parecida e amarga experiência, animava-os bastante a cada dia que conversavam.

Uma semana após chegarem à cidade, instalados no apartamento de Maria Elvira, que fez questão de hospedá-los, Danielle reclamava para o marido que não estava se sentindo bem. A princípio pensou que fosse pela viagem, apesar de nunca ter passado mal ao andar de avião.

Era acometida por dores de cabeça, não fortes, mas muito incômodas e uma espécie de vertigem.

— Use o seguro-viagem. Vá ao hospital — aconselhou Raul sem saber como agir.

— Se eu não melhorar até amanhã, vou mesmo.

— Não espere até amanhã, Dani! — insistiu ele.

Maria Cândida, que chegava repentinamente, interessou-se pelo assunto e quis saber:

— O que a Danielle não deve deixar para amanhã? Posso ajudar?

— Ela não está se sentindo bem desde que deixamos São Paulo — explicou Raul. — Está com tontura, dor de cabeça...

— Precisamos saber o que você tem. O Raul tem razão — Vendo que a moça não se manifestou, Maria Cândida propôs:
— Quer que eu a acompanhe ao hospital?

— Ai!... Eu não agüento mais ver hospital! — reclamou sem prestar atenção ao que falava. Um frio percorreu-lhe o corpo quando viu o marido e pensou que ele poderia se sentir culpado. — Desculpe-me, Raul. Não foi isso o que quis dizer.

Sentado ao seu lado, ele aproximou-se, sorriu e a abraçou com carinho, dizendo:

— Não tem problema. Eu entendo. Mas faço questão que procure um médico. — Olhando para Maria Cândida, sugeriu:
— Se a senhora fosse com ela, eu ficaria bem tranqüilo, pois a Dani não teria companhia melhor. Não estou com disposição para sair.

— Eu entendo, Raul. Não se preocupe. — Virando-se para a moça, disse: — Vamos lá. Pegue os seus documentos e vamos.

Abatida, Danielle estava sem ânimo.

Sem dizer nada, precisou se esforçar para se levantar e ir para o quarto apanhar sua bolsa.

Naquele instante, Desirée chegou com o esposo William. Ela entrou falando alto, contrariada com alguma coisa.

— Calma, filha! Abaixe o volume da voz! Parece que está brigando! — reclamou a mãe ao vê-la.

— Não estou brigando, mãe! Estou revoltada! — Virando-se para Raul, pediu: — Desculpe-me, Raul. Não é agradável ter alguém exaltado ao lado. Mas estou furiosa com o meu pai!

— O que foi, dessa vez, Desirée? — perguntou a mãe, que a conhecia bem.

William, parecendo cansado e entediado com a irritação da esposa, cumprimentou Raul e sentou-se no sofá ao seu lado, sem dizer mais nada. Largando o corpo e, recostando no encosto, fechou os olhos. Enquanto isso Desirée, nervosa, explicava:

— O pai quer que o Will fique aqui em Nova Iorque acompanhando a bolsa, as ações ou sei lá mais o quê!!! Quer que ele viva em Wall Street, no centro financeiro do mundo!!! Eu não vou suportar!!! Podemos ficar aqui por meses!!! A senhora acredita?!!

Procurando ser calmo, o marido retrucou em tom grave e firme:

— Não é só a bolsa ou negociações com ações milionárias que não podemos deixar nas mãos de qualquer um. Preciso acompanhar a demonstração do desenvolvimento de uma nova tecnologia americana em aviônica. Não sabemos se vamos fechar com os americanos ou com os alemães e queremos ser os primeiros a essa modernização. Ela não entende que esse é o meu trabalho. Sou diretor da empresa nessa área. Tenho de decidir quem chamamos para uma demonstração, com quem fechamos negócio... Eu preciso ficar aqui. Quer queira ou não. Vou acompanhar as últimas novidades no desenvolvimento e produção desses equipamentos.

— O meu pai é o dono daquela porcaria, assim como de muitas outras! Ele pode mandar e desmandar! Você deveria pedir para pôr outro em seu lugar!

— Ele é o sócio-presidente da companhia, Desirée! — William falou firme. — Não foi por acaso que chegou até aí! Foi por competência. Se ele decidiu que o melhor sou eu ficar aqui, cuidando e acompanhando tudo, bem de perto, vou ficar. Entendeu?!

— Eu nem queria vir para Nova Iorque!!! E não quero ficar aqui!!!

— Então volte para Paris! Eu fico! — exclamou insatisfeito. Levantou-se, pediu licença e se retirou.

— Desirée! Pare com isso, filha! Parece uma menininha mimada! — repreendeu a mãe. — O que deu em você?!

— Mãe, ligue para o pai e fale com ele! Ele escuta a senhora!

— Não vou fazer isso!

Danielle chegou à sala e estava pronta para sair. Ficou parada e observando a cena, quando Maria Cândida pediu:

— Vamos logo, Dani!

— Onde estão indo? — quis saber Desirée.

A mãe explicou. Em seguida, despediram-se e se foram.

Desirée, inconformada, passou a se queixar para Raul, que a ouvia com atenção e lhe dava conselhos para que não ficasse resistente aos acontecimentos.

Lamuriosa, ela contou-lhe toda a sua vida. Sempre lamentando e protestando muito de seus problemas fúteis, insignificantes.

O rapaz era capaz de sentir pena de alguém assim. Conversou e aconselhou, deixando-a tão à vontade que ela sentou-se ao seu lado e chorou algumas vezes a fim de mostrar o quanto sua vida era difícil, de seu ponto de vista.

Após longo tempo, William retornou à sala e viu a esposa com a cabeça recostada no ombro de Raul, que o olhou de modo estranho, como quem não sabia o que fazer.

O marido não disse nada. Conhecia bem a esposa. Não teria ciúme de Desirée. Ao vê-lo, a mulher começou a reclamar novamente. Ele se retirou rápido, e ela foi atrás.

* * *

Era um enorme apartamento triplex, com uma vista fabulosa para o rio Hudson.

Não era fácil imaginar porque Maria Elvira e o marido faziam questão de morarem, ali, sozinhos.

O único filho residia na Califórnia, com a esposa e seis filhos, sendo dois adotivos.

Recebiam, com freqüência, parentes e amigos. Era uma residência muito grande onde, de uma das sacadas, Raul apreciava a vista olhando um navio, no rio, ao longe. Pensava na esposa, quando ela chegou.

— Nossa, amor! Você demorou! — disse indo ao seu encontro para beijá-la.

Maria Cândida, alegremente, exclamou:

— Vocês dois têm muito que conversar! Deixe-me pedir para alguém preparar um lanche para nós!

— O que ela quis dizer? — tornou o rapaz, após ver a senhora sair.

— Vem cá, Raul — pediu ela com simplicidade. Pegando em sua mão, levou-o até o sofá e o fez se sentar, acomodando-se ao lado. Olhando-o nos olhos, revelou sem demora: — Estou grávida! — falou com uma voz terna, suave.

Imediatamente as lágrimas brotaram nos olhos do marido que, respirando de forma descompassada, iluminou-se com grande sorriso e perguntou incrédulo:

— É verdade mesmo?!

— Sim! É! — afirmou jogando-se em seus braços e beijando-o com amor.

Em seguida, ele preocupou-se:

— Mas... E a medicação que eu tomei? A quimio?... Não pode...

— Não! Não pode nada! — sorriu ela.

— Como assim?

— Você quer saber se o excesso de química não poderia trazer alguma conseqüência para o bebê?

— É! Além disso, seria difícil...

— Estou de oito semanas! — riu. — Dois meses! Engravidei antes de você começar o tratamento com a quimio e não percebemos.

— Como não percebemos?! — perguntou, rindo junto.

— A última menstruação foi há um mês e o fluxo foi bem pequeno. A outra não aconteceu e, por eu estar nervosa, preocupada, pensei que fosse um atraso por estresse. Já aconteceu isso antes, lembra?! Quando eu menstruei, um mês atrás, e o fluxo foi bem pouco, eu já estava grávida!

Raul não disse nada. Abraçou-a com força e a beijou com carinho. Depois declarou:

— Acho que Deus quer que eu viva! Oh, Pai! Obrigado! Estou tão feliz!

— Eu também! Tudo vai dar certo, amor! Vamos ter fé!

Todos ficaram surpresos e felizes com a notícia, principalmente Belinda, que só lamentava não poder estar junto da filha. Contudo conversavam, por telefone, com freqüência e a filha lhe contava as novidades.

Por causa do tratamento rigoroso, Raul precisava permanecer internado a cada seção de quimioterapia e Danielle recebeu orientação para não ficar no hospital como acompanhante durante a noite toda, como desejava, devido ao seu estado. Ela estava muito abatida e exames comprovaram uma anemia considerável.

Edwin, nitidamente amargurado pelo que ocorreu entre ele e Nanci no Brasil, retornou a Paris e sua irmã Desirée resolveu acompanhá-lo, deixando o marido nos Estados Unidos.

Maria Cândida e sua mãe decidiram continuar em Nova Iorque, acompanhando Danielle em tudo. Por sua vez, Maria Elvira fazia questão de que todos ficassem em sua casa.

— Não tem cabimento vocês saírem daqui para outro lugar na cidade! Além do que, duvido que consigam encontrar um bom apartamento, em Nova Iorque, para alugar nessa época do ano. Aliás, esta cidade está lotada em qualquer época! — dizia à irmã. — Eu e o Matt moramos sozinhos! Este apartamento é enorme e é muito bom termos companhia. Por favor, fiquem!

— O William está providenciando para sair daqui, não sei se você sabe. E eu estou pensando na Danielle e no esposo. Quando ele está no hospital e ficamos nesse vaivém, não me preocupo. Porém, nos intervalos do tratamento, vejo que o Raul, principalmente, não fica nenhum pouco à vontade! Eles estão constrangidos. Você deve ter percebido.

— Eu notei sim. Gosto de tê-los aqui. Acredite! — Pensativa, após um momento, comentou: — Gosto tanto da Danielle! Você não imagina! Ela...

— Eu sei. Parece a minha Dani!... Meu Deus!... — Maria Cândida chorou emocionada e desabafou: — Parece que Deus resolveu me juntar novamente com minha filha. É como se eu sentisse uma vontade, uma necessidade enorme de ajudá-la. De fazer por ela o que eu não pude ou não fiz — Secando o rosto com as mãos, tentando reprimir o choro, prosseguiu: — Gosto dela tanto quanto dos meus outros filhos! Não é possível um coração de mãe se enganar.

— O papai ficou desesperado quando tudo aconteceu. Coitado! Ele procurou notícias da Danielle desencarnada, por todos os meios que pôde.

— Ninguém se conformou com o que aconteceu, principalmente eu. Fiquei pensando... Sempre quis levá-la para morar comigo, na França ou na Inglaterra. Junto com os irmãos, mas ficava com pena dos nossos pais que ficariam sozinhos no Brasil. Depois do acidente, fiquei louca... Você se lembra. O remorso acabou comigo, Maria Elvira. Todas as férias, por um mês, ela ficava na Europa, comigo e com os irmãos... — Chorou.

— Eu penso que a Danielle voltou. Voltou para viver o que não viveu. Voltou para você fazer por ela o que não pôde ou não conseguiu.

Dona Filomena as ouvia e, quebrando seu silêncio, revelou:

— Certa vez, eu e o pai de vocês, por estarmos sofrendo muito, perguntamos pela Danielle em uma seção na casa espírita que freqüentávamos. Um espírito amigo nos disse que eu ainda, nesta vida, iria reencontrar a minha neta. Disse para orarmos por ela que estava muito bem e estudava no plano espiritual. Ele ainda alertou que parássemos de nos desesperar, de lamentar sua ausência e, principalmente, que parássemos de pedir que ela se comunicasse. O Armando ainda insistiu e perguntou se ele também se reencontraria com ela. O espírito amigo foi sincero e lhe disse que, nesta vida, ele não iria revê-la como desejava. Mas que Danielle ainda retornaria para os meus braços e os braços da mãe.

— Não seria a Olívia ou a Desirée, reencarnada, mamãe? — perguntou Maria Elvira.

— Não! Tenho certeza que não! — afirmou dona Filomena. — Pensei nessa possibilidade quando elas nasceram. Mas o pai de vocês estava vivo e o espírito amigo disse que ele não se reencontraria com ela. Depois... Não senti, nas outras filhas da sua irmã, nada que lembrasse a Danielle. E quando vi essa menina!... Quando a Cândida chegou lá em casa com ela... Eu vi a Danielle. Até me assustei com o seu nome. Ao saber que era filha da Belinda, entendi que a minha neta voltava de outra forma.

— Estou muito surpresa com tudo isso — tornou Maria Elvira, reflexiva. — É impressionante! Vejo que, apesar de um pouco constrangida, talvez até por causa do marido, a Danielle se dá muito bem conosco. Fica bem tranqüila entre nós, como se estivesse acostumada. Outro dia eu a vi deitada ao seu lado e na sua cama, Maria Cândida. Estava afagando-a. Coisa que suas filhas não fazem! Observei como ela trata a senhora, mamãe. Nossa!... É uma coisa muito natural para ela.

— É minha neta! Tenho certeza!

— Só quero ver quando ela encontrar o George. A Danielle se dava muito bem com todos nós, inclusive gostava muito do Edwin, apesar de ele ter dois anos quando ela se foi, mas nunca gostou do George. Eles não se suportavam. Viviam brigando e, muitas vezes, a tapas. Eu precisava ficar muito atenta quando os dois estavam juntos. — Maria Cândida suspirou fundo e prosseguiu: — Venho observando e analisando tudo, cada detalhe. É inegável. Preciso até tomar cuidado.

— Por quê?! — perguntou a irmã.

— O Edwin notou o meu interesse por Danielle e ficou intrigado, preocupado pelo fato de achá-la idêntica a minha Danielle. Por outro lado, a Desirée está enciumada como sempre. Vocês perceberam como ela foi embora?

— A Desirée é muito mimada! — reclamou dona Filomena. — Sempre foi uma menina cheia de dengo e caprichos inúteis. Agora, mesmo sendo uma mulher casada e com vinte e nove anos, não criou juízo. E a culpa é sua e do Oscar! — exclamou zangada. — Deveriam ter posto as rédeas nela enquanto era tempo!

Sabendo que sua mãe começaria a tecer longa queixa sobre a educação de seus filhos, Maria Cândida decidiu ocupá-la com outro assunto.

— A Desirée se deu tão bem com o Raul. Vocês perceberam?

— Foi mesmo — concordou a irmã. — Ele é capaz de ficar ouvindo-a por horas e não parecer insatisfeito. Eu o vi falando, aconselhando... Ela até ficou mais calma com o Will, por causa dele, creio.

— Não sei... Temo que o Raul convença a Danielle para irem para outro lugar, por achar-se inconveniente. Eu ouvi, parcialmente, uma conversa dele com a Belinda — disse Maria Cândida.

— E o que podemos fazer?! — preocupou-se a senhora. — Não quero ficar longe da minha neta!

— Mamãe! Não diga isso! — repreendeu Maria Cândida.

— Eu tenho uma idéia! — O rosto de Maria Elvira iluminou-se e ela revelou: — A casa em Long Island está vazia. Somente os empregados estão lá. É um lugar maravilhoso, devemos reconhecer. Sol, praia, tranqüilidade... É cerca de uma hora e pouco de carro até lá! É o lugar ideal para ficarem no intervalo dos tratamentos. Quando precisar vir para a clínica, eles ficam aqui em casa. O Raul vai gostar da idéia. Tenho certeza!

— Mas eu não gosto de lá! — reclamou dona Filomena. — Passei o maior medo naquele ano em que um furacão nos pegou lá.

— Mamãe, a senhora fica aqui conosco. Seria bom a Danielle e o marido se sentirem à vontade. Há momentos em que ele passa mal, não quer ninguém por perto e tem razão. Sente-se enjoado, tonto... O intestino não funciona direito, como aconteceu outro dia. A senhora viu como ele ficou envergonhado.

— Eu fico lá com eles! — decidiu Maria Cândida.

— Sim, claro! A Danielle está grávida, pode precisar de companhia e você é a pessoa ideal.

— Fabuloso, Maria Elvira! O problema está resolvido! — disse a irmã bem satisfeita. — A mamãe fica aqui e, por ser perto, eu venho a cada dois ou três dias.

— Eu sei me cuidar, Maria Cândida! Não me trate como se eu fosse uma criança! — zangou-se a senhora.

— Não é isso, mamãe!

— É sim!

Para acalmá-las, Maria Elvira prosseguiu com novas idéias.

— Eu penso que o William até aceite continuar aqui, depois que vocês forem.

— Acha que ele não gosta do Raul e da Dani? — quis saber a irmã.

— Não, não é isso. Ele me disse estar preocupado por se achar demais nesta casa. Apesar daqui ser enorme! Com menos gente... Quem sabe? Eu posso providenciar que ele fique lá em cima. Poderá chegar e sair direto, sem ser visto nem incomodado, por causa do elevador privativo.

— Que ótimo! É bem provável que ele aceite — tornou a irmã.

* * *

Edwin estava em Londres, de onde tentava entrar em contato com Nanci, mas ela não respondia a seus e-mails nem atendia seus telefonemas.

Contrariado consigo mesmo e até com sua mãe, decidiu falar com Belinda, por não saber mais o que fazer.

— A senhora conversou com ela? — perguntou ele preocupado.

— Lógico, Edwin. Mas a Nanci não diz nada, só me ouve. É pior do que se ela brigasse e reclamasse.

— Entendo. Não posso ir aí agora. Tenho muitos compromissos por aqui. Ela precisa acreditar em mim e ver que tudo foi um mal entendido. Queria muito que ela me ligasse. Pode dizer isso a ela?

— Digo sim.

— Obrigado, dona Belinda.

— Gosto muito de você, Edwin. Ficaria feliz se a Nanci pensasse melhor.

— Obrigado.

— Boa sorte, filho!

— Fique com Deus, dona Belinda!

Após desligar, Belinda subiu até o quarto da filha. Estava zangada e não escondia isso.

— Nanci?!!! — gritou ao bater.

— Entra!

— Nanci, o que você pretende?!!!

— Como assim, mamãe?! — surpreendeu-se, pois era difícil vê-la tão irritada.

— Mandou a empregada dizer que você não estava e o Edwin pediu para falar comigo! Sabia?!!

— E eu com isso?! Não posso fazer nada se ele prefere chorar no seu ouvido.

— Não seja cínica!! — falou firme. — Esse moço gosta

de você. Eu a vi muito interessada por ele. Por que não ouve o que ele tem a dizer e lhe dá uma chance?!

— O que a senhora quer é me ver junto com o filho da sua melhor amiga! Assim terá certeza de que vai tornar a vê-la sempre, não é?!

— Não seja ridícula, Nanci!!! — vociferou a mãe. — Além de ridícula, está sendo insolente!!! O que pensa que eu sou?!!! Quero a sua felicidade, menina!

— Será que é isso mesmo, mamãe?!

— Não me faça perder a paciência!!! Eu só gostaria que você se desse mais atenção, mais carinho, mais amor! Por que acha que ninguém é capaz de gostar de você?! Por que se pune?! Por que desconfia que haja uma segunda intenção quando alguém diz que te ama?! Parece que duvida até do meu amor! Por que não aproveita a vida e as oportunidades em vez de... — caminhando até a sua cama, levantou o notebook e disse ao ver de baixo do equipamento — ...em vez de ficar se entupindo de bombons e chocolate como está fazendo agora?!

Indo próximo à mãe, pegou o computador e o colocou novamente sobre a cama e em cima dos chocolates. Com voz estremecida e olhos lacrimosos, reclamou:

— A senhora não tem direito de fazer isso!

— Sou sua mãe! Tenho o direito de alertá-la sobre o que faz de errado na vida! O que está fazendo é certo, Nanci?!

— Eu sei me cuidar!

— Estou vendo!!! Vendo você se matar a cada dia quando não sai desta casa, deste quarto e se entope de chocolate!!!

— A senhora só quer me ver casada!!!

— Quero vê-la feliz!!! Casada ou solteira, mas feliz!!! Vejo que solteira você não se mostra nada, nada realizada e satisfeita! Quero que saia, que viva a vida, faça o que gosta! Conheça pessoas! Conheça um rapaz! Dê-se uma chance!

— Todo rapaz que conheço, só quer saber de tirar sarro da minha cara!

— Será, Nanci?! Será mesmo?! Não é você quem não se aceita e acredita que os outros pensam igual?! — Ela ficou calada e a mãe continuou: — Ficar enfornada neste quarto, pendurada na internet e comendo chocolate, vai resolver seu problema com você mesma?! Sim, porque o seu problema não é com o mundo, é com você mesma!!! — Quando Belinda parava de falar, o silêncio era absoluto. — Por que não liga para o Edwin? — perguntou mais calma.

— Ele mentiu para mim.

— Ele não mentiu! O Edwin me contou toda a história. Não havia mais nada entre ele e a tal moça quando veio para o Brasil.

— Não interessa. Deveria ter me dito. Fiquei sabendo pela mãe dele.

— E qual o problema? Por que você é tão boa, tão sensível com as outras pessoas e não é generosa com você mesma? Por que é tão rigorosa e exigente quando se trata de você? Se isso tivesse acontecido com alguma amiga, tenho certeza de que iria dizer para ela dar uma chance ao rapaz.

Em tom sério e grave, pediu:

— Por favor, mamãe... Quero ficar sozinha.

Belinda a olhou por longo tempo e percebendo que de nada adiantaria, naquele momento, dizer mais alguma coisa, decidiu sair dali. Só que antes ainda falou em tom sensível:

— Obrigada por ter sido tão boa para mim e me colocado em contato com minha amiga. Isso me deixou muito feliz. Você tinha razão. Eu estou lhe agradecendo por ter ficado na internet para resolver algo que me deixou bastante alegre. Assim como se empenhou para a minha felicidade, gostaria que se empenhasse para a sua.

A filha nada disse, e a mãe saiu do quarto.

* * *

Os meses foram passando...

Na casa de praia em Long Island, um lugar muito privilegiado, Raul estava deitado em uma rede na varanda. Com olhos fechados, ouvia o barulho do mar que lhe trazia calma e o acalentava.

Não sabia dizer se se achava acordado ou dormindo quando percebeu passos ecoando no assoalho de madeira. Mais perto, pôde escutar seu nome sendo sussurrado.

Estranhamente, não se assustou ao reconhecer a voz de sua mãe, mas ergueu a cabeça para se certificar.

— Filho! — expressou-se a senhora com modos generosos e sorriso franco. — Como é bom te ver, meu filho!

— Mãe?! A senhora aqui?! — disse, sentando-se na rede.

— Vim te dar a minha bênção.

— Mãe, a senhora morreu!

— Eu também pensei que tivesse morrido. A morte não existe, filho. Tudo o que julguei errado e absurdo sobre depois da morte, quando eu estava aí, desse lado, existe de modo fabuloso. A morte é só a passagem para um outro plano.

— A senhora veio me ver?

— É a primeira vez que percebe isso, assim, tão lúcido. — Estendendo-lhe a mão, pediu com jeito carinhoso: — Venha. Vamos dar uma volta. Quero que conheça meus amigos.

Ele aceitou o convite e se levantou.

Caminhavam pela praia. De repente a paisagem foi se transformando e Raul se viu em outro lugar. Era deslumbrante, até onde a vista não alcançava mais. Parecia infinito. Uma névoa esbranquiçada encantava o lugar. Sentia como se passasse entre longos e finos véus brancos e transparentes, que desciam de uma altura que a visão não podia enxergar, até o chão repleto de pétalas de rosas brancas.

O aroma de rosas era infinitamente delicioso. Ouvia um agradável murmurinho de água de um lado. Ao olhar melhor, quando os véus sumiram, achou estranho que o ruído da água não vinha de uma fonte, mas de um ribeirão límpido, com pedras que auxiliavam a água produzir aquele som tão agradável.

Não havia mais praia, como onde estava, nem areia. O chão era um gramado esmeralda, fascinante.

Sua mãe o levou a dois homens que conversavam alegremente.

Ao vê-lo, cumprimentaram-no com carinho e nítida emoção.

— Eu sou Evandro. Prazer em revê-lo, Raul! — disse um deles ali presentes.

— Eu sou Armando — falou um senhor ao lado. — Sou avô de Danielle! — explicou animado.

— Pelo que estou entendendo, vocês estão mortos? — perguntou Raul tranqüilo e desconfiado.

— Não, Raul — afirmou Evandro. Olhando para os demais, sorriu e lhe explicou: — Todos pensamos assim quando em contato com essa realidade. Nós estamos vivendo em outro plano.

— E eu?! Eu morri?! — tornou ele.

— Você está em estado de sono que proporciona um desdobramento, ou seja, a alma se afasta do corpo, deixando-o em condições de nos perceber melhor.

— Então eu não morri?! — insistiu rindo.

— Não — riu o espírito Evandro. — Eu sou o seu mentor, anjo de guarda... Chame-me como quiser. Sua mãe estava querendo vê-lo. Ela já o visitou muitas vezes. Há alguns anos esteve em uma colônia espiritual de aprendizado. Quando soube de sua doença, no corpo físico, quis vê-lo e eu a trouxe hoje. Bem como o Armando que queria visitar a família unida e a neta que tanto ama.

— Vocês estão me preparando para a morte, não é mesmo?! — perguntou Raul.

— Todos os dias as pessoas se preparam para a morte. Cada dia, no plano físico, é um dia mais perto do plano espiritual.

— É que estou muito doente.

— É seu corpo que está doente, não seu espírito. Não deixe sua alma enferma. Não permita que isso aconteça — pediu o espírito Armando. — Eu deixei minha alma muito doente, quando encarnado, depois não foi fácil me curar no plano espiritual.

— O senhor teve câncer como eu?

— Não, filho. Minha doença foi na alma como falei. Essa doença eu arrastei comigo por séculos e sofri muito por não conseguir perdoar, entender e amar.

— Pode me contar o seu caso?

— Sim. Claro que posso.

O espírito Armando relatou exatamente tudo o que lhe aconteceu e Raul prestou muita atenção em cada detalhe.

Para ele, a idéia que teve é de ter ficado horas, ali, conversando. Mas o tempo, no outro plano, conta-se de modo diferente.

6

CUIDADO COM OS PENSAMENTOS

Emocionado, Raul abriu os olhos e sentiu seu rosto esboçando leve sorriso.

Ele estava totalmente exausto, quando, com a ajuda de Danielle, deitou-se ali.

Naquele momento, entretanto, sentiu-se refeito, como se houvesse experimentado algum tipo de estimulante ou coisa assim.

Era difícil entender o que aconteceu. Teve somente um sonho com sua mãe e dois homens desconhecidos. Nada significativo que pudesse lhe trazer aquele ânimo todo.

Sentando-se, Raul percebeu que não ficou tonto nem enjoado, como sempre ocorria nos dias que sucediam os coquetéis químicos recebidos na clínica.

Levantando-se, procurou pelos chinelos e se apoiou na parede para calçá-los. Não estava mesmo com tontura, se estivesse, teria cambaleado e até caído.

Caminhou pela varanda e entrou na casa à procura da esposa que encontrou deitada no sofá da sala de estar, próximo à lareira.

Riu ao ver, ao lado de Danielle, uma cestinha forrada de

biscoitos amanteigados, que, provavelmente, comia, antes de adormecer.

Ela achava-se largada, em sono profundo. Enquanto o seu corpo preparava uma criança.

Uma ultrassonografia revelou ser uma menina e ficaram imensamente felizes com isso.

Sempre era uma satisfação emocionante contemplar seu ventre avolumado. Cada dia parecia maior.

Danielle remexeu-se e abriu lentamente os olhos, surpreendendo-se com o marido parado, em pé, ao seu lado.

— Raul! Tudo bem?! — perguntou, sentando-se rápido.

— Fique tranqüila. Está tudo bem — afirmou, estampando lindo sorriso no rosto pálido e abatido.

Raul havia perdido os cabelos. Quando isso começou, raspou a cabeça, logo de início.

Era um rapaz alto, bonito, muito forte antes da doença.

Agora estava frágil, magro e fraco.

Seus adoráveis olhos azuis se afundavam no rosto lívido. Até sua voz parecia ter enfraquecido.

Sentando-se ao seu lado, beijou-lhe os lábios e lhe fez um carinho no rosto, afastando-lhe os cabelos da face. Em seguida, afagou-lhe a barriga e perguntou com voz terna:

— A nossa menininha está bem?

— Sim, está — afirmou sorrindo. — E você?

— Estou bem.

— Quer biscoito? — ofereceu, indicando para a cestinha.

— Não. Obrigado.

Olhando de relance para a sala, Maria Cândida os viu sem ser vista e decidiu ir até a cozinha. Não demorou e retornou para a sala com uma bandeja e xícaras com chá de laranja.

— Obrigada, dona Maria Cândida — agradeceu a moça, aceitando a bebida quente.

Raul também agradeceu e contou em seguida:

— Sonhei com minha mãe. Foi um sonho tão nítido! Que impressionante! Ela faleceu há tempos!

— Eu gosto de sonhar com o meu pai também falecido. Sinto-me tão bem quando isso acontece. Conversamos muito. Às vezes, nem lembro o quê. Só sei que é bom — comentou a senhora.

— Acordei me sentindo disposto. Foi tão interessante! Nesse sonho, também vi um homem chamado Evandro que disse ser meu anjo de guarda e o seu avô, Dani!

— Meu avô?! — perguntou com estranheza.

— É! Conversei bastante com ele — sorriu.

— O que ele disse? — quis saber curiosa.

Raul tornou-se sério, repentinamente. Pareceu arrepender-se por ter comentado sobre o sonho. Por fim, disse:

— Contou uma história bem longa sobre ele e você. Não sei se seria legal falar a respeito e...

— Agora vai ter de contar! — impôs rindo.

O marido ficou insatisfeito e realmente arrependido. Porém, para contentá-la, comentou superficialmente.

— Há muito tempo, parece que há séculos, ele não gostava muito de você. Sabe... Foi um sonho e não podemos levar a sério.

— Conta, vai! — insistiu com jeito dengoso.

— Naquela época, você era mulher do filho dele e ele

te odiava. Queria te matar. Matar mesmo. Por isso, na última encarnação, você nasceu como sua neta. — Breve pausa e justificou: — Olha... O que eu lembro, não faz muito sentido. Conheço sua vida e sei que isso não aconteceu.

— Ah! Vai! Conta! — tornou ela no mesmo tom.

O rapaz respirou fundo e continuou, tentando satisfazê-la.

— Ele a criou, pois sua mãe foi morar longe. Aprendeu a te amar muito, mas o ódio do passado era tão intenso que não perdeu força. Por isso ele provocou, inconscientemente, um acidente de carro e você estava ao lado dele. O carro capotou. Você ficou muito machucada. Teve fratura craniana e permaneceu em coma por dezessete dias, depois morreu. Mesmo trinta e cinco anos após a sua morte, quando ele faleceu, o senhor Armando nunca se perdoou pelo acidente.

Um barulho de porcelana se partindo ao chão o interrompeu.

Imediatamente eles se viraram para o lado, relanceando olhar surpreso para Maria Cândida que, pálida, levava a mão à testa.

— O que foi?! A senhora está bem?! — preocupou-se a moça.

— Não foi nada. Eu...

Danielle sentou-se ao seu lado e começou a afagar-lhe as costas e o rosto, enquanto Raul sugeriu:

— É melhor que se deite.

— Não se preocupe, filho. O mal-estar já passou.

— Podemos ir ao médico — tornou a outra.

A senhora riu. Parecia bem melhor ao responder:

— De forma alguma. Já passou. — Levantando-se, vagarosamente, com Danielle, preocupada ao seu lado como se a amparasse, sugeriu: — Vamos para a saleta. Vou pedir para a empregada limpar isso.

Em outro cômodo, aparentando esquecer o ocorrido, Maria Cândida perguntou:

— O seu sonho acabou aí, Raul?

— A senhora ouviu? — dissimulou ele. — É um sonho que não faz muito sentido.

— Até porque nenhum dos meus avôs se chamava Armando, e eu nunca sofri um acidente de carro como contou. Só bati o pára-lama uma vez e estava sozinha.

— O meu pai se chamava Armando — revelou a senhora um tanto temerosa. — Como vocês sabem, tive uma filha que se chamava Danielle. Ela faleceu em um acidente de carro em 1963 e era o meu pai quem dirigia. Minha filha ficou em coma por dezessete dias. Não resistiu e faleceu.

— Meu Deus! — murmurou Raul preocupado.

— O meu pai faleceu em 1998. Trinta e cinco anos após a morte da neta. Ele viveu muito amargurado todos esses anos. Nunca se perdoou por ter provocado o acidente. Segundo testemunhas, o carro estava em excesso de velocidade e, naquela noite, meu pai havia ingerido álcool. Não estava embriagado. Disseram que foi somente uma taça de vinho.

— Parecia que ele me falava da Danielle, minha esposa. Tenho certeza disso. — Alguns segundos e disse: — Eu não sabia o nome de seu pai nem que sua filha faleceu em um acidente, muito menos que ficou em coma... que ele morreu trinta e cinco anos após a morte da neta... — olhou surpreso para a senhora que lhe fugiu ao olhar.

A empregada entrou na saleta, pediu licença e informou que havia uma ligação para Danielle. Era sua mãe do Brasil.

Ela foi atender de imediato.

Aproveitando sua ausência, Maria Cândida afirmou:

— Tenho certeza de que esse sonho não ficou limitado a isso. Não é mesmo, Raul?

— É verdade. Mas... A Dani está grávida. Não quero impressioná-la. Estou confuso, perplexo com tudo isso. Estou lembrando daquela foto de sua filha e da semelhança entre elas. Não quero afirmar nada. Acho que estou delirando.

— Chegou a pensar que as duas são a mesma pessoa. Acha que a Danielle, sua esposa, é minha filha que faleceu?

— Estou pensando isso, sim.

— Há momentos que tenho certeza disso, filho. O jeito, o riso, expressões e fisionomias... Tudo nela lembra minha filha. A voz doce, o modo carinhoso e atencioso como me trata, como trata a avó... Tudo!

— Nesse sonho, conforme o senhor Armando me relatava o passado, ocorrido em outra vida, eu me vi na história.

— Quer contar?

Raul ficou pensativo, respirou fundo e depois relatou:

— Era em um tempo bem remoto. Idade Média. Conforme ele contava, eu via, entende? — A senhora afirmou com uma aceno de cabeça, e ele continuou: — A Danielle era casada com um homem, o filho do senhor Armando. Eles tinham outros nomes e eu tenho quase certeza que, de alguma forma, sei quem é o homem, filho dele. Só não consigo lembrar onde o vi na vida atual. É como se a idéia me escapasse. Ainda vou saber quem é. — Um momento e prosseguiu: — O senhor Armando, por causa da idade, ficou doente, entrevado em uma cama. Não falava e só mexia os olhos. Era ela, como nora, quem cuidava dele. Havia um padre, seu confessor, muito amigo do senhor Armando. Ele o visitava com muita freqüência para lhe dar sua bênção. Esse padre começou a insistir em um romance com Danielle. — Constrangeu-se. — Ele a assediava muito. Não se importava com o casamento dela nem com seus votos. De tanto insistir, conseguiu seduzi-la. No quarto, onde estava o sogro doente, Danielle e esse padre se encontravam, beijavam-se e até se amavam... Naquele cômodo ninguém desconfiaria deles. Não tinham o menor respeito pelo moribundo. Era algo desmoralizante, pervertido... E aquele homem, ali, entrevado na cama, assistia a tudo.

Muitas vezes — continuou em tom envergonhado —, após o padre ir embora, ela agredia física e moralmente o sogro. Batia-lhe no rosto, tratava-o de forma indelicada. Ele a odiava muito, pois não podia fazer nada. — Raul se emocionou e seus olhos ficaram marejados. — Esse romance durou anos... O senhor Armando morreu com muita raiva, muito ódio em seu coração. Queria matar Danielle por tudo o que ela lhe fez passar. Após sua morte, o padre não tinha motivo para freqüentar aquela casa como antes, pois o marido de Danielle começou a ficar intrigado, desconfiado de suas visitas. Esse padre decidiu que a queria e, para não ter empecilhos, relatou ao Tribunal da Inquisição que viu o marido de Danielle com atitudes de bruxaria. Contou ver livros condenados pela Igreja, em posse do pobre homem, que foi preso e levado aos

Tribunais da Inquisição. Ela se acovardou e não defendeu o marido. Sabia que, se contradissesse as acusações do padre, também se juntaria ao esposo. Por isso, calou-se. Então todos os seus bens, que eram muitos, foram confiscados. Esse homem ficou muito tempo sofrendo torturas das mais horríveis... das mais horríveis... — sussurrou. — Quando estava quase morto, queimaram-no na fogueira. O caminho ficou livre para o padre e Danielle. — Breve pausa. Secou as lágrimas, respirou fundo e prosseguiu: — O caso dos dois nunca foi descoberto. Em uma vida seguinte, tendo o sogro, no plano espiritual, como obsessor terrível, Danielle se envolveu em dificuldades com um casamento de conveniência, forçado por seus pais. Foi muito espancada por seu marido que era o mesmo que havia traído, na vida anterior. Pela agressão, perdeu a filha que esperava. Foi uma situação terrível em que ele não lhe deu qualquer assistência. Era um homem muito violento e não sabia por que, mas trazia o ódio da traição. Agrediu-a tanto que, com o tempo, deixou-a paraplégica. Tiveram uma vida curta juntos. Danielle contraiu varíola e morreu com muito sofrimento. Desencarnado, esse homem, seu marido, arrependeu-se por tê-la agredido, pois olhou o próprio passado. Viu seus erros, bem semelhantes aos dela. Com isso, entendeu que não deveria ter feito o que fez, por ela não ter vencido as fraquezas no campo da infidelidade, não resistindo as tentações. Em outras oportunidades, mais remotas, juntos, como amigos, ela o ajudou muito, muito mesmo. Ele compreendeu o quanto errou. Sofreu em demasia e se torturou imensamente por tudo o que fez a ela. Mas o sogro não lhe perdoou. Era muito ódio e nenhum amor em seu coração. Ele queria matá-la com as próprias mãos. Seu desejo era intenso e terrível. Então, para acabar com esse desejo de vingança, a própria Danielle pediu um reencarne em que ele fosse forçado a amá-la. Desejou uma situação em que o amor fosse inevitável. Ela sabia que o ódio é supremamente terrível e o desejo de matar intenso se transforma em algo quase inevitável. O senhor Armando sempre achou que seria incapaz de amá-la. Danielle reencarnou como sua neta, e ele precisou tomar conta dela. Com o esquecimento do passado o amor nasceu inevitavelmente, mas o ódio, cultivado por séculos, transformado em energia viva, levou-o a ser imprudente. O que tanto queria, que era matá-la, realizou-se. Sua mente inconsciente o fez agir daquela forma e sua vontade, mesmo de outros tempos, foi feita. Ele contou que ela se feriu gravemente e morreu dezessete dias depois. O senhor Armando desejava ter sido ele no lugar dela e nunca se perdoou. Sempre perguntou a Deus por que aquilo tinha acontecido, mas, encarnado, nunca teve resposta. Encontrou um pouco de conforto no Espiritismo onde aprendeu que todo sofrimento faz parte da evolução. Disse-me que, enquanto vivemos encarnados, dificilmente conseguimos entender que só as dores fazem espíritos rebeldes, como nós, mudarem de idéia, agirem e pensarem diferente para harmonizar o que desarmonizaram. Nunca devemos odiar alguém nem ter desejo de matar a pessoa, pois isso vai se realizar. Essa criatura odiada virá como filho ou pessoa muito querida. Com isso encontramos explicações para disparo acidental de arma que mata uma pessoa amada, pais que esquecem de filhos dentro de carros, deixando-os para morrer ali... Atropelamentos na própria garagem onde se tira a vida de um filho quando se movimenta um carro na propriedade e tantos outros acidentes que aniquilam vidas de pessoas tão queridas, pelas quais daríamos a própria vida.

Raul silenciou. Maria Cândida, emocionada, olhos marejados, concluiu:

— Eu entendo. O ódio do meu pai foi tão forte, o seu desejo de matá-la tão intenso que se concretizou. Por isso devemos tomar muito cuidado com nossos pensamentos, pois a nossa vontade pode se realizar, exatamente, como queremos.

— Não quero contar isso tudo para a Danielle.

— Lógico! Você está certo!

— Sabe o padre que desfez o casamento dela e...

— Sei — afirmou a senhora.

— Fui eu.

A mulher não disse nada a respeito, pois já havia entendido tudo.

— Estou me sentindo estranho a respeito disso. Confuso...

— Você tem algum conhecimento espírita, Raul?

— Antes de nossas longas conversas nos últimos meses, não. Já tinha lido romance espírita, revista de espiritismo, mas nunca me interessei a respeito. A Danielle gosta de romance espírita muito mais do que eu. Não tenho tempo para isso. Confesso que assim que descobri a doença, pensei: por que eu? Por que isso aconteceu comigo? Fiquei revoltado. Cheguei a ir a centros espíritas para procurar a cura, mas quando iniciei a quimioterapia... Fiquei desgostoso, deprimido e achei que nada adiantaria. De repente a senhora apareceu. Deu muita força para a Dani, para nós dois e isso foi uma injeção de ânimo. Quando viemos para cá, pensei melhor a respeito de Deus, principalmente quando ela descobriu que estava grávida

— sorriu. — Acreditei que Ele colocou uma pessoa, como a senhora, no meu caminho, para eu encontrar a cura e cuidar da nossa filha. Nos últimos dias, estou muito sensível. Tive sonhos. Encontrei pessoas lá na clínica que começaram a me falar sobre não deixar a mente, a alma ficar doente, pois a vida é além do corpo físico. O mesmo que o senhor Armando me disse.

— Isso é interessante, porque os americanos não são muito voltados ao espírito, à espiritualidade.

— Também pensei nisso — tornou ele. — Mas o médico que realizava a quimioterapia, surpreendeu-me com esse assunto. Comecei pensar muito a respeito. — Breve pausa e revelou: — Esse sonho, hoje, mexeu muito comigo. Se é que eu posso chamar de sonho. Era tão real. O incrível foi o senhor Armando falar de coisas que eu não sabia. Isso foi impressionante e o que me fez acreditar.

— Sabe, a minha mãe sempre foi espírita. O meu pai só a acompanhava e aceitava o Espiritismo por aceitar. Somente depois da morte de minha filha é que realmente o aceitou. Ele se abalou tanto e ficou procurando respostas para o que havia acontecido. Às vezes, não é fácil entender e admitir que erramos muito no passado e hoje sofremos as conseqüências de nosso erros.

— Eu fiz muita gente sofrer. Denunciei um homem inocente para ser terrivelmente torturado e queimado vivo...

— Espere, Raul. Você não errou sozinho. Havia um sistema, que era a Inquisição da Igreja. Você se aproveitou dele.

— Isso não justifica o meu erro. Eu não o torturei com minhas mãos, mas permiti que o fizessem.

— Se você tomou consciência desse fato, creio que não é para se torturar.

— Eu sei. O senhor Armando, minha mãe e o Evandro me disseram isso. Há meses, quando fui ao centro espírita procurando a cura, um senhor, que me recebeu com muita simpatia e paciência, disse que o Espiritismo tinha a proposta de curar a alma. A cura do corpo poderia ser ou não uma conseqüência de uma alma em paz. Estou começando a entender que quando a mente está bem, os pensamentos tranqüilos, não importa o que o corpo sofre.

— Minha mãe mandou beijos e abraços a todos! — exclamou Danielle que chegou repentinamente eufórica, interrompendo-os.

— Como ela está? — interessou-se Maria Cândida.

— Ótima! Com muita saudade. Ah! Ela contou que a Nanci telefonou para o Edwin. A minha irmã não falou nada. Foi seu filho que, todo empolgado, ligou no dia seguinte e minha mãe atendeu, então ele disse o que tinha acontecido. Ela ainda contou que os dois estão combinando algumas coisas, mas não sabe o quê.

— Puxa! Que bom! — disse a senhora satisfeita. — Fiquei tão magoada comigo mesma por ter feito um comentário sobre o que não deveria.

— Isso acontece. O importante agora é que os dois estão se entendendo — opinou Raul.

— Ai! Já pensou que legal se as nossas famílias se unirem por causa desses dois?! — alegrou-se Danielle.

— Seria ótimo! Maravilhoso! — tornou a mulher rindo, muito feliz com a idéia. Levantando-se, disse: — Vou telefonar para minha irmã e saber como está minha mãe.

— Diga que eu mandei um beijo para elas — pediu Danielle.

A sós com a esposa, Raul perguntou:

— Você gosta mesmo da dona Maria Cândida e da dona Filomena, não é?

— Eu as adoro! — respondeu, expressando carinho. — Parece que as conheço há muito tempo.

— Que interessante. Acho que esse sentimento pode ser de outra vida.

— Ai, Raul... Vou confessar uma coisa... Sabe que eu já pensei na...

— Na?... — insistiu diante da demora.

— Você vai rir de mim! — sorriu dengosa.

— Não vou não. Fale.

— Será que haveria alguma possibilidade de eu ter sido a filha da dona Maria Cândida?

— Talvez seja possível.

— Sempre quis saber a razão de eu passar mal, ter enjôo quando ando muito tempo de carro, principalmente em viagens longas como a que fizemos de São Paulo ao Rio, que demorou mais de quatro horas. Viajo de navio ou avião e não sinto nada! Nunca tive explicação para isso. Mas ao saber que a filha dela morreu em um acidente de carro... E agora, depois desse seu sonho, tudo ficou claro. O senhor Armando foi pai da dona Maria Cândida e, no sonho, disse que era meu avô. Isso tudo começa a fazer sentido, não acha?

— Pode ser — respondeu temeroso, pois não sabia se seria bom ela acreditar nisso.

— A explicação por eu enjoar, sentir tão mal quando ando de carro, é porque morri em um acidente.

— Dani, não fique criando histórias na sua cabeça para não deixar de viver a sua vida. O aqui e o agora são a sua vida.

— Sim, eu sei! Só acho interessante a semelhança, os gostos! A dona Filomena, principalmente, vive se surpreendendo quando eu falo que não gosto de cebola, não uso roupa marrom, adoro rosas brancas, adoro azul claro... Esses, e outros, são gostos iguais aos de sua neta falecida.

O marido a abraçou com carinho, afagou-a e orientou:

— É algo curioso, mas fique com os pés no chão. O melhor que tem a fazer agora é cuidar de você e do nenê. O médico falou que sua pressão está alta. Deve ficar atenta a isso.

— Fique tranqüilo! Esses médicos são exagerados. Sinto-me tão bem. — sorriu e inclinou-se para beijá-lo. Depois comentou: — Minha mãe está programando vir para cá, mas o meu pai quer ir, antes, para a Europa.

— Enquanto estou com saudade de casa, eles querem viajar. Adoraria voltar para o Brasil.

— Já falamos sobre isso. Seria muito cansativo e dispendioso. Teríamos que retornar em pouco tempo para darmos continuidade ao seu tratamento.

— Acho que estou incomodando muito. Pessoas que não me conheciam, de repente, estão me hospedando. Além do incômodo, também tem as despesas com a estada. A dona Maria Elvira não nos deixa pagar muita coisa.

— As despesas médicas estão por nossa conta.

— Também pudera! Aliás, não estão por nossa conta, é o seu pai quem está financiando tudo.

— As despesas com alimentação somos nós quem pagamos.

— Essa situação não está confortável para mim, Dani.

— Eu sei, amor. Mas o que nós podemos fazer?

Ele estendeu-lhe a mão e a puxou para um abraço. Achava-se insatisfeito, embora não houvesse o que fazer. Desejava pedir-lhe para voltar para o Brasil, pois percebia que todo o difícil tratamento não estava adiantando. Mas não podia. Não queria que ela sofresse pensando que ele se entregava.

Maria Cândida chegou sorridente, anunciando:

— Amanhã, após pegar Desirée no aeroporto, William disse que virão para cá passar alguns dias. Ele disse que teremos uma surpresa!

— Não gosto de ficar ansiosa no aguardo de uma surpresa — protestou Danielle. — Prefiro que não me avisem.

Maria Cândida e Raul acharam graça de seu jeito, mas nada disseram.

* * *

Na tarde do dia seguinte, o sol já estava deitado no horizonte, quando dois veículos estacionaram no jardim da bela casa de Long Island.

Curiosa, Danielle se aproximou vagarosamente. Esperava a vinda de William e Desirée, mas quem seria o casal no outro carro? Não aguardava mais ninguém.

Não demorou e reconheceu Edwin. Em seguida, Nanci. Danielle correu ao seu encontro.

Abraçaram-se, beijaram-se, soltando risinhos. Tocavam-se nos braços e no rosto, parecendo não acreditar que estavam juntas.

— Como você está linda!!! Olha sua barriga!!!

— Que surpresa, Nan!!! Que maravilha ter vindo!!!

Danielle começou a se emocionar e Edwin a puxou para um abraço apertado. Logo depois, Desirée a envolveu com carinho e recomendou:

— Cuidado com a emoção excessiva para o nenê!

— Não se preocupe. Estou bem.

Desirée ficou feliz e admirada ao ver a barriga da outra. Passou-lhe a mão por muito tempo, fazendo-lhe um carinho, enquanto se abraçavam para subirem os poucos degraus da varanda.

Imaginava-se grávida e tão bela quanto Danielle.

Nanci ficou parada, olhando-as de um jeito estranho. Como se sentisse ciúme.

Edwin colocou o braço em seus ombros e a conduziu para dentro da casa.

Após cumprimentarem Raul e Maria Cândida, Danielle agradeceu:

— Gente! Obrigada pelas roupinhas! São lindas! Uma mais linda do que a outra!

— A mamãe fez questão que eu trouxesse. Ela mesma bordou algumas peças com o maior carinho.

— Eu também estou tricotando sapatinhos e casaquinhos de lã para o nenê! — comentou Maria Cândida para não ficar para trás.

— Comprei essas roupinhas em Paris! Olha que chique! — exclamou Desirée. Virando-se para o marido, perguntou: — Onde comprou o presente que trouxe?

— Ah... Eu estava passando na Quinta Avenida, vi uma

vitrine e me lembrei do nenê. Entrei e comprei. Não sei o nome da loja. Eu não sei escolher direito.

— Não precisavam se incomodar. Eu adorei! — tornou Danielle que colocava cada uma das peças sobre a barriga bem avolumada.

Após um minuto, Desirée contou:

— O pai disse que não poderá vir no vôo de amanhã. Somente no fim de semana.

— Puxa! Eu lamento! Gostaria tanto que ele conhecesse a Danielle e a Nanci, filhas da minha melhor amiga — reclamou Maria Cândida.

— Vai dar tempo. Elas ficarão aqui conosco.

— E a mamãe e o papai, Nanci? Eles poderiam ter vindo! Estou com tanta saudade! — declarou Danielle.

— A mamãe bem que queria vir, mas você sabe como o papai é! Ele não larga o trabalho. Disse que só poderá viajar em outubro.

— Como assim?! Até lá minha filha já nasceu! — queixou-se a irmã.

— Você vai querer que ela nasça aqui, nos Estados Unidos? — perguntou Desirée.

— Gostaria de tê-la no Brasil, mas não vai dar.

— Faça como eu! — riu Maria Cândida. — Tenham um filho em cada país! O George nasceu na Escócia, o Edwin nasceu em Nova Iorque, a Olívia em Londres e a Desirée em Paris. Todos de surpresa e fora do tempo! Lembrando também que minha primeira filha nasceu no Brasil.

— Você não me disse que era americano — disse Nanci olhando para Edwin.

— Não houve oportunidade. Não brigue comigo por isso! — pediu de modo temeroso e estranho, provocando risos nos demais.

— E você, Raul? Como está? — perguntou William.

— Reagindo bem. Essa fase do tratamento é delicada. Estou superando.

— Ele precisa é se distrair. Foi ótimo vocês terem vindo! — respondeu Danielle.

— Então, amanhã, vou alugar um iate, no clube, e todos daremos uma volta! — anunciou Desirée animada. — Precisamos passear um pouco, afinal.

Enquanto a filha de Maria Cândida tecia seus planos. Nanci se aproximou da irmã, esfregou-lhe discretamente o ombro e a chamou para saírem dali.

Na varanda, ela abraçou Danielle novamente e, emocionada, quis saber:

— E você? Como está, de verdade?

— A gravidez foi uma surpresa ótima. Como já te falei. Acho que foi isso o que me levantou.

— Vamos caminhar um pouco? — tornou a outra.

— Vamos — sorriu, concordando.

Abraçadas, à luz das estrelas, à medida que caminhavam, Nanci contou:

— A mamãe ficou triste por não poder vir.

— Ela me ligou. Não disse que você estava vindo para cá.

— Eu pedi que não dissesse, boba! Quis fazer uma surpresa. Sabe... Eu queria me encontrar com o Edwin novamente e ele não poderia ir ao Brasil. Tinha algo para resolver em

Nova Iorque. Por outro lado, eu também queria ver você. Então, juntamos o útil ao agradável.

— É tão bom te ver! Você não imagina!

— Imagino sim! Diz uma coisa, Dani: como o Raul está?

Elas pararam e frente à irmã, Danielle desabafou:

— Tem dia que é difícil, Nan. A quimioterapia está sendo muito forte. Ele precisou de transfusão de sangue para agüentar... Ficou muitas vezes internado. Quando recebe alta, fica mal... Vejo que o Raul se esforça demais para não parecer abatido, mas... É impossível não perceber o quanto a doença o consome. — Abraçando-se à irmã com força, chorou um pouco em seu ombro e concluiu: — A dona Maria Cândida está me dando muita força, muita ajuda. Se não fosse ela... Ela e o Raul conversam muito e isso o anima bastante.

Nanci não sabia o que dizer. Ficou extremamente assustada quando viu Raul dessa vez. Quase não o reconheceu por trás de tanto abatimento.

— Dani, tudo vai acabar bem. Tenha fé.

— Fé é a única coisa que me resta.

— Esse tratamento maltrata mesmo. Depois a pessoa se recupera e volta ao normal.

— Eu amo o meu marido. Vivemos tão bem! Por que isso foi acontecer?

Não querendo vê-la triste, perguntou:

— E o pré-natal? E a minha sobrinha?

— Está bem. Por enquanto não dá o mínimo de trabalho. O médico disse que é um bebê muito grande. Acha que terá de ser cesariana. A minha pressão tem subido um pouco. O médico pediu para eu tomar cuidado. Mas nem sei direito o que mais fazer. Quase não tenho tempo para mim. Vivo preocupada com o Raul que, nos últimos meses, não tem ficado nada bem...

— Não pode brincar com pressão alta, Dani. É perigoso para você e para o nenê.

— Eu bem que queria ir para o Brasil para tê-la lá. Queria estar perto da mamãe. Teria alguém para me ajudar a cuidar dela e de mim. Mas fico pensando se não será cansativo para o Raul. Tenho de pensar ainda que, depois do parto, será difícil, para mim, retornar com ele e o nenê. Ficando aqui, talvez seja bem mais fácil. Já estamos acomodados.

— Eu também acho. Além do mais, será bem charmoso ter uma filha nascida aqui! Ai! Que chique!!! — exclamou, soltando um gritinho engraçado.

— Pare, sua boba!!! — repreendeu-a, apesar de apreciar da brincadeira. — Eu gostaria mesmo era de ter uma filha nascida em Paris, Londres, em um castelo!... E o nome dela seria Tifanie! — gargalhou, após falar de um jeito imponente.

— Nossa, Dani! Você pega pesado quando deixa sua imaginação viajar! Isso seria o máximo!

— Não, impossível! Não diga ao Raul que eu gosto do nome Tifanie. — A irmã nada disse. Em seguida, comentou: — Viu?! A dona Maria Cândida teve um filho em cada país.

— Interessante, não é?! Eu não sabia que o Edwin nasceu em Nova Iorque!

— Isso faz diferença?!

— Lógico que não! Mas é engraçado... Ele é tão londrino! O sotaque, o jeito... É igual ao William.

— O William é de Londres?

— Acho que é. Olha só o sotaque, a compostura!... — riu, tentando imitar um jeito nobre, imponente.

— A criação na Europa é outra coisa, Nan! Queria criar um filho lá.

— A cultura é outra, para quem gosta de estudar. Países mais próximos do que Rio e Sampa. A pessoa toma café da manhã em um e almoça no outro. Sabia que o Edwin e o William falam cinco idiomas?! — admirava-se Nanci.

— Sabia! Cinco fluentemente. Fora as boas arranhadas que dão nos outros. Eu vi o William conversando ao telefone em francês e italiano. Uaaauhhhh! Conversamos em português algumas vezes. Ele só se enrola um pouquinho quando eu falo muito rápido ou uso gírias. Acho tão engraçado vê-lo pensando e tentando adivinhar o que eu disse.

— Falam alemão também!

— Que legal! Pena eu não saber nada de alemão. Quem é idiota é a Desirée. Com tanta oportunidade para fazer algo, estudar, trabalhar... Como ela é fútil! Não fala nem português direito, mesmo tendo a mãe brasileira. — criticou Danielle.

— Quem está ótimo no alemão é o Guilherme.

— Ele me ligou há dois dias. Estava em Berlim! Até me esqueci de contar para a mamãe que ele telefonou.

— O papai tem tanto orgulho do Guilherme, do Kléber e de você! Se bem que do Guilherme ele começou a se orgulhar há pouco tempo. Mas de mim... Também não fiz nada para isso, não é?

— Não seja tola, Nanci! Eu...

Danielle parou de repente. Levou a mão ao rosto e com a outra segurou o braço da irmã.

— Dani, o que foi?!

— Eu não sei... — sussurrou.

— Dani, pelo amor de Deus! Não faça isso comigo! — pediu Nanci assustada.

Haviam andado bastante. Encontravam-se consideravelmente longe da casa. A praia estava totalmente deserta.

— Vamos voltar. Vou me apoiar em você — murmurou Danielle, enlaçando-lhe o braço no pescoço.

Nanci a segurou, procurando sustentar o seu corpo e, vagarosamente, começaram o caminho de volta.

— O que sentiu?!

— Uma pontada, mas já passou. Agora estou tonta... muito tonta. Sinto uma coisa estranha...

Percebendo que a irmã tinha dificuldade de andar, Nanci decidiu:

— Sente-se aqui mesmo, Dani. Eu volto logo.

Acomodando-a no chão, Nanci correu como nunca. Chegando às escadas da varanda gritou por socorro.

William apanhou as chaves do carro e, após Nanci entrar no veículo, dirigiu para onde Danielle estava.

Pegando-a com cuidado, levaram-na para casa e depois ao hospital, em companhia de Maria Cândida.

7

Ganhando forças com a prece

Amanhecia quando retornaram do hospital com Danielle. Raul, Edwin e Desirée, apesar de terem sido avisados, por telefone, sobre o estado de Danielle, estavam bem preocupados.

— Ela está bem. Foi só um susto — disse Maria Cândida. — Não é nada grave. O médico só pediu para ficar de olho na pressão.

Danielle sentia-se constrangida. Um tanto ridícula por preocupar todos. Por essa razão, não comentou mais o que se passava. Não queria dar trabalho.

— Você vai ficar bem, Dani. Não se preocupe — dizia Desirée, afagando-lhe a barriga.

— Que vergonha! — admitiu, escondendo o rosto no ombro da outra.

— Levei um susto! Eu não tinha um celular comigo! Não tinha nada! Não me arrisco mais a sair sozinha com você! — disse a irmã em tom de brincadeira.

— Isso acontece — tornou a senhora.

Ainda apreensivo e preocupado, Raul não dizia nada. Apenas silenciou ao lado da esposa, enquanto acariciava sua mão, beijando-a e esfregando-a em seu rosto como se quisesse perceber Danielle ali.

Desirée se levantou dizendo:

— Deixaremos o passeio de iate para o fim de semana. Até lá a Dani estará bem.

— Creio que hoje ela já está bem — disse William.

— Não vamos arriscar — tornou a esposa.

— Eu sei. Claro que não — retrucou ele.

* * *

No final de semana, Oscar, marido de Maria Cândida, chegou de Paris conforme o esperado. Era um homem muito educado, cauteloso e afável.

Entendia-se de quem Edwin herdou personalidade tão educada e gentil.

O senhor ficou satisfeito ao conhecer as filhas de Belinda. Gostou muito das moças.

Foi prazeroso conversar com elas e surpreendente saber como aquele encontro se deu.

Para ele o que estava sendo extremamente desagradável era o comportamento de sua filha Desirée, diante da necessidade de William ter de trabalhar em Nova Iorque. Afinal, precisava de alguém com o seu conhecimento em negócios e de total confiança para permanecer ali. E Desirée não queria entender isso.

— Eu preciso de Will aqui, Desirée! — afirmou o pai.

— Não vou ficar em Nova Iorque!!! — esbravejou ela.

— Faça o que quiser da sua vida, então! O Will fica!

— Não seja ridícula, Desirée! — repreendeu o marido.

— Eu, ridícula?!!! Quem você pensa que é para falar assim comigo?!!!

— Além de ser o seu marido, sou alguém que consegue ver o quanto infantil está sendo! Ficarei aqui até o final do ano. Quer queira ou não!

O pai os deixou a sós, e o casal começou a discutir.

— Você prometeu que iríamos de férias para as Ilhas Gregas! Não fomos! Disse que iríamos para o Caribe e estamos aqui!

— Desirée, a vida não é feita só de passeios e viagens! Daqui a pouco o planeta Terra será pequeno para você! Eu disse que tinha planos de ir, nas férias, para as Ilhas Gregas, mas não deu!

— Não deu porque você é incompetente!!!

— Olha como fala comigo!!! — repreendeu-a firme, num grito.

— Incompetente, sim!!!

— Se sou incompetente, você é uma inútil! Não sabe valorizar o que tem! É mimada! Pensa que a vida é um conto de fadas! Quer ver todos aos seus pés!

— Não sei como fui me casar com você! Até do nosso aniversário mensal de casamento você se esquece!!! — gritou.

— A única mulher, no mundo, que exige comemorar o aniversário mensal de casamento, é você! Quer presentes, jóias, jantares!... Isso não existe! Se não é louca, está a caminho! Acho que deveria procurar um psiquiatra!

Aproximando-se dele, Desirée empurrou-o com as duas mãos em seu peito, retrucando em tom acusador:

— O que pensa que está falando?! Tenho motivos para ser exigente! Se você se casou comigo, é por ser um incompetente que precisa da empresa do meu pai!!!

O marido a segurou firme pelos braços por um instante. Experimentou muito ódio por aquelas palavras. Sentindo-se tremer, empurrou-a de leve enquanto a olhava furioso. Depois saiu, deixando-a sozinha.

William estava extremamente nervoso. Foi para a varanda, sentindo-se mal. Um torpor o estonteava naquele momento.

Descendo os poucos degraus, sentou-se no último. Tirou os chinelos e enrolou a barra da calça.

Levantando-se, foi em direção da praia com a intenção de caminhar.

Não demorou muito e avistou Danielle, que não o percebeu. Ela divertia-se com um siri, tentando cercar o bichinho com um graveto na mão.

Aproximando-se, sorriu ao dizer:

— Daqui a pouco ele te pega!

— Não diga isso! Estou só brincando, não vou machucá-lo. Tenho medo!

— Olha o seu tamanho e compare com o dele! O coitadinho não vai fazer nada! — riu.

Deixando o pequeno siri correr para um buraco, ela sorriu. Alinhou os cabelos atrás das orelhas e, ao encará-lo, perguntou:

— E a Desirée?

William deu um suspiro, fechou o sorriso e olhou em direção do mar, respondendo:

— Está lá na casa. Cheia de mimos, orgulho, vaidade e imposições. Sempre querendo todos aos seus pés. Não sei mais como agir.

Danielle não sabia o que dizer. Havia percebido o quanto Desirée era geniosa e exigia todos seus desejos satisfeitos.

— É uma fase. Isso passa. — Sorriu ao supor: — Quando tiverem um filho, ela vai se preocupar com a criança e esquecer algumas exigências.

— Eu não quero ter filhos. Não, enquanto ela não mudar. — Vendo-a surpresa, explicou: — Estamos casados há dois anos. Desde que nos conhecemos eu a percebo muito exigente. Pensei que com o tempo quando fosse mais madura, isso fosse passar. Mas não. A cada dia está pior. Não posso acreditar que ela vá mudar por causa de um filho. Se fosse amadurecer, seria este o momento. — Olhando-a, perguntou: — Quer caminhar um pouco?

— Quero. Quero sim. — Continuando a conversa, quis saber: — Você gosta de crianças?

— Gosto sim. Adoro! Por isso preciso pensar bem antes de ter um filho. Não quero que ele sofra por nós dois discutindo, brigando ou se separando. Se ela continuar assim... — Um instante de pausa e reclamou: — Agora deu para jogar na minha cara que me casei com ela por causa da empresa de seu pai. Isso dói, sabe! Estudei com o Edwin, conheço-o há muito tempo. Foi o senhor Oscar quem me convidou para trabalhar lá, depois que desenvolvi projetos, opinei sobre muitas coisas. Estou lá por competência e bem antes de nós namorarmos.

— Talvez a Desirée seja insegura.

— Insegura só, não! Nos últimos tempos, está se mostrando muito desequilibrada. Ela sempre comemorou, todo mês, nesses dois anos, o nosso aniversário de casamento. — Danielle quis rir, porém se segurou. William percebeu e disse: — É verdade! No começo foi engraçado, mas agora... Ela exige! Isso é um absurdo! Principalmente quando briga por eu ter esquecido! Isso não tem cabimento! — Após um momento, desabafou: — E ciúme, então! Fico louco com isso! Ela tem ciúme doentio! Tem ciúme dos meus pensamentos! Quer saber em quem estou pensando... De quem estou lembrando... Não pode me ver quieto! Além disso, odeio quando me belisca! Acha que estou olhando para outra mulher e me belisca! Isso é horrível! Sabe, quando uma mulher quer conquistar um homem e quer ser melhor do que uma outra, ela deve começar a ser, primeiro, compreensiva, atenciosa, carinhosa. Se dá um beliscão ou tapa ou pontapé, ela está querendo ser odiada e não amada! E é o que vai conseguir! — Danielle riu e William afirmou: — É verdade!

— Desculpe-me por rir. Não agüentei. É que nunca fui ciumenta. Não desse jeito. E também nunca pensei dessa forma. Você tem toda razão. Se uma mulher brigar com o marido, namorado ou companheiro, ficar zangada, emburrada e maltratá-lo ou beliscá-lo e lhe dar tapas por causa de outra, ele vai ficar com raiva. Ao passo que, se não der importância e tratá-lo com carinho, se produzir mais que a outra, ele vai lhe dar mais atenção e valorizá-la. Isso faz sentido.

— É lógico que faz. Mesmo dizendo isso para a Desirée, ela não entende e eu odeio quando me trata dessa forma. Pareço seu brinquedo, seu capacho! — Breve pausa e disse: — Estou incomodando-a com meus problemas. Desculpe-me.

— Vejo que precisa desabafar. Às vezes, necessitamos disso.

— Vamos mudar de assunto. E você, como está?

— Bem. Estou apreensiva por causa do nenê, que chegará no final do mês ou começo de outubro.

— Vai tê-la aqui mesmo, não é?

— Vou. Já está decidido e tudo arrumado. Ficarei, nos primeiros dias, na casa da dona Maria Elvira.

— Qual é o nome do nenê?

— O Raul quer que seja Evelyn. Apesar de eu pensar em outro, gostei. O próximo ou a próxima eu escolho — sorriu lindamente, mas não revelou o nome que desejava para sua filha.

— É um nome muito bonito. O Raul deve estar muito feliz e orgulhoso. Eu adoraria ter um filho!

— Por que não tentam? Quem sabe...

— Definitivamente, não. Não agora, Dani. Conheço bem minha mulher. Como lhe disse, não seria justo nem agradável criar um filho em meio a tantas brigas. Sei o que é isso. Observo você e o Raul... Como se dão bem. Mesmo diante de tanta dificuldade vocês se amam! Isso é tão bonito! Tenho inveja dele, sabia?

— Não diga isso!

— É verdade. Queria estar no lugar dele para minha esposa se dedicar a mim como você faz.

— Pare com isso, William! Que absurdo! — zangou-se.

— Já estamos longe. Quer voltar?

— Vamos até os rochedos?

— Tem certeza?

— Tenho! Hoje estou bem disposta. Gostaria que o Raul pudesse caminhar sempre comigo.

— Ele não está nada bem. Não há como esconder. Fico tão comovido...

Danielle parou por um instante. Não suportou a tristeza que vinha disfarçando, para que o marido não a visse tão aflita. Levou as mãos ao rosto e falou com voz entrecortada pelo choro:

— Não vejo qualquer melhora... Tem dia que não agüento...

— Não fique assim — pediu, arrependido do que falou.

— Por mais que eu entenda a vontade de Deus, não consigo aceitar o que está acontecendo com o meu marido. Não posso dizer a ele o que sinto. Estou desesperada, Will.

William afagou-lhe o braço e, sensibilizado, puxou-a para um abraço. Recostando sua cabeça em seu peito, acariciou-lhe os cabelos.

Ficou enternecido por vê-la tão frágil e sensível. Danielle estava muito sofrida. Era muito amorosa e paciente. Talvez não merecesse passar por aquela situação tão dolorosa.

Ela soluçava agarrada a ele que a abraçava com força. Encostando a face e os lábios no alto de sua cabeça, podia sentir o seu perfume. De repente, um aperto no peito, lhe trouxe uma espécie de saudade inexplicável. Uma dor com um misto de prazer.

Como era estranhamente bom estar ali, à beira mar, abraçado à Danielle.

Queria ficar daquele jeito com sua esposa e que o motivo do abraço fosse outro.

De repente William sorriu encantado. Procurou ver o rosto de Danielle e perguntou quase gaguejando:

— Isso... o que... estou sentindo... é o nenê se mexendo?!

— Desculpe-me, eu... — pediu sem jeito, afastando-se e secando o rosto com as mãos.

— É incrível! É lindo! — riu maravilhado. — Posso?!... — pediu com a palma da mão pronta para tocá-la no ventre.

— Pode. Sinta — permitiu sorrindo e um pouco constrangida. Pegando-lhe a mão, colocou-a na lateral da barriga onde percebia o movimento da filha.

— Que... incrível! — William se emocionou. Era a primeira vez que experimentava aquilo. Sem se inibir, dominado por uma vontade que não conseguia explicar, curvou-se e encostou um lado do rosto no ventre de Danielle e continuou sentindo o suave movimento da criança. Após alguns minutos, beijou-lhe a barriga, ergueu-se e afagou o rosto rubro da mãe, que sorria, e perguntou: — Posso lhe dar um beijo?

Vendo as lágrimas brotarem dos olhos dele, Danielle teve vontade de chorar ao consentir:

— Pode.

William segurou o seu rosto com ternura, beijou-lhe a face e disse com doçura no tom de voz:

— Parabéns. Você é maravilhosa.

— Obrigada... — murmurou.

Olhando dentro de seus olhos, parecia invadir sua alma quando sussurrou com meiguice:

— Eu a admiro muito. Pelo que você é. Por tudo o que faz diante de situação tão difícil. Será uma mãe maravilhosa.

— Tomara que sim. Sempre quis ser mãe. Às vezes, acho que não me dedico tanto ao nenê. Não converso com ela como deveria. Os bebês, mesmo durante a gestação, sentem e entendem o que os pais dizem.

— Eu sei. Não só os pais. Eles percebem quando são queridos por todos. Sentem ambientes calmos ou estressantes e tudo os afeta.

Percebendo que ele não tirava a mão de seu ventre, ela comentou, sorrindo:

— A minha mãe diz que barriga de grávida não tem dono, pois todo o mundo quer passar a mão, beijar, acariciar, conversar com o nenê... Porém aqui nos Estados Unidos, eu não vi muito disso. Acredito que esse afeto é exclusivo do meu país.

— O Brasil tem fama de ter um povo muito amoroso, prestativo. Bem diferente de outros países. Das vezes em que estive lá percebi isso.

— De onde você é, Will?

— Inglaterra. Nasci em Londres.

— Não tinha certeza. Até comentei sobre isso, outro dia, com minha irmã. Deduzimos que era de lá por causa de seu sotaque e da sua educação. Aliás, o seu português é ótimo.

— Seu inglês também — sorriu.

— Morei seis anos no Canadá. Fiz intercâmbio, faculdade, pós...

— Ir para o Canadá fazer intercâmbio e estudar não é tão fácil. O TOEFL — Teste de Inglês para Língua Estrangeira —, onde se passa por uma entrevista para testar a sua fluência na língua, é bem exigente. Além disso, precisou de carta de recomendação de seus professores e também de notas. Você foi uma ótima aluna! Uaaauh! Sei que tudo é analisado e as recomendações exigentes.

— Você está muito bem informado! É verdade. Não foi fácil. Eu não poderia perder a oportunidade. Adoro inglês e francês. No Canadá, tive chance de abusar muito dos dois idiomas. Para mim, foi ótimo. Voltei para o Brasil com emprego arrumado.

— Não estava trabalhando quando veio para cá?

— Não. Assim que comecei a namorar firme o Raul, fui para o Canadá. Namoramos a distância — riu. — Quando voltei, já estava trabalhando e ficamos noivos. Um ano depois nos casamos. Assim que descobrimos a doença, decidi cuidar dele e parei de trabalhar. Depois viemos para cá, descobri que estava grávida... Tudo aconteceu bem rápido.

— Ele parou de trabalhar e está, como se diz, de dispensa?

— De licença. O Raul trabalhava na empresa de seu pai. Depois que começou a quimioterapia não conseguiu mais... Nossos pais nos sustentam e isso o incomoda muito.

— É aceitável. É por um tempo.

— Eu sei. Só que não é uma situação cômoda. Fico amargurada. Não sei o que fazer. Estamos dependentes não só dos nossos pais, mas também de pessoas, praticamente, estranhas. E isso é difícil.

— Não são tão estranhas! Todos gostam muito de vocês.

— Sei disso, mas... — sorriu.

— Dani, eu não gostaria de assustá-la, mas... Está vendo aquelas nuvens escuras lá no horizonte?

— O que tem?

— Está sentindo esse ar abafado, sem vento?

— Estou. Por quê?

— Não sei se você conhece bem Long Island. Aqui é lindo, maravilhoso, mas muito vulnerável a grandes tempestades e furacões.

— Furacões?! Não brinque?!

— Não creio que teremos um furacão. Se assim fosse, estaríamos todos bem alertados. É que as tempestades são fortes por aqui. Aquelas nuvens densas indicam uma, talvez nesta direção. Vamos voltar?

— Vamos. Deixe os rochedos para outro dia. — Ao retornarem, ela perguntou: — Já viu algum furacão?

— Já! Foi bem assustador!

— Sério?! Onde estava?!

— Aqui mesmo. Foi em 1999. Depois da lua-de-mel. Viemos para os Estados Unidos e a Desirée quis visitar a tia. Dona Maria Elvira planejou uma bela recepção com almoço no gramado e tudo mais. A dona Filomena também estava aqui. Porém o furacão Floyd chegou e fez miséria na região. Ele não avançou muito para esse lado de Long Island, no entanto sentimos intensamente o seu efeito. O Floyd foi classificado na categoria três.

— Fiquei preocupada agora.

— Não fique. Antes da chegada de um furacão todos são alertados. Os radares meteorológicos e o serviço de informação sobre o tempo, aqui, são bastante eficientes. No máximo, teremos uma tempestade.

— Minha mãe tem medo de tempestades.

— Dona Belinda... A dona Maria Cândida sempre falava muito dela. Gostaria de conhecê-la. Não sei por que.

— Eu queria tanto que ela estivesse aqui quando minha filha nascesse. Disse que talvez no próximo mês ela venha para cá.

— Talvez venha a tempo.

— Acho que não. Creio que o meu pai está implicando um pouco com a minha situação.

— Como assim?

— Minha mãe e minha irmã não comentam, mas sei que o meu pai está insatisfeito com as despesas. O pior é que ele é muito rico. O que nos envia são migalhas, comparado com o que recebe por mês e com seu patrimônio. Todos os anos ele faz uma viagem sozinho, ou melhor, com um grupo de amigos. Gasta uma fortuna com passeios, amigos, jogos... Minha situação é tão desagradável e nem posso comentar isso com o Raul.

— Claro que não. Ele precisa de tranqüilidade agora. — Estavam perto da casa quando William parou. Frente à Danielle, pediu: — Imagino o quanto está sendo difícil para você poupar o Raul de algumas coisas. Certamente quer desabafar. Precisa reclamar de algo e, para ele, o assunto será desagradável e inoportuno. Por isso, se quiser e quando quiser, conte comigo para ouvi-la.

— Obrigada, Will. Vou me lembrar disso.

Ele afagou-lhe o braço com carinho e generoso sorriso estampado no rosto. Em seguida, caminharam até os poucos degraus onde ele encontrou seus chinelos e os calçou.

Entraram e logo uma chuva forte começou.

Em meio aos relâmpagos e trovões, podiam-se ouvir os gritos de Desirée, nervosa com o marido, em seu quarto.

— Vou-me embora!!! Nunca mais vai me ver!!! Você não dá a mínima atenção para mim!!!

— Você precisa ser mais compreensiva! Amadurecer! Ter bom senso! Eu não sei mais o que fazer, dentro das minhas possibilidades, para agradar-lhe!

— Se ficasse ao meu lado, seria suficiente!!!

— Não nascemos juntos! Não somos siameses!

— Custa me dar um pouco de atenção?!!!

— Desirée, presta atenção, eu não vou voltar para a Europa agora. Estou trabalhando. Ir e vir fica não só dispendioso, mas também muito exaustivo. Não posso ficar atrás de você o tempo todo. Sabe por que você tem essa fascinação, essa obsessão para ficar o tempo todo comigo? — Sem esperar por uma resposta, afirmou: — Por que você não faz nada! Não é uma pessoa útil! Não tem nenhuma ocupação! — Breve pausa e prosseguiu: — Gosta tanto de moda! Por que não monta uma loja? Uma *maison* de alta costura em Paris? Vai viver no mundo que sempre quis! Cheio de badalações! Imprensa! Viagens! Fotos! Ou então... Você fez Arquitetura. Procure se ocupar nessa área! Mas, pelo amor de Deus, dê-me sossego!!!

— Sei que eu não queria ter um filho antes para não estragar o meu corpo, mas, para a nossa felicidade, faço tudo. É um filho que você quer?!!

— Não!!! Eu não quero filho nenhum com você desse jeito, implicando comigo! Ninguém está falando em filho aqui!

Em tom mais brando, fazendo-se de vítima, comentou:

— Eu vi você e a Danielle na praia aqui em frente. Você dava toda a atenção para ela. Até esfregou seu braço. Ela está grávida! Está linda! Quer me ver assim?!

— Talvez. Futuramente. Quando for tão calma e madura quanto ela. Agora não é o momento. Cuidado, Desirée! Não sei se é o caso da Dani ou do Raul, mas algumas pessoas só amadurecem, tornam-se mais calmas e sensíveis quando experimentam grande sofrimento.

— Está dizendo que vou sofrer para poder entendê-lo? — perguntou quase chorando. — Você quer que eu fique doente! Igual ao Raul!...

— Bendito Deus!!! Eu não disse isso!!! Chega!!! Para mim, chega!!! — vociferou, deixando-a sozinha no quarto.

Indo para uma saleta da casa, pensou em colocar uma música de sua preferência, mas não conseguiu ligar o aparelho de som.

— Droga!!! — protestou dando um tapa no móvel.

— Estamos sem energia elétrica — disse Raul ao vê-lo.

— O tempo assim é horrível. Sem energia é pior ainda — reclamou William.

Raul sentou-se e viu uma mesinha onde havia exposto um jogo de xadrez com as peças postas para iniciar uma partida. Ao olhá-lo, o amigo sorriu. Entendendo o proposto, perguntou:

— Quer jogar?

— Claro! Ótimo, Raul! Obrigado.

Enquanto movimentavam as peças, bem atentos a cada jogada, Raul comentou:

— Aqui é um lugar de muitas tempestades.

— É mesmo. Eu contei para a Danielle que, em 1999, eu estava por aqui quando o furacão Floyd passou. Ela me disse que a mãe não gosta de tempestades.

— É sim. Minha sogra tem medo. A Dani também. Tenho certeza de que ela não contou isso. Só sabe falar do pavor da mãe — riu.

— Não, não contou mesmo — respondeu, achando graça.

— A Dani tem medo, e a minha sogra tem pavor. É engraçado vê-las quando está chovendo muito forte. Ficam inquietas, nervosas.

— Não posso falar nada nem rir sobre o medo dos outros. Tenho pavor de sangue.

— Sério?!

— Tenho sim. Não só de sangue, mas como tudo ligado a ele. Até de injeção tenho pânico. Não suporto. Passo mal. De fogo ou queimadura então, nem se fala! Já perdi a vergonha de dizer que tenho medo. Detesto filmes com cenas de violência, programas médicos ou qualquer coisa ligada à dor.

— Eu não me importo. — Em seguida, riu dizendo: — Dê adeus ao bispo!

William sorriu, mas não ficou muito satisfeito e continuou o jogo.

— Nunca me importei com tempestades. Aprecio chuva forte. Dê adeus a sua rainha — disse William, rindo satisfeito.

— Pretende ficar muito tempo? — continuou Raul com um sorriso maroto, ciente da jogada estratégica.

— Gosto muito daqui. Tirei esses dias de folga para descansar um pouco, mas... Deve ter ouvido, não está sendo fácil com a minha mulher. Receio ter de ir embora segunda ou na terça-feira.

— Vai voltar com o Edwin e a Nanci?

— Talvez sim. Embora deva ficar em Nova Iorque, enquanto nossos cunhados vão para a Europa.

— A Dani não está feliz com isso. Gostaria que a irmã ficasse até o nenê nascer. A mãe, provavelmente, não virá. Ela só tem a mim. E tem dias que...

— Ela terá muito apoio, Raul. Não fique assim.

— Estou cansado, Will. Quero ir embora para casa. — Raul ergueu o olhar e eles se encararam por longo tempo. Experimentaram um sentimento indefinido e profundo, que desconheciam a origem. William ofereceu-lhe generoso sorriso, sem saber o que dizer. O outro retribuiu. Em seguida, respirou fundo, olhou para o tabuleiro e riu ao dizer: — Diga adeus ao seu rei! Cheque Mate!

— Como isso foi acontecer?! — riu. — Sou um fiel britânico! Defendo sempre a realeza! Não vale! Você me distraiu!

Eles riram e começaram um outro jogo.

* * *

Mais uma vez Desirée brigou com o marido, depois com seu pai e, por fim, decidiu ir para o apartamento de sua tia antes dos outros.

Oscar ficaria mais duas ou três semanas nos Estados Unidos.

A princípio a idéia de Maria Cândida ficar na América por causa da filha de uma amiga não lhe agradou. Mas depois de entrar em contato com todos e com a realidade dos fatos, o marido mudou de opinião.

Danielle se despedia de Nanci. Ambas choravam como se não fossem mais se ver.

A irmã tinha planos de ir à Europa junto com Edwin e ficar por lá cerca de um mês.

Maria Cândida queria ir até Nova Iorque com o marido e aproveitar para ver como estava sua mãe. Há dias não a via. Pelo fato de Desirée brigar com o marido, a senhora achou melhor que William ficasse em Long Island até ela retornar. Ele faria companhia para Danielle e Raul, descansaria um pouco mais e ela aproveitaria para conversar com a filha por causa de seu temperamento e suas atitudes.

— Acho bom irem logo ou pegarão muita chuva no caminho — aconselhou William preocupado. — A previsão é de uma grande tempestade para o fim da tarde ou começo da noite.

— Assim que chegarmos, telefonaremos. Fiquem tranqüilos — disse Maria Cândida. Despedindo-se mais uma vez de Danielle, afagou-lhe o rosto e sugeriu: — Descanse. Nada de longas caminhadas sozinha.

— Pode deixar. Vai com Deus.

— Que Ele a abençoe — tornou, beijando-lhe a testa.

Maria Cândida a olhou com ternura, sentiu um forte aperto no peito e uma vontade inexplicável de chorar.

Não sabia o que era. Apenas achava que não deveria deixar Danielle ali. Mas decidiu ir. O que falaria aos outros se mudasse de idéia? Como se justificaria?

Em seguida, todos se foram.

Bem depois, apesar de ser cinco horas da tarde, parecia noite.

A empregada entrou na casa e, junto com William, foi fechar bem todas as janelas e proteger as vidraças.

Em seguida avisou que ela e o marido, também empregado ali, estariam na casa de caseiro, cerca de trinta metros da principal.

O rapaz agradeceu a ajuda e disse que não precisariam de mais nada.

Indo à procura de Danielle, encontrou-a na sala com o marido, quieto, e aparentando uma palidez mortal.

— É possível que fiquemos sem energia elétrica. Deixei lampiões e velas espalhados pela casa, além das lanternas. Podemos precisar — disse William.

— Não é um furacão, Will, é?! — perguntou assustada.

— Não — sorriu. — É só uma tempestade. Igual a que tivemos dias atrás.

— Tomara. Ah! A dona Maria Cândida ligou. Disse que chegaram bem e que o Edwin e a Nanci já embarcaram para a Europa. Falou que o tempo lá não está como aqui.

— Ainda bem.

Em poucos minutos podiam-se ouvir o vento e os estouros dos trovões.

As horas foram passando. Conforme o esperado, as luzes se apagaram e William acendeu os lampiões e algumas velas.

— Vamos poupar as baterias das lanternas — disse ele.

Esticado no sofá, Raul cerrou os olhos e permaneceu calmo, enquanto a esposa parecia muito inquieta.

Danielle se levantou, foi até o quarto, voltou para a sala e, em seguida, para a cozinha. Voltou. Pegou o telefone e certificou-se de não haver linha. Algo a incomodava e incomodava muito.

Em outra sala, uma janela começou a bater. Ela e William foram lá para fechá-la, mas não deu tempo. A folha da janela voou como se, em vez de madeira, fosse feita de papel.

— Meu Deus!!! — ela gritou. Ficou assombrada ao olhar a velocidade e a fúria do vento através do vidro.

Nesse momento eles assistiram a um grande coqueiro partir-se ao meio feito um palito, enquanto telhas, tábuas e várias outras coisas de tamanho considerável voavam com facilidade.

— Vamos sair daqui! — determinou William, tirando-a do local e a levando para junto de Raul.

Sentando-se, ela olhou para o marido e confessou:

— Estou com medo!

— Dani, não fique nervosa. Precisa tomar cuidado com a sua pressão — lembrou Raul, parecendo fazer grande esforço para falar.

— Vou fazer um chá para nós — decidiu o amigo com tranqüilidade.

— Deixe que eu faço. Assim me ocupo e me distraio — disse ela.

William a seguiu até a cozinha e reparou em seu jeito nervoso, quase agitado.

— Não gosta de tempestade, não é?

— Nem um pouco.

Vendo-a com uma expressão estranha, andando de um lado para outro, enquanto a água fervia para fazer o chá, perguntou:

— Você está bem, Dani?

— Sinto uma sensação estranha.

— Sente alguma dor? É com o nenê? — perguntou, temendo a resposta.

— Não tenho dor. É uma coisa... O nenê está quieto desde ontem, mas está fazendo pressão.

— Não é melhor ir se deitar?

— Estou inquieta. Não vou conseguir ficar deitada.

William não disse mais nada.

À medida que o tempo passava, sua preocupação aumentava.

Via Danielle ir e vir do banheiro. Ela não parava. Ficava andando o tempo todo e, às vezes, percebia uma expressão aflita em seu rosto, ao mesmo tempo que levava as mãos nas costas, na altura dos rins e parecia se esticar.

De repente o barulho de vidros estilhaçados e objetos arremessados assustaram a todos.

— Nem vou ver o que é — disse William com voz bem calma. — Com certeza são os vidros daquela janela se partindo. Vou colocar um móvel na frente da porta. Não podemos fazer nada além disso.

Danielle decidiu pegar mais chá na cozinha.

No meio do caminho, precisou parar.

Sentiu uma dor fortíssima e não conseguiu se mexer. Estava na sala de jantar e, curvando-se, segurou-se em uma cadeira.

A dor não passava. Vinha da altura dos rins para frente e a parte de baixo da barriga. Foi tão forte que ela não conseguiu respirar direito.

— Raul!!!... — gritou pelo marido, mas foi William quem surgiu.

— O que foi?!

— Não sei! É uma dor forte!

— Pelo amor de Deus, Danielle! Não faça isso comigo! — pediu assustado e nervoso, amparando-a. — O nenê é para o final do mês, não é?!

— Era! Mas tem alguma coisa errada! — gemeu. — Me ajuda! — implorou desesperada, agarrando-o com força pela camisa.

Atordoado, ele a levou para o quarto e a fez deitar. Indo até a sala, tentou parecer calmo e chamou Raul:

— A Danielle está com dores.

— O quê?!

— Eu não sei o que fazer. A tempestade está terrível. Não podemos levá-la a nenhum lugar. Seria arriscado demais.

Raul levantou-se, com dificuldade, e foi até o quarto onde a esposa, assustada, contorcia a face pela forte dor, enquanto amassava o lençol com as mãos.

Olhando para o chão, viu um rastro de água e, em seguida, o seu vestido molhado.

— A bolsa estourou — disse Raul em tom fraco.

— Ah, não! Não brinca! É para o final de setembro ou começo de outubro, não é?! Ela está no oitavo mês, não está?! — perguntou William quase desesperado.

— Está. Tudo corria tão bem... Não sei por que isso — respondeu Raul tão desesperado quanto o outro, só que se sentindo fraco demais.

Com olhos arregalados, William observou o suor gotejando no rosto de Danielle. Sentindo-se impotente e constrangido, decidiu:

— Vou providenciar água quente e toalhas. Na verdade, não sei para que serve, mas em todo filme, vê-se alguém levando água quente quando uma mulher vai dar à luz.

— E se chamarmos a caseira?! — lembrou Raul.

— Deixa comigo! — resolveu o outro, retirando-se às pressas.

Ao sair na varanda dos fundos, William se assustou e quase caiu. O chão de madeira e o telhado haviam sumido. Olhando para a praia, viu ondas gigantescas quebrarem, chegando até o quintal da residência.

Dando a volta, precisou se agarrar em uma mureta para não ser arrastado pelo vento. Quase não enxergava nada.

Com muita dificuldade, caminhou alguns metros e ficou assombrado. A casa dos empregados, simplesmente, não estava mais lá.

O que viu foram tábuas voando e árvores partidas.

A força do vento era surpreendente.

Ele retornou para casa e não sabia o que dizer ao amigo. Aquilo era um pesadelo.

Indo até a cozinha, colocou água para ferver e foi procurar uma roupa seca para se trocar.

Em seguida, pegou toalhas limpas e levou-as até o quarto e contou:

— Não encontrei ninguém.

— Sério?!

— Eu não brincaria com uma situação dessas.

Raul não disse nada e foi para junto da esposa, que se contorcia em dores. Às vezes, gemia baixinho.

William voltou para a sala e, novamente, tentou os telefones e o celular. Nada. Nenhum sinal.

Lembrou-se do furacão visto anos antes e achou a força do vento bem semelhante. Sabia que não era um ciclone. Não havia previsão de furacão.

Pensou em pegar o carro e pedir ajuda, porém isso, certamente, seria uma loucura. Poderia sofrer um acidente ou não enxergar a estrada, pois parte dela, provavelmente, estaria coberta pelas ondas.

Retornando para a cozinha, observou a água borbulhando. Apagou o fogo e ficou ponderando.

Era uma situação difícil para ele, mas não poderia ficar ali, parado. Precisava fazer algo. Nitidamente Raul não estava bem. Talvez não pudesse ajudar Danielle.

Sentando-se em uma cadeira, colocou os cotovelos sobre a mesa e cobriu o rosto com as mãos. Um desespero o dominou e chorou. Não queria passar por aquilo. Depois começou a rezar.

— Deus, ajude-me!!! Sei que nunca fui religioso! Agora preciso de ajuda! Não sei o que fazer! Preciso que me oriente. Entendi que só eu posso fazer algo, mas não sei o quê! Deus, ajude-me!!! Ajude-me!!!

Lágrimas correram em sua face e ele as secou com as mãos, aflitivamente trêmulas.

De repente, apesar de todo o pânico, William sentiu-se dominado por uma certeza, uma força que desconhecia ter.

Levantando-se, suspirou fundo, pegou a água e a levou

até o quarto onde viu Raul, de olhos fechados, sentado ao lado da esposa, segurando sua mão.

Colocou a chaleira sobre um móvel e saiu sem ser percebido. Retornou com uma bacia e outra chaleira com água fria.

— O que vai fazer? — perguntou Raul ao vê-lo.

— Não sei... — foi sincero. — Vejo que você não está bem e quero que vá para o outro quarto ou para a sala. Quando precisar, eu o chamo.

Realmente ele não se sentia bem. Compreendeu a dificuldade do outro e até seu constrangimento pela situação delicada.

Ao ver o marido se erguer, Danielle gritou:

— Não!!! Fique comigo!!!

— Calma, Dani. Preciso que entenda. O Raul não está bem. Eu vou ficar com você — afirmou convicto, tentando passar-lhe segurança.

Observando Raul, percebeu-o cambalear. Rapidamente o ajudou, levando-o até a sala e acomodando-o no sofá.

Retornando ao quarto, ao lado de Danielle, que experimentava uma contração violenta, tentou secar-lhe o suor do rosto. Porém ela agarrou sua mão com força enquanto gemia e empurrava o bebê, obedecendo à natureza.

A iluminação de velas e lampião era precária. Deixando o ambiente reprimido, sufocado. No intervalo de trégua, ele perguntou timidamente:

— Desculpe-me, mas... Posso ver?

— Pode... me ajude... — pediu ofegante, contorcendo-se levemente e com uma expressão aflitiva de dor.

William levantou o vestido e certificou-se de ver a cabecinha da criança aparecendo.

Assustado, por ver tanto sangue, ele sentiu o rosto esfriar, como se fosse desmaiar. Após respirar fundo, ficou firme.

Em seguida, sem saber o que fazer, decidiu prender os cabelos de Danielle, que se espalhavam sobre o travesseiro. A tempestade era terrível. O barulho do vento uivando, junto com os trovões, apavorantes, abafava os gritos de Danielle.

As horas iam passando e William acreditava não haver progresso algum.

Não demorou e ele se viu ordenando:

— Empurre!!! Vai!!! Força!!!

O rapaz ignorava ser inspirado por amigos do plano espiritual.

Em dado momento, achou que ela perdia muito sangue, além de não ter forças suficientes.

O tempo passava. Tudo estava muito demorado.

William, ao seu lado, afagou-lhe o rosto e não se envergonhou das próprias lágrimas quando a viu chorar e dizer num sussurro:

— Não agüento mais, Will... Me ajude...

— Agüenta sim! Só mais um pouco! Ela está vindo! Eu posso ver! Falta pouco!

De joelhos sobre a cama, colocando a mão sobre o ventre, ele havia entendido quando as contrações começavam.

— Dani! Preste atenção! Eu vou ajudar. Vou fazer pressão sobre a barriga para ajudar. Vai! Está vindo! Tente outra vez! Vai! Vai! Vai!!! — bradou, repetidas vezes.

Danielle gritava desesperadamente. Em pânico, agarrou seu braço e sua camisa, recostou o rosto em seu ombro, segurando-o com muita força por alguns minutos.

No instante seguinte, largou-se sobre a cama. Sem forças, pálida.

— Dani!!! Dani!!! Pelo amor de Deus!!! Reage!!! — Algum tempo e William ficou apavorado. Demorou, porém ela se remexeu e abriu os olhos lentamente. Alguns instantes e ele ordenou novamente: — Vamos, Dani!!! Está começando de novo!!! Vai!!! Vai!!! Vai!!!

A mesma contração intensa. Ela gritou e o segurou firme outra vez.

De joelhos, ao seu lado, o amigo não parou de comprimir seu ventre até perceber que algo acontecia e a barriga parecia murchar.

As primeiras luzes da manhã começavam a invadir o quarto.

Danielle o largou e deixou-se cair, quase inconsciente.

Ágil, William pegou a criança e percebeu que havia algo errado.

A menininha aparentava uma cor estranha, azulada. Não existia mais nada, apenas sangue e silêncio.

— Oh, meu Deus! — murmurou. Ele agia instintivamente e impulsionado pela espiritualidade para realizar de tudo, a fim de não restar dúvidas sobre o que pudesse fazer para salvar a criança. Amarrando o cordão umbilical, cortou-o. Achou que era isso o que tinha ouvido falar a respeito. Pegando a menina, virou-a de cabeça para baixo. Bateu-lhe nas solas dos pés, depois o bumbum. Nada. O nenê não chorava. Lembrou-se de sugar-lhe a boca e o nariz, pois as vias aéreas poderiam estar obstruídas. Nada. Massageou-lhe as costas e o peito, mas a criancinha estava realmente sem vida.

Olhando para Danielle, notou-a estranhamente silenciosa e assombrou-se.

— Meu Deus, me ajude!!! — Deixando a criança de lado, foi para junto da mãe e, levemente, estapeou-lhe o rosto, chamando-a: — Dani?!! Dani?!! — Sua face estava pálida, cadavérica e os lábios roxeados. Examinando-a, viu que perdia muito sangue. Sem saber o que fazer, começou a rezar em pensamento. Em seguida, agindo de modo que não conseguia entender, comprimiu, com muita força, o baixo ventre de Danielle, acreditando que aquilo diminuiria o sangramento. Era como se tivesse ouvido falar desse procedimento muito antigo, usado por parteiras em lugares sem recursos. No mesmo instante, suas mãos irradiavam fortes energias recebidas do plano espiritual. Ela se remexeu e gemeu pela dor muito intensa. Segurou firme em seu braço, tentando fazê-lo parar. Mesmo assim, ele continuou. Um tempo depois, realmente, a hemorragia diminuiu.

Enquanto ele passava-lhe uma toalha umedecida no rosto, fraca, a amiga ergueu-lhe os olhos e murmurou com dificuldade:

— E... minha filha?...

William não resistiu. Com lágrimas correndo pela face, debruçou-se sobre ela e a abraçou com carinho. Foi então que Danielle entendeu.

— Desculpe-me... — pediu o rapaz, sem saber como encará-la.

Ela não disse nada. Somente chorou muito.

William pegou a criança, enrolou-a em cobertor limpo e a pôs sobre um sofá, cobrindo seu rostinho com um lençol.

Envolvendo Danielle em lençóis secos, após higienizá-la com toalhas úmidas, viu-a sem forças se largar sobre a cama. Somente as lágrimas corriam pelos cantos dos olhos dela que parecia não se importar com mais nada. Pegando-a nos braços, levou-a para outro quarto, colocou-a em uma cama limpa com cobertas quentes. Ela achava-se gelada, pálida e inerte. Ficou ali por algum tempo, em silêncio, afagando-lhe o rosto e acariciando-lhe a mão até vê-la ganhar cor nos lábios, o que demorou um pouco.

Por um instante havia se esquecido de Raul.

Ele não foi até o quarto, não se preocupou com a esposa e estava muito quieto.

William, ainda ensangüentado, sem tempo de se limpar, saiu à procura do outro. Encontrou-o caído na sala de jantar. Carregando-o para outro quarto, longe de Danielle, tentou reanimá-lo.

— Raul! Raul! — Ele se remexeu, abriu os olhos e fechou outra vez. — Você está quente demais! O que aconteceu?!

— Não sei... — murmurou. — E a Dani?...

— Ela está bem. Está no outro quarto. Achei melhor que não o visse assim.

— E minha filha? — tornou no mesmo tom.

— Raul, você precisa descansar. Está ardendo em febre. Eu preciso chamar ajuda.

— Vai lá... — murmurou cerrando novamente os olhos.

Ao olhar o relógio, William não acreditou que eram quase dez horas da manhã. Ele havia passado à noite e a madrugada ajudando Danielle. A chuva e o vento tinham passado e a luz da manhã invadia a casa.

8

Raul entende sua doença

A tempestade foi inclemente.

Maria Cândida e o marido só conseguiram chegar a Long Island após uma hora da tarde devido à destruição da estrada e ao longo de alguns lugares.

Não puderam estacionar perto da casa, porque havia árvores arrancadas e tombadas no caminho. Algumas arrastadas por centenas de metros.

Até que tiveram sorte, se comparado aos estragos nas propriedades dos vizinhos. Mesmo assim, a paisagem era devastadora. Olharam em volta e viram que as perdas foram incalculáveis, apesar de somente parte da casa principal ter sido destruída. A varanda não existia mais e a casa dos caseiros desapareceu.

Os empregados abrigaram-se no porão da garagem quando perceberam que corriam perigo. Ao encontrar Maria Cândida, a mulher narrou o terrível pesadelo e contou que William chamou uma ambulância que levou Danielle e Raul para o hospital.

A partir daí, Oscar e a esposa passaram a procurá-los em hospitais da região.

A locomoção era muito difícil. O vaivém de carros de bombeiros e ambulâncias socorrendo os feridos, e os destroços, nas ruas, dificultavam a movimentação e o trânsito.

Somente meia-noite encontraram William, visivelmente abatido e ainda com as roupas sujas de sangue, na sala de espera de um hospital. Sentado, apoiava os cotovelos nos joelhos e segurava a cabeça com as mãos. Sua mente mergulhava em doloroso sofrimento íntimo.

Maria Cândida apressou-se e colocou a mão em seu ombro. Quando o rapaz ergueu-lhe os belos olhos azuis, eles se empoçaram em lágrimas ao reconhecê-la. Levantando-se, sem dizer nada, ele a abraçou com força e a senhora, mesmo sem saber o que acontecia, começou a chorar.

Oscar estapeou-lhe levemente as costas e perguntou:

— Você está bem?

— Acho que sim — respondeu em tom grave e voz rouca, afastando-se do abraço.

— Danielle e Raul?! Onde estão?! — quis saber a senhora.

— Ela está internada aqui. O Raul foi levado para outro lugar. Não sei onde. Ele precisava de mais cuidados.

Perceberam que o rapaz estava em choque. Seu semblante era sério e contraído. Algo perturbado.

— Vimos a casa. Não foi tão destruída, apesar do estrago ter sido grande. O que aconteceu, Will? — indagou Maria Cândida.

Sentando-se, o rapaz esfregou o rosto com as mãos e, encarando-a, contou:

— A Dani entrou em trabalho de parto perto das dez horas da noite. Acho que se emocionou muito por vocês terem ido...

Depois ficou nervosa com a tempestade... Não sei... O Raul não estava bem. Eu estava nervoso e não sabia o que fazer. Levei-o para a sala e fiquei sozinho com ela. Foi horrível... — sussurrou, parecendo atordoado. — As dores eram violentas. Ela sofria muito e ficava cada vez pior. Demorou muito tempo. Muito tempo mesmo! A Dani perdeu muito sangue. Perdeu as forças e desfaleceu. Eu não sabia o que fazer e comecei a rezar... Eu tenho pavor de sangue... — Ele engolia seco. Tinha a respiração descompassada, o olhar perdido e lágrimas correndo na face.

— Como ela está, Will?! E o nenê?! — tornou a senhora, preocupada.

— Já estava claro e a tempestade deu uma trégua, quando decidi apertar sua barriga para ajudar a criança nascer e... Oh, meu Deus! — começou a chorar. Secou o rosto com as mãos. Parecia nervoso demais, aflito ao contar: — Não sei por que fiz aquilo! Ela gritava, mas foi o que fez a criança sair! Só que... Nasceu morta... A criancinha estava ensangüentada, mesmo assim eu a peguei, peguei com cuidado, e fiz de tudo para que respirasse... Mas não adiantou! Acho que matei a filha deles! — falou em desespero.

Maria Cândida, em lágrimas, abraçou-o e ele escondeu o rosto em seu ombro. Enquanto Oscar afagava suas costas, tentando consolá-lo.

— Calma, Will. Acho que fez o que era certo.

Uma atendente chamou por William e o casal o acompanhou. Ela indicou onde Danielle estava, dizendo que um médico viria para conversar com ele.

William entrou em pânico. No corredor, relutava para entrar no quarto. Esfregava o rosto e passava as mãos pelos cabelos, entrelaçando-as na nuca. Olhava para cima e andava em círculos. Lágrimas corriam-lhe pela face contraída em expressão aflitiva.

— Will, tente se controlar — pediu Oscar.

— Como vou encará-la?! Eu matei sua filha! — dizendo isso, retornou à sala de espera. Sentou-se, abaixou a cabeça e ficou lá, ruminando os pensamentos.

Maria Cândida e o marido o deixaram sozinho e foram ver Danielle, que recebia soro com alguns medicamentos que a deixavam sonolenta. Apesar disso, percebeu-os.

O médico chegou e conversou com o casal, explicando o estado da moça. Após ouvi-lo, eles relataram o que William contou e falaram de seu desespero, pois se sentia culpado. Conversaram a respeito e, em seguida, o médico decidiu procurá-lo.

Aproximando-se, cauteloso, perguntou:

— É o senhor Phillies? William Phillies, responsável por Danielle Linhares Cavalcante?

Erguendo-lhe os olhos, respondeu:

— Sim. Sou eu.

— Sou o doutor Johnson e estou cuidando de Danielle.

— Eu matei aquela criança, doutor! — afirmou aflito.

— Não. Posso lhe garantir que não. Danielle teve complicações e uma hemorragia muito forte durante o parto. O senhor foi o responsável por salvar sua vida. Ela não conseguiria sem ajuda. A criança era bem grande e estava morta quando nasceu.

— Morta porque eu a matei!!! — gritou em pranto.

— Não, senhor Phillies. Aquela criança já estava morta. A Danielle teve pré-eclampsia, que é a hipertensão na gravidez ou pressão alta. Explicando de maneira bem simples, posso dizer que na pré-eclampsia os vasos sanguíneos da mãe, incluindo os que levam sangue para a placenta, ficam estreitos, diminuindo a oxigenação da placenta e, conseqüentemente, da criança. Isso causa anoxia cerebral, que é a falta de oxigenação no cérebro da criança, podendo haver hemorragia intraventricular, que é no coração, parto prematuro e óbito. Tudo o que aconteceu. Soube que ela passou mal dias atrás. Nessa ocasião deveria ter sido internada e até feito uma cesariana, em minha opinião.

— O bebê morreu no parto. Não estava morta! Não pode ser!

— Pode sim. Posso lhe garantir que a criancinha já estava morta quando nasceu. Não foi a compressão que fez, no ventre da mãe, que a matou. Aliás, esse é um procedimento muito comum. Ao contrário, salvou a vida de Danielle. Creio que a pressão dela subiu por ter ficado nervosa por causa da tempestade.

— Foi horrível! Não consigo esquecer! Não suporto sofrimento nem dor.

— O senhor ficou em choque porque não está acostumado a situações como essa. É um processo natural. Acredite. É assim mesmo.

— Não. Não pode ser. Ainda estou assustado! Tenho pavor de sangue. As imagens de tudo o que aconteceu, não saem da minha cabeça... Eu passo mal quando lembro e... não consigo esquecer...

— Isso vai passar. Levante. Respire fundo. Tome um café e vá vê-la. Enfrentando a situação, vai se sentir melhor. O senhor agiu muito bem. Se não tivesse feito o que fez, Danielle não conseguiria expelir a criança. Teria forte hemorragia e poderia não resistir.

William esfregou o rosto mais uma vez para espantar aquela estranha sensação de sentir o sangue fugir, como se fosse desmaiar. Respirando fundo, levantou-se. O médico pediu licença e lhe desejou sorte. O rapaz decidiu tomar um café e ir ver Danielle.

Ela, inerte no leito, ainda muito pálida, abriu os olhos lentamente e reconheceu-o. O amigo aproximou-se. Não sabia o que dizer. Ficou somente em pé ao seu lado, olhando-a com piedade.

Maria Cândida afagou-o nas costas e ele permaneceu em silêncio.

— Obrigada, Will... — murmurou Danielle com dificuldade. — O médico me contou...

— Eu... Peço desculpas por qualquer coisa — falou, tentando disfarçar o nervosismo. — Desculpe-me. Eu não sabia o que fazer.

Ela estava sem forças. Mesmo assim, observou-o com as roupas ainda sujas de sangue. Ergueu a mão em sua direção e ele a segurou, colocando-a entre as suas. Lágrimas correram em suas faces e nada mais foi dito.

Danielle havia perguntado por Raul e Maria Cândida, após explicar que ele foi socorrido em outro hospital, prometeu procurá-lo assim que saíssem dali.

A tempestade não atingiu toda a costa. Contudo, por onde passou, deixou um rastro de destruição.

Eles encontraram Raul em outro hospital e providenciaram sua remoção para Nova Iorque.

Danielle recebeu alta dois dias depois e foi levada para o apartamento de Maria Elvira.

Somente quando chegou à Europa, Nanci soube o que tinha acontecido e se arrependeu por ter deixado a irmã.

Belinda ficou apavorada. Quis viajar imediatamente, mas teve problemas burocráticos com sua documentação e precisaria aguardar alguns dias para regularizar tudo.

Embora telefonasse diariamente para Danielle, e mesmo sabendo que Maria Cândida cuidava de sua filha, não era suficiente. Sentia-se insatisfeita e queria estar com ela.

Nos primeiros dias, após o ocorrido, William exibia-se estranho. Ainda chocado. Ficava quieto, isolava-se e quase não conversava com ninguém.

Desirée queria se aproveitar de seu estado emocional, muito abalado, para que retornassem a Paris.

— Aqui não é lugar para você! Olhe como está! Abatido, calado!... Nem está se barbeando! Será bem melhor se voltarmos para a Europa! Você tem o meu pai em suas mãos, porque está casado comigo! Acorde, Will!!! Diga para ele que não quer mais ficar aqui e pronto! — insistia Desirée sem trégua.

Aos seus vinte e nove anos, era uma mulher muito bonita. Parecia ter sete anos menos. Elegante, sempre muito bem trajada. Alta, magra, sabia muito bem se comportar e ter todo o extremo de perfeição de etiquetas nas altas rodas da sociedade. Fosse em Nova Iorque, Londres ou Paris. No entanto, era uma pessoa incrivelmente exigente, caprichosa, exigindo todos aos seus pés. Vaidosa e sem admitir o excesso de orgulho, acreditava que o mundo se dividia em duas classes: os que são servidos e os servidores. Sendo que ela, logicamente, pertencia à primeira.

Sua altura, seu belo corpo elegante, seus cabelos lisos e naturalmente loiros, sua voz suave e seus lindos olhos azuis, para ela, era uma demonstração de que Deus lhe amava mais do que a outros. Embora tivesse recebido orientação religiosa e cristã, de sua mãe, que sempre lhe ensinou e falou sobre a reencarnação, a lei de causa e efeito e tantas outras coisas, Desirée não oferecia a menor atenção ao assunto.

Apesar de ter tantos atributos, não os usava devidamente e sabia, muito bem, como ser irritante com seus caprichos, principalmente, com o marido.

— Vai, Will! Diga alguma coisa!

Ele somente a olhou e não disse nada.

Arrumando alguns travesseiros, deitou-se na cama onde estava sentado, cobriu-se e se virou de costas para ela.

Indo a sua direção, Desirée o descobriu, exigindo:

— Não senhor!!! Levante-se daí, agora!!! O meu pai vem almoçar aqui e você precisa falar com ele!!! — O silêncio foi absoluto quando ela parou de falar, ele nem se mexeu. — William!!! — gritou.

Poucas batidas à porta da suíte, que já estava totalmente aberta, e Maria Cândida avisou em tom alegre:

— O almoço será servido!

— Olha como o Will está! Em vez de tomar uma atitude para se livrar do encargo de ficar aqui e aproveitar a oportunidade e falar com o meu pai para voltar a Europa... Não!!! Fica aí, feito um idiota, mudo, quieto... Olhando para as paredes!!!

— Pare com isso, Desirée! — esbravejou a mãe. — Respeite o seu marido! — Maria Cândida, como todos, havia percebido que William se comportava estranhamente desde que voltou de Long Island. Provavelmente aquela experiência tenha sido traumatizante demais para ele. Chegando perto do rapaz, perguntou: — Você está bem, Will?

Novamente ele puxou a coberta sobre si. Ergueu-lhe os olhos brilhantes ao responder:

— Não sei o que tenho. Estou me sentindo estranho. Nunca senti isso.

Estava com o rosto pálido, assim como as mãos. O semblante bastante contraído, muito sério.

Aproximando-se, Maria Cândida tocou-lhe a testa com a palma da mão. Depois o rosto e o pescoço, quase lhe fazendo um carinho, e se surpreendeu:

— Will! Você está queimando de febre!

— Febre?! O Will?! — exclamou a esposa em tom irônico, não acreditando. — Nunca o vi dando um espirro!

A senhora não deu importância à filha e decidiu:

— É melhor ir ao médico. Deve ter contraído a mesma gripe do Raul, ou talvez seja porque tomou aquela chuva e tudo mais.

— Não. Não quero ir ao médico. Dê-me somente um analgésico.

— É bom se cuidar, Will! Ou então vai fazer companhia ao Raul que está pondo sangue dos pulmões pela boca! — disse a esposa, em tom de zombaria.

— Desirée!!! — gritou a mãe. — Você é um monstro!!! Não acredito que nasceu de mim!!!

— O que é?!! Não posso falar o que penso?!!

Maria Cândida ia responder quando o genro segurou sua mão, sentou-se na cama e pediu:

— Este apartamento é enorme. Tem acomodações sobrando. Não gostaria de dar trabalho, porém poderia arrumar um outro quarto para mim? É até eu melhorar um pouco deste estado... Acho que contraí uma gripe mesmo.

— Outro quarto, por quê?!! — quis saber a esposa exigente.

— Porque eu estou farto de você, Desirée — respondeu brandamente, encarando-a. — Cheguei ao meu limite. E se não fosse por me sentir tão mal, eu iria embora agora — explicou no mesmo tom.

Desirée olhou-o com seriedade, a princípio. Depois gargalhou debochando. E saiu do quarto dizendo:

— Você?!! Você nunca vai se livrar de mim!!!

Maria Cândida afagou o ombro e o rosto do rapaz, sem saber o que dizer. Estava um tanto em choque pelo que ouviu. Não queria acreditar. Porém reconhecia que o genro, que considerava como filho, era tolerante e paciente demais.

Se Desirée fosse sua nora, Maria Cândida seria bem capaz de tê-lo aconselhado a se separar dela. Sabia que, nos últimos tempos, havia se tornado uma pessoa totalmente intolerante.

— Will, calma. Não tome qualquer decisão precipitada. Ela nunca gostou daqui. Creio que esteja assim, por saber que você precisa ficar até o final do ano. Além do mais, você não está bem. Ainda vejo-o em choque com o acontecido.

— Eu não encontro paz ao lado dela. Agora implica por eu estar aqui. Quando voltarmos para Paris, vai querer ir para Londres. Depois, quando tudo perder a graça, vai querer que eu a leve para Milão, Sidney... Se não for isso, ficará triste e deprimida porque o anel de diamantes de sua amiga ofusca mais do que o dela ou, então, a gargantilha de esmeralda é muito curta... — desabafou desolado, como se estivesse esgotado. — Eu não sou tão bom assim para contentá-la. Nada do que faço lhe agrada. — Abatido, olhou para a senhora e pediu ainda em tom brando: — Pode me arrumar um analgésico e antitérmico, por favor?

— Claro, Will! Deite-se, filho. Vou pegar o remédio e já volto — disse fazendo-o deitar e cobrindo-o com modos maternais.

Em seu coração, Maria Cândida acreditava que o genro fosse mudar de idéia. Chegou a pensar que falou daquela forma por causa da febre. Mas, não.

Ao retornar com a medicação, o rapaz reafirmou o pedido de lhe arrumar outro quarto.

Bem mais tarde, quando foi ver como Danielle estava, a senhora se surpreendeu por senti-la também muito quente.

— Meu Deus! O que está acontecendo aqui?! O Will está com uma febre que não abaixa e agora você!

— Ele ficou encharcado quando tentou buscar ajuda durante a tempestade — explicou Danielle. — Acho que foi por isso.

— Primeiro o Raul, agora vocês dois! Não podemos esperar! Vamos ao médico, agora, minha filha!

Assim foi feito.

Diagnosticaram que William contraiu uma gripe muito forte e Danielle, além da gripe, estava com começo de pneumonia. Ela precisava de muitos cuidados e permaneceu em observação. Estava anêmica e ainda bem fraca.

Naquela mesma noite, Raul também piorou.

Seu estado era delicado. Havia contraído gripe e teve complicações respiratórias. A infecção foi com maior intensidade do que em uma pessoa normal, porque sua imunidade se achava muito baixa, devido ao tratamento com a quimioterapia. A capacidade dos seus pulmões ficou bastante comprometida e, com a pneumonia, seu quadro clínico agravou-se.

Vários aparelhos ligavam-se a ele quando Maria Cândida entrou no C.T.I. para visitá-lo.

Seu coração apertou ao vê-lo muito abatido. Pouco falava e mal mantinha os olhos abertos.

Tocando a mão da senhora, que o acariciava, murmurou entristecido:

— Estou cansado de tudo isso. Quero ir embora. — Ela não deteve as lágrimas e ele prosseguiu: — Agradeça ao Will por mim. Ele ajudou a Dani... Vou cuidar bem da Evelyn, quando a encontrar.

— Não diga isso, Raul. Você vai ficar bom. Ainda vai recebê-la como filha e...

— Não... — sussurrou. — Não nesta vida — sorriu levemente. Fechou os olhos por um momento, depois os abriu e falou: — Sabe aquele... Aquele homem do meu sonho... que eu achava que o conhecia?

— Quem?

— Aquele que eu o acusei injustamente... e o mandei para os Tribunais da Inquisição.

— Sim, sei.

— Era o William... E eu fiz tudo aquilo com ele... — lágrimas correram pelos cantos de seus olhos. E continuou: — Quando jogávamos xadrez eu o reconheci. Não conte a ninguém. Só testemunhe os fatos. A dona Belinda era mãe dele naquela época. Agora é mãe da Danielle para guiá-la, orientá-la e dar muita força para os dois. O que não pôde fazer naquela época. Observe como a vida é... como não vale a pena as atitudes mesquinhas. Hoje ele está tão bem. Will tem pavor de sofrimento, fogo, queimadura, dor e sangue por causa das torturas que sofreu e presenciou naquele tempo. É uma lembrança do seu inconsciente. Não sabe o motivo de passar tão mal, mas ele vai vencer isso. Aos poucos, tudo vai melhorar. — Breve pausa e comentou: — Fico satisfeito por ele ter recuperado tudo e até mais do que, financeiramente, eu o fiz perder... Pois todos os seus bens foram recolhidos e passaram a ser da Igreja. Hoje ele esbanja saúde... dinheiro. Vive bem. Fico feliz por isso. Acredite. Por outro lado... Olhe o meu estado... Doente, dependente, vivendo de favores... Morrendo com tanto sofrimento... Tudo o que provoquei ao William... tudo o que minha consciência me cobra.

— Não fale dessa forma, Raul — pediu Maria Cândida, segurando o choro.

— Estou sendo realista — tornou com a voz muito fraca. — Arrependo-me pelo que fiz em vida passada. Lamento por mim mesmo, pois foi somente nessas condições que aprendi... Não vale a pena prejudicar alguém.

— Você vai ficar bom, Raul! — disse emocionada.

— Eu vou, mas não será agora. — Passado um tempo, pediu: — Por favor, não quero que tentem mais nada para me ajudar. Só quero remédios para a dor, que é muito intensa... É terrível... E... Se possível... gostaria de ver a Dani e o Will.

— Ela está internada. Você sabe.

— Quando ela puder e, se puder. E... muito obrigado... Nossas conversas me ajudaram muito. Foram remédios para minha alma.

O tempo de visita se esgotava e Raul estava suficientemente cansado para falar. Fechando os olhos, ele só ouviu Maria Cândida dizer com voz embargada pelo choro:

— Fique com Deus, meu filho... O Pai vai te dar forças e todo o amparo necessário. Jesus o abençoe.

Ao sair do C.T.I., ela não conseguiu deter as lágrimas e chorou muito.

* * *

Na tarde do dia seguinte, Danielle recebeu alta hospitalar e, no apartamento de Maria Elvira, Maria Cândida contava-lhe sobre Raul.

— Eu quero vê-lo! — dizia em pranto.

— Oh, minha filha, se você estiver bem amanhã, iremos lá. Ele pediu para ver o Will também. Creio que quer agradecê-lo por tê-la ajudado. — Abraçando-a com carinho, recostou o rosto da moça em seu peito e a afagou com ternura.

— Queria que minha mãe estivesse aqui...

— Você tem a mim, meu bem. Sou como sua mãe, viu — afirmava, acariciando-a.

— Já perdi minha filhinha... Tenho medo de ficar sem o Raul... Quero a minha filha de volta!...

Danielle não se conformava e, abraçada à senhora, chorou por muito tempo.

* * *

Em outro quarto, Desirée, irritada, não admitia o comportamento do marido e exigia:

— Você não vai dormir aqui!!! Onde já se viu!!! — Ele nada dizia e ela não suportava isso. — Fale comigo, Will!!! Diga alguma coisa!!! — esbravejada.

Mesmo sob efeito de medicamentos, William estava febril, com dores pelo corpo e muita tosse.

Definitivamente não se importava mais com o que ela fazia ou dizia. Decidido a não dar mais atenção as suas implicâncias.

Ela não parava de falar, e ele não se manifestava. Mas, quando a mulher arrancou-lhe o edredom, descobrindo-o, ele reagiu firme e exigiu com a voz rouca:

— Não faça mais isso! Saia deste quarto!

— Sou sua esposa!!! — gritou.

— Isso não lhe dá o direito de me tratar assim! Saia daqui!

— Sou sua esposa e vou ficar aqui!!!

— É minha esposa, por enquanto! Acabou, Desirée! Vou me divorciar de você! Chega! — Breve pausa e prosseguiu: — Quanto a eu trabalhar na empresa de seu pai, considere isso temporário! Terei outro emprego assim que pegar o telefone! Não sou incapacitado como você me acusa! E não vou tolerar mais os seus caprichos! Estou me sentindo muito mal por conta da febre e das dores. Mal estou conseguindo falar! Se não fosse isso e se não fosse pela sua mãe, eu já teria ido embora! Agora, saia daqui! Suma!

Em tom mais brando, começando a acreditar no que acontecia, ela perguntou:

— Você não está falando sério? Está?

— Nunca falei tão sério em toda minha vida! — afirmou calmamente, encarando-a.

— Will!... Will, eu amo você! — Ele não lhe respondeu. Pegou o edredom, cobriu-se novamente e se deitou. — Will, as coisas não são assim! Olhe... Estou cansada daqui. Entediada com tudo e... — começou a chorar. — Não faça isso comigo!

Ele não lhe respondia.

Saindo do quarto, foi à procura de sua mãe.

— Quem não viu que isso ia acontecer?! Você é uma mulher chata e irritante, Desirée! — esbravejou a mãe, acusando-a sem piedade enquanto a filha chorava. — Não sei onde eu errei na sua educação. Às vezes, nem eu a suporto com todas as suas exigências!

— Eu sou assim! O que posso fazer?!

— Mude! Ninguém é obrigado a suportá-la como é! Você não respeita a vontade nem o direito de ninguém! Não sei como o Will a suportou até hoje!

— Não fale assim!...

— Estou falando a verdade!!! Você nunca foi humilde! Nunca considerou as outras pessoas! Só quer ser obedecida! Consegue tudo no grito e com exigências!!! Devemos ter consideração e respeito, inclusive com os empregados que nos servem! Eles são seres humanos como nós! Eles são pagos pelos serviços que fazem e não para aturarem as nossas grosserias!

— Não estamos falando dos empregados! Estamos falando do Will!

— Pobre Will!!! Agora eu percebi que ele é pior do que um empregado, pois não ganha nada, não tem pagamento algum para te aturar!!! — falou com ironia. — Acorda, Desirée!!! Se não quiser perder o seu marido! Se é que já não é tarde demais, mude!!! Seja mais atenciosa, mais amorosa!!! Seja uma mulher útil!!! Ocupe-se com algo produtivo! Vá trabalhar! — O silêncio foi absoluto por um momento. Depois, Maria Cândida, prosseguiu mais branda, porém enérgica: — Você pensa que mulher magra, bonita, fina e bem arrumada é o suficiente para segurar um homem?! Se pensa assim, está imensamente enganada!

— Todo homem gosta de uma mulher bonita!

— Gosta para usar e descartar!!! — retrucou a mãe. — Para conviver, para viver ao lado, dia e noite, nas dificuldades, principalmente, ele quer uma mulher de pés no chão! Uma mulher que seja sua companheira, amiga, parceira, compreensiva, honesta! Que o aconselhe e não o critique. Que o convença e não grite nem exija! Quer uma mulher que converse, brinque, ria... Se ela tiver tudo isso, pouco importa a beleza física! — Alguns instantes e comentou: — Veja o seu irmão. O Edwin ficou e namorou, creio eu, com quase todas as mais lindas mulheres da Europa. Eu digo quase todas, sem exagero. Cada dia era uma. No máximo, ele ficava com uma moça por três ou quatro meses. Quando o Edwin conheceu a Nanci, ficou louco atrás dela. Nunca vi o seu irmão assim por ninguém! Ninguém mesmo! Quando uma moça pensava em dar o fora ou fazia pouco dele ou era exigente querendo prendê-lo, ele já estava com outra. Mas com a Nanci foi diferente. E veja, você mesma a conheceu. A Nanci é bonita, mas não igual às manequins e modelos que o seu irmão namorou. Nem parece com aquelas atrizes que ele nos apresentou. Ela é baixinha, gordinha, cabelos lindos e naturalmente cacheados e usa óculos. O Edwin ficou e está de quatro pela menina! Vejam só! Quem diria!

— E a senhora dando o maior apoio!

— Lógico! Ela tem personalidade! Tem vida! A Nanci tem conteúdo! Eles se conheceram e ficaram se falando durante algum tempo, antes de se verem pela primeira vez e ele viu nela o que queria encontrar em uma mulher. Ela não grita nem fica irritada quando quer ou não quer alguma coisa! Aliás, pelo que entendi, ela consegue tudo com o silêncio. Eu mesma vi isso. O seu irmão ficou correndo atrás dessa moça por meses! Até para a mãe dela ele ligou algumas vezes de Londres, para a Belinda falar com a filha e dar uma força para ele. Quando foi que você viu o Edwin fazer isso por uma moça, Desirée? — Ela não respondeu e a mãe afirmou: — Nunca! Quando eu os vi juntos, lá na casa da praia, e pude conversar por mais tempo com ela, entendi a razão dele estar assim. Ela é uma moça maravilhosa! — Breve pausa e, lembrando-se, disse: — E foi lá, na casa da praia, que o Will estava sem camisa e eu vi as marcas roxas na cintura dele. Quando perguntei o que era aquilo, fiquei horrorizada ao saber que foi você!! Aquilo é lesão corporal!!! Você o beliscou por ciúme!!! Depois quer que ele fique perto de você!!! Quando a mulher faz isso, o homem, além de começar a detestá-la, vai passar a ficar a uma distância de um braço longe dela! Lógico!!! Ele não é louco!

— O Will mereceu!

— Em vez de trazer o seu marido para perto, você o está repelindo!!! Você é idiota?!! Se ele olhou para outra mulher e a admirou, não faça nada na hora! Seja inteligente! Depois sim!

Fique melhor do que a outra! Dance para ele. Exiba-se. Faça tudo por seu marido e pelo seu marido! Trate-o com amor e carinho! Ponha tempero na relação! Eu duvido que ele vá se lembrar da outra, pois é você quem ele tem ao alcance! — Vendo-a chorar, repreendeu, muito zangada: — O Will estava com febre, eu lhe dei o remédio receitado e bem mais tarde fui vêlo. Coisa que era para você ter feito! Ele estava encharcado de suor. Peguei outra camisa para que trocasse e vi o braço dele beliscado, e era coisa nova. Mesmo já imaginando do que se tratava, perguntei. Ele me contou que foi você querendo saber se ele havia admirado a Danielle, pois, para ajudá-la no parto, viu-a nua ou seminua. Ele disse que, quando não lhe respondeu, você o beliscou para que falasse. Depois de ouvir isso, Desirée, tive certeza de que você não está bem. Acho que está doente, psicologicamente. Filha, isso não é normal!

— Desde que chegou de lá, ele fica o tempo todo quieto, pensando não sei o quê. Não conversa. Não diz nada!... Quis saber o que estava imaginando! Se pensava na Danielle!

— Pelo amor de Deus, Desirée!!! A situação foi tensa, traumatizante para ele, que não tinha idéia de como ajudar em um parto! O Will nunca escondeu de ninguém que tem pavor de ver sangue! Há dois dias, quando fomos ao hospital por causa dessa gripe, ele avisou para o médico que iria desmaiar se tomasse injeção. E foi isso o que aconteceu! O Will pode ser um excelente executivo, entender muito bem de tecnologia aviônica. É um ótimo negociante, um perfeito administrador, mas não suporta situações tensas de dor nem sangue! Entenda isso! O Raul não pôde ajudar! A Dani sofreu muito! Teve hemorragia! Tudo durou horas ininterruptas! Ele acreditou ter matado a criança e ainda havia a possibilidade daquela casa ser destroçada e carregada pelo vento! O seu marido estava sozinho! Entrou em choque! Ele ainda está assustado! Em vez de ficar ao lado dele, você vai perguntar e beliscá-lo para saber se ele admirou a outra em trabalho de parto?!! — gritou. — Ora!!! Pelo amor de Deus!!! Ficou louca?!! Isso é doença!!! Você precisa de tratamento!!!

— Agora já aconteceu! Não adianta ficar falando!

— Tenho que falar para você não fazer de novo!!! Filha, ocupe sua mente com algo útil e esse ciúme imbecil vai acabar!

— Ele quer se separar! O que eu faço, mãe?!

Mais calma, orientou:

— Não sei se vai adiantar. Você já foi longe demais. Mas... Comece pedindo desculpas por tudo o que fez. Trate-o com respeito, atenção e carinho. Mude suas atitudes, seu comportamento. Não seja, nunca mais, exigente. Arrume um trabalho, mesmo que não seja remunerado. É para ter algo bom, agradável e interessante para conversar. — Aproximando-se da filha, que estava sentada, Maria Cândida a abraçou com carinho e recostou seu rosto em seu ventre, esperando que parasse de chorar. — Levante essa cabeça, filha. Faça algo por você mesma.

— Vou falar com o tio Matt. Ele tem a empresa de arquitetura e...

— Ótima idéia! — alegrou-se a mãe. — Você pode pegar um trabalho temporário até o fim do ano. Vai se ocupar e permanecer aqui, ao lado de seu marido, sem incomodá-lo. Será bom, minha querida! Você vai ver. — Após um instante, propôs em tom animado: — Agora levante! Lave esse rosto lindo e respire fundo. Faça um chá e leve para o Will. Veja se ele está bem. Converse um pouquinho. Seja gentil. Pergunte o que ele sente. Deixe-o desabafar. Homem gosta de falar de si. Principalmente ele, depois de tudo o que sofreu.

Desirée sentiu-se encorajada e sorriu. A mãe a beijou antes da filha sair da sala.

Maria Cândida sentia-se exausta e saiu à procura de sua irmã. Encontrando-a na sala de televisão.

— Parece cansada, maninha — brincou Maria Elvira ao vê-la.

— Não só cansada. Estou preocupada também.

— Você acha que o Raul...

— Eu não sei.

— Que situação difícil — lamentou a outra.

— Em pouco tempo, viramos a sua casa e a sua vida de cabeça para baixo, Elvira. Desculpe-me por isso. Estou preocupada e tentando um meio de reverter tudo.

— Gosto quando tem gente aqui. Adoro quando meus netos vêm para cá. Tudo fica tão alegre. Só lamento a situação do Raul ser tão delicada. — Aproximando-se de Maria Cândida, beijou-lhe a testa, massageou-lhe os ombros e depois disse: — Não fique preocupada comigo, com o Matt ou com a ocupação deste apartamento. Adoro ver isto aqui lotado! Vivi minha vida trancafiada em um colégio horroroso por uma ridícula escolha! — riu. — Não tive mais filhos porque não vieram.

— Foi muito bom para você ter um filho só! Eles dão muito trabalho! — riu.

— Não fique assim, tá? Tudo vai se resolver. — Notando-a quieta, perguntou: — E a Desirée e o Will?

— Aaaah!... Nem me lembre disso. Minha filha é tão imatura! Imatura e burra! — riu. — O Will é um marido maravilhoso. Como ela é idiota!

— Ele é um homem feito por encomenda! — elogiou Maria Elvira.

— É mesmo. E a boba da Desirée não vê isso!

— Alto, bonito, forte, tranqüilo, paciente... E que olhos!... E que voz! Até rouco fica com a voz linda! — gargalhou de um jeito engraçado e brincando estar como que apaixonada.

— Olha!!! Vou contar pro Matt!!! — ameaçou a irmã, rindo e brincando.

— Se eu tivesse trinta anos a menos, talvez o meu marido ficasse com ciúme — riu. — O Will tem idade para ser meu filho!

— Neto! Ele tem idade para ser seu neto!

— Filho!!! Você ficou louca?!!

— Você até parece a Olívia! Vive escondendo a idade! — Maria Cândida riu gostoso e perguntou, em seguida: — Cadê a mamãe?

— Decidiu que queria fazer compras. Pegou uma das empregadas e arrastou a moça para o outro lado de Manhattan.

— Que disposição que a mamãe tem! Que bom que ela saiu e está se distraindo. Uma coisa a menos para eu me preocupar. Falando em preocupação... E a casa de Long Island? Como ficaram os prejuízos?

— O Matt estava preocupado com o seguro. Ele não lembrava se tinha renovado ou não.

— Sei. E?...

– Ontem, o assessor dele afirmou que o seguro foi renovado há dois meses. O próprio rapaz cuidou de tudo, só se esqueceu de avisar o Matt.

– Puxa! Que sorte! Esse assessor merece ser recompensado!

– E será! Se não fosse ele... Ainda bem, né?!

9

A DOR EM 11 DE SETEMBRO

Desirée levou chá para o marido.

Nitidamente abatido, ele se sentou na cama e bebericava a xícara, vagarosamente. Ela sentou-se ao seu lado e acariciou-lhe lentamente as costas como há muito tempo não fazia.

Procurando demonstrar gentileza nas palavras, a mulher perguntou:

— Sente-se melhor?

— Um pouco — respondeu com a voz rouca.

— Seus olhos estão vermelhos. O corpo ainda está dolorido?

— Bastante.

Colocando-lhe a mão na testa, para sentir sua temperatura, falou:

— Ainda está com um pouco de febre. Quer que eu pegue um antitérmico para você tomar?

— Não. Já tomei.

— Will... — Ele ergueu-lhe os olhos cansados e a esposa prosseguiu: — Eu quero lhe pedir desculpas. Fiquei irritada. Fui intolerante muitas vezes e... Não sei por que fiz isso! Conversei com minha mãe e ela me fez enxergar o quanto estou errada. Eu quero mudar. Quero ser diferente. — O silêncio foi absoluto por longos minutos, até ela não suportar: — O que você me diz?

— O que eu posso dizer?

— Fale que vai me ajudar! Que vai ficar do meu lado!

— Temos dois anos de casados, quase três, Desirée. Namoramos por quatro anos. Nesses quase sete anos juntos, eu sempre quis acreditar que você iria mudar. Mas, com o tempo, vem piorando.

— Eu vou mudar, Will! Agora é pra valer! Eu entendi que você precisa ficar aqui até o fim do ano e vou ficar junto. Vou arrumar uma ocupação! Um trabalho! Falarei com o meu tio. Ele tem uma empresa de arquitetura, lembra?! — Sorria, generosa, enquanto falava. — Posso não ganhar nada, mas estarei ocupada! Vou tratá-lo diferente! — Diante de seu silêncio, ela insistiu: — O que me diz?

— Desirée, eu estou com muito sono, efeito dos remédios e não consigo pensar direito. Minha cabeça está doendo muito, assim como todo o meu corpo. Nunca senti isso antes e...

— Anime-se, Will! Vamos viver diferente!

— Você não quer mudar. Veja o que está fazendo. Não está sendo compreensiva. Olhe como estou...

— Você é forte! Sempre foi! Nunca o vi resfriado!

O marido respirou fundo, colocou a xícara sobre um móvel ao lado e recostou-se nos travesseiros, fechando os olhos e largando o corpo.

— Vai! Diga alguma coisa!

— Quer mesmo que eu fale? — perguntou num sussurro rouco.

— Lógico!

Olhando-a nos olhos, declarou:

— Quero me separar de você.

— Não diga isso! Está brincando!

— Não. Não estou. Cansei. Chega. Agora... Por favor...

Inconformada, a esposa levantou-se e falou enérgica:

— Você está sendo insensível!!! Não quer me compreender!!! Não leva em consideração os meus sentimentos!!!

— E os meus, Desirée?! Já levou os meus sentimentos em consideração, alguma vez?! Olhe para você agora! Disse que vai mudar, que quer mudar! Veja o que está fazendo! Estou com febre, com dor, cansado e você não respeita isso! Não consigo nem pensar direito e sou obrigado a ouvir suas exigências! Não pergunta o que estou sentindo por dentro! Nem quer saber como estou! Só sabe exigir! — exclamava rouco, com a voz sumindo por alguns instantes e com muita dificuldade para falar.

— Você está assim desde que voltou daquela maldita casa de praia! Talvez tenha ficado tempo demais sozinho com a Danielle!!!

— Não acredito que estou ouvindo isso! — Sentando-se novamente, colocou os pés no chão e a encarou: — Se você não é louca, está doente!

— Por que diz isso?!! Por que estou falando a verdade?!! Diga o que aconteceu!!! Assuma que foi bom ter ficado com ela, que é gentil, atenciosa, bonita, calma!!!...

— Cale a boca! Faz não sei quantas noites que eu não durmo por causa de pesadelos por tudo o que vivi naquela noite! Você não sabe como foi! Não estava lá comigo! É tão insensível que não é capaz de imaginar! — Sua voz sumia, por segundos, e assim que podia, tornava a falar: — Até agora, quando fecho os olhos, vejo sangue e aquela criancinha morta nos meus braços! Quando não, parece que escuto os gritos da Danielle em desespero! Vejo-a desfalecendo, pálida, parecendo morta! Estou em choque!!! Estou desesperado!!! — Sua voz enfraquecia, algumas vezes, mesmo assim, ele continuou persistente e nervoso: — Não consigo esquecer! Se você quer saber! Para mim, aquilo foi horrível!!! Nunca gostei de sangue! Tenho pavor até de injeção! Detesto programas de TV com cenas de simples cirurgias, partos ou qualquer coisa do gênero! Nunca tinha visto um parto nem pela televisão. Não tinha idéia de como era nem queria saber! Não gosto nem de filmes violentos. Você sabe muito bem disso!!! Porém não se importa com o meu estado emocional, com o que estou sofrendo! E ainda me acusa de, no meio daquele pesadelo, ter arrumado tempo e... desejo de admirar Dani! Só se eu fosse doente!!! — William apresentava cansaço na voz rouca. Pálido, sentindo-se tonto, com muita dor de cabeça, segurou uma mão na garganta para desfechar: — Chega, Desirée!!! Tenho dó de você! Chega! Eu me amo! Não vou continuar sendo seu brinquedo!

A esposa, em pranto alto, saiu correndo da suíte.

Maria Cândida foi atraída pelos gritos da filha, mas ao vê-la passar correndo pelo corredor, decidiu ir até onde o genro estava. Entrando no quarto, cuja porta estava aberta, não viu o rapaz. Um barulho chamou sua atenção no banheiro. Chegando lá, viu William sentado no chão e recostado na parede.

— O que aconteceu?! — perguntou correndo para ampará-lo.

— Passei mal... Vomitei o remédio e tudo mais...

— Venha, filho. Levante-se — pediu, ajudando-o e conduzindo-o até a cama. — Deite-se. — Olhando-o pálido e com os olhos fundos, comentou: — Vocês brigaram feio.

— Precisei dizer algumas coisas para ela...

— É melhor ir ao médico. Ainda está com febre.

— Não. Preciso dormir um pouco. Amanhã quero estar bom para visitar o Raul.

— Se estiver desse jeito, não vai mesmo!

— Vou melhorar. Só preciso descansar um pouco... — disse, fechando os olhos.

Maria Cândida o cobriu, acariciou-lhe o rosto e os cabelos com piedade. Acreditou que sua filha havia jogado a felicidade fora. Mas não poderia fazer nada. Ele era um bom homem, não merecia aquilo.

William se encolheu e ficou em total silêncio. Vendo-o tão quieto, ela achou melhor deixá-lo sozinho. Realmente o que ele precisava era de repouso e sossego.

* * *

As primeiras horas da manhã, Maria Cândida passou conversando e orientando Desirée que se concentrava no que fazer para ser uma pessoa melhor.

Após ouvir a mãe, ela saiu à procura de seu tio para falar sobre prestar serviço em sua empresa.

Quando William se levantou e foi para a copa, Maria Cândida e Danielle faziam o desjejum.

Ele estremeceu ao ver a moça. Era a primeira vez que a encarava, em casa, desde o ocorrido em Long Island.

— Bom dia, Will. Como se sente? — interessou-se a senhora.

— Bem melhor. Obrigado.

— Que bom! Vejo que sua voz melhorou bastante.

— É verdade. Estou só um pouco rouco. Na minha vida inteira, nunca tinha contraído uma gripe antes. Não sabia como era.

— É mesmo?! — admirou-se a senhora.

— É sim. — Olhando para Danielle, ele quis saber: — E você, como está?

— Bem. Obrigada.

O rapaz puxou uma cadeira, pediu licença e acomodou-se à mesa, enquanto Maria Cândida se levantava, dizendo:

— Vou pedir que aqueçam o leite. Este está frio.

Ele agradeceu. Servia-se com suco ao perguntar:

— Sua febre passou?

— Passou sim. Nossa! Fiquei tão mal, nos últimos três dias, que não consegui me levantar.

— Eu também não consegui.

— Só hoje vou visitar o Raul.

— Vou com você.

Danielle o fitou por alguns segundos, mas não disse nada. Seus olhos se nublaram e ela abaixou a cabeça para ele não a ver chorar.

William se comoveu, lembrando-se de tudo. Observou-a por um bom tempo, imaginando de quanta força e energia ela precisaria despender diante de tanto sofrimento.

* * *

Após o café da manhã, Danielle, em uma das sacadas, olhava a bela vista do rio Hudson, a ponte e um barco que passava ao longe. Deixou seus pensamentos vagarem, pois sabia que a situação e as dificuldades não estavam mais em seu controle.

William se aproximou, vagarosamente, e tão silencioso que ela só o percebeu quando ele falou:

— Dani — Vendo-a sobressaltar levemente, pediu: — Desculpe-me. Não vi que estava distraída.

Ela ofereceu meio sorriso e disse:

— Não foi nada. Tudo bem. Sente-se — solicitou, indicando-lhe uma confortável cadeira, quase ao lado do sofá onde estava.

— Obrigado — agradeceu, aceitando o convite. Depois comentou: — Desde que saiu do hospital não conversamos...

— É verdade. Tenho muito que lhe agradecer por tudo. Espero que me desculpe pelo susto.

— Não tem de me agradecer, Dani. Nem por que me pedir desculpas. Sou eu que peço para que me perdoe por... Por qualquer coisa. Eu não estava preparado e...

— Ninguém estava preparado, Will. Num minuto eu estava bem... No outro... — Poucos segundos e desabafou: — Sinto-me culpada pela minha filhinha... — Lágrimas correram em sua face. Ela as secou e prosseguiu: — Se eu tivesse dado mais atenção à hipertensão, se tivesse sentido algo um dia antes e ido para o hospital... Fiquei preocupada com outra coisa e achei que estava tudo bem com ela. O médico dizia para tomar cuidado, mas nunca avisou, declaradamente, o que poderia acontecer. Eu não sabia o que fazer e...

— A culpa não foi sua. Foi uma fatalidade.

— Às vezes me pergunto se não senti algo antes e não dei importância. O que eu poderia ter feito para não acontecer o que aconteceu com ela? Fiz muitas caminhadas, não sei se isso a prejudicou. Ninguém me disse nada — Em seguida, falou entristecida: — Sei que você está em choque pelo susto, por tudo... A dona Maria Cândida me contou sobre você. Estou constrangida. Não sei o que pensar nem o que lhe dizer.

— Fui pego de surpresa. Nunca gostei de situações aflitivas. Não gosto de ver sangue nem pessoas com dor. Tenho pavor até de injeção. E não tenho vergonha de assumir isso. Creio que, o que precisei enfrentar ao seu lado, foi para o meu crescimento, de alguma forma.

Alguns minutos de silêncio e ela desabafou:

— Sabe, Will... Ainda estou confusa. Não acredito que perdi minha filha... — chorou. — Eu a fico procurando... Pensando como ela estaria comigo agora... Não queria viver isso. Gostaria de ir para minha casa. Quero minha mãe. Ainda não encarei o Raul... — Lágrimas copiosas corriam por sua face ao perguntar: — Como vou olhar para o meu marido, no estado em que está, e dizer que perdi nossa filhinha?...

Vendo-a em pranto, William se levantou de onde estava, sentou-se ao seu lado e colocou o braço em seus ombros, puxando-a para um abraço fraterno. Logo depois, disse:

— Calma, Dani. Tudo vai dar certo. O Raul já sabe o que aconteceu. É lógico que ficou triste. Todos ficamos. Ele a ama e é um homem muito compreensivo. Jamais irá culpá-la.

— Às vezes me vejo sem forças. Acho que não vou agüentar mais... — falava com voz entrecortada. — É tão difícil para mim... Se ao menos eu tivesse a minha filhinha, aqui, comigo... — chorou. — Eu quero a minha filhinha!...

William recostou-a em seu ombro e a beijou no alto da cabeça, afagando-lhe o braço sem saber o que dizer.

Inesperadamente, um vulto atraiu sua atenção e ele olhou para trás a fim de ver quem era.

Rígida, Desirée o fuzilava com os olhos enquanto seu rosto se contraia de raiva.

— O que estão fazendo?!! — exigiu num grito.

O marido afastou-se lentamente de Danielle, que não entendeu nada. Ficou em pé, olhou-a firme e rebateu no mesmo tom:

— Não começa!

— Está pensando que eu sou idiota?!! — gritou.

— Fale baixo!!! — esbravejou com a voz grave e rouca. — Ou melhor, não fale! Não quero conversar com você!

— O que está acontecendo aqui?! — perguntou Maria Elvira, atraída pelos gritos.

— É esse canalha, tia!!! Esse cafajeste!!! Peguei o Will, no flagra, abraçando essa safada aí!!!

O marido reagiu.

Aproximando-se de Desirée, agarrou seu pulso com força e a puxou para o quarto. Chegando lá, empurrou-a. Após fechar a porta, exigiu:

— Não vou permitir que me trate mais assim!!!

— Eu...

— Cale a boca!!! Não vou admitir que tente falar para a Danielle o que disse a mim!!! Além de estúpida, você está sendo cruel, desumana!!!

— Vocês estavam abraçados!!!

— E daí?!! Não sabe o que aconteceu!!! Você é doente, Desirée!!! Ciúme demais é doença e necessita de tratamento!!!

— Ela está dando uma de coitada e você!...

— A Dani perdeu a filha e o marido está muito doente! Você tem idéia da dor que ela está vivendo?! Sabe o que ela passou?! Lógico que não! Nunca vi uma criatura mais insensível do que você! Se pensa em fazer com ela o que faz comigo, está muito enganada, porque eu não vou deixar!

— Está defendendo a Danielle?!!

— Estou!!! Eu gostaria que você tivesse uma gota, sequer, da sensibilidade, do carisma, do bom senso daquela mulher!

Mais branda, Desirée disse chorosa:

— Não fale assim comigo!... Vou mudar!

— O que quer que eu diga?! Como quer que eu acredite em você?! Acreditar que vai mudar?! Olhe o que acabou de fazer! Além de ridícula foi desumana!

Dizendo isso, vendo-a chorar, o marido virou as costas e Desirée debruçou-se na cama e chorou muito.

* * *

Bem mais tarde, Maria Cândida e Danielle estavam prontas para irem ao hospital quando William chegou à sala.

— E aí? Vamos?! — propôs ele.

— Eu estava falando com a Dani que talvez os médicos não permitam a visita de vocês. Estão se recuperando.

— Sim. Tudo pode acontecer. Porém devemos tentar — opinou ele.

— Will — disse Danielle, muito sincera —, eu entendi que a Desirée brigou com você por...

— Espera — solicitou com bondade. — A dona Maria Cândida pode confirmar que eu e a Desirée estamos passando por dificuldades que nada têm a ver com você. O assunto é mais sério do que imagina. Amanhã mesmo vou para um hotel e decidir minha vida, sem a Desirée.

— Will, pense bem — aconselhou a senhora, preocupada.

— Já pensei. Não dá mais. — Quando o silêncio reinou, ele pediu: — Vamos?!

Elas concordaram e todos se foram.

* * *

No hospital, conversaram com o médico responsável que decidiu liberar as visitas requeridas pelo próprio paciente, pois o estado de Raul não era nada bom.

Quando o viu, a esposa não suportou e começou a chorar em silêncio.

William permaneceu ao lado e também se emocionou muito. Tentou disfarçar, mas, em alguns momentos, não conseguiu.

— Oh, meu bem!... — dizia ela chorando, e acariciando-lhe o rosto pálido. — O que aconteceu com você?... — beijando-o, recostou seu rosto ao dele.

— Não fique assim — sussurrou. — Não quero te ver sofrendo. — Olhando para o amigo, agradeceu: — Queria vê-lo para dizer muito obrigado.

— Não precisa me agradecer, Raul. Tentei fazer o melhor que estava ao meu alcance.

— Você salvou a Dani e...

— Eu só estava lá. Foi Deus quem decidiu.

Raul sentia-se cansado, com dificuldades para respirar e falar. Algumas vezes fechava os olhos, mas depois tornava a abri-los e tentava ficar atento.

— Amor... O nenê... — a esposa chorou, sem conseguir falar.

— Eu sei. Lamento... — lágrimas correram pelos cantos de seus olhos.

— Amor... Você vai ficar bom. Nós vamos tê-la de novo e...

— Dani... Preciso pedir uma coisa... — murmurou. — Quero ir embora... Não permita que me dêem mais remédios para prolongar tudo isso. Estou cansado.

— Não, Raul! Não diga isso! — implorou desesperada.

— Quero descansar, meu amor... Não adianta mais tantos remédios... Só permita que me dêem medicações para eu não sentir tanta dor...

— Raul, não fale assim!... — tornava aflita.

Vendo-a em desespero, praticamente se atirando sobre o marido, William, que não detinha as lágrimas diante da cena, segurou Danielle, que perdia o controle.

— Raul, eu te amo! Não faça isso comigo!...

— Eu também te amo, Dani... Muito... — Olhando para William, pediu num murmúrio: — Cuide dela para mim... Leve-a daqui. Não estou bem... — fechou os olhos enquanto seu rosto se contraia em expressão dolorosa.

— Não, Raul!!! Não!!! — gritou a esposa, tocando seu rosto com ambas as mãos.

William segurou firme em seus braços. Apoiando as costas de Danielle em seu peito, afastando-a, pois ela se jogava sobre o marido, tentando sacudi-lo.

Raul começou a exibir falta de ar e logo seu corpo se contorcia aflito, como se não conseguisse respirar.

— O que está acontecendo?!! Raul!!! — insistia Danielle.

Enfermeiros e o médico se aproximaram às pressas e alguém, entre eles, solicitou:

— Tire-a daqui! Precisamos entubá-lo!

— Eu quero ficar com o meu marido! Ele precisa de mim! Não!!!

William a levou para fora. Danielle gritava inconformada. Ele precisou apoiá-la em si e praticamente arrastá-la pelo corredor.

Desesperada, descontrolou-se. Virou-se, fechou os punhos e bateu forte em seu peito, enquanto o amigo procurava envolvê-la.

Em certo momento, percebendo que nada adiantaria, parou. Teve uma forte crise de choro e o agarrou, recostando-se em William, que a abraçou forte e chorou junto sem que ela visse.

Com generosidade, o amigo a conduziu para a sala onde Maria Cândida e Oscar cercaram-na com carinho, tentando acalmá-la. O rapaz recolheu-se em um canto e, comovido até a alma, observava-os a distância.

Naquela noite, Raul faleceu.

Apesar dos cuidados maternais de Maria Cândida e do carinho recebido de dona Filomena e Maria Elvira, Danielle parecia desorientada e sem controle.

Chorou muito. Sua febre voltou e teve complicações respiratórias, pois não estava totalmente recuperada do princípio de pneumonia.

Maria Cândida telefonou para o Brasil avisando a família.

— Foi no princípio da noite, Belinda — contou em tom triste, chorando. — A Dani e o William tinham acabado de visitá-lo. O Raul estava fraco por causa da quimioterapia. Sua imunidade estava baixa. A infecção foi muito intensa porque seus pulmões encontravam-se comprometidos pela doença. Quando eu e a Nanci os deixamos lá na casa da praia, ele disse que não se sentia bem. Pensou ser pela doença. Mas não era. Era gripe e pneumonia. Ele não sabia, por isso não nos avisou. Raul era resignado. Raramente se queixava de dor.

— E minha filha? — perguntou em pranto.

— A Dani está sofrendo muito, mas vai ficar bem. Estamos cuidando dela.

— Eu vou para aí! Minha documentação vai ficar pronta amanhã...

— Não, Belinda. O meu marido está cuidando de tudo para o corpo do Raul ser levado para o Brasil. A Dani também vai retornar e eu vou com ela.

Maria Cândida ignorava que o médico desaprovaria a viagem de Danielle de volta ao Brasil, pois preveniu que pessoas com complicações respiratórias, como a dela, não deveriam viajar de avião. Sendo assim, o corpo de Raul seguiu para o Brasil, mas Danielle precisou permanecer em Nova Iorque.

Muito fraca e extremamente abatida, ela ficou no apartamento de Maria Elvira.

Apesar de todos os cuidados recebidos, não se alimentava direito. Não conversava. Só chorava muito.

Belinda, no dia seguinte, queria ver a filha. Não se contentava em só ouvi-la por telefone. Contudo, depois que sua amiga disse que ela estava se recuperando e, em poucos dias, retornariam ao Brasil, ela decidiu aguardar.

A única pessoa que não se importava com Danielle, era Desirée. Procurando pelo marido, viu-o no quarto, arrumando a mala.

— O que vai fazer com isso?! — quis saber nervosa.

— Amanhã vou para o hotel — respondeu com simplicidade. — É um dos hotéis da nossa rede e eu só não vou agora porque a suíte que quero está ocupada. Faço questão dela por ter de ficar até o fim do ano. Não vou ficar mudando de quarto.

— Will, pense bem. Dê-me uma chance, querido! Amanhã cedo eu vou à empresa do tio Matt. Tudo vai mudar, eu prometo!

— Então, mude primeiro. Depois, talvez, conversaremos.

Aproximando-se dele, Desirée o envolveu com carícias e tentou beijar-lhe os lábios, murmurando:

— Eu amo você.

William a afastou de si e pediu:

— Não se humilhe. Não faça nada que venha a se arrepender. Agora... Por favor... Deixe-me sozinho. Necessito descansar.

Desirée teve de represar toda a sua raiva, toda a sua fúria para não gritar nem brigar com ele. Afinal, precisava parecer mudada, compreensiva e gentil.

Com grande travo de amargura e misto de ódio, aceitou e se retirou representando ser humilde.

* * *

Na manhã seguinte, William acordou num sobressalto. Marcou com o diretor de uma grande empresa e estava muito atrasado.

Levantando-se às pressas, arrumou-se rápido, pegou sua mala e foi até a sala onde encontrou com Maria Cândida, que o chamou:

— Will?! Aonde vai?!

— Perdi a hora! Agendei uma reunião hoje cedo. Eu tinha a intenção de, antes, passar no hotel para deixar minhas coisas. Não sei o que aconteceu. Não escutei o relógio. Nem sei se ele tocou. Acho que foram os remédios. Nunca perdi a hora.

— Tome café antes de sair.

— É que estou com pressa. — Consultando o relógio, comentou: — Talvez dê tempo de eu chegar nessa entrevista se...

— Só uma xícara de café! — insistiu a senhora. — Eu queria conversar um pouquinho com você.

— Se é assim e se for bem rápido... — Pensou um pouco e decidiu: — Acho que vou deixar as minhas malas aqui. Tomo café e vou direto para o World Trade Center. Depois volto e vou para o hotel.

— A Desirée foi para lá agora cedo. Tinha um horário agendado com um diretor da empresa do Matt e o escritório fica lá.

Foram juntos para a mesa, onde o café da manhã estava posto. O rapaz nem se sentou e sorriu ao olhar as coisas.

— O que foi? — perguntou ela, sorrindo.

— Só estou achando graça. Reparando. O jeito da senhora e da dona Maria Elvira de servirem o café da manhã é bem brasileiro.

— Ah! Esse hábito é difícil de mudar — riu com gosto. — Não gostamos de bacon com ovos mexidos logo cedo. É muito pesado. Nada como frutas, bolo, frios...

— Eu gosto desse jeito. Realmente é mais leve. — Servindo-se com uma xícara de café, indagou, mesmo imaginando sobre o que se tratava. — O que a senhora quer conversar comigo?

— É sobre a Desirée. Sei que não devo me envolver, mas... A separação é uma coisa bem difícil.

— Imagino. Também não queria isso.

— E se você desse um tempo? Esperasse um pouco? Quem sabe... Ela está procurando mudar. Foi até atrás de emprego — riu. — E olha que a Desirée nunca trabalhou.

Ele consultou o relógio novamente e disse:

— Se a senhora não me levar a mal... Poderíamos conversar sobre isso mais tarde, quando eu vier buscar minhas malas? Tenho uma entrevista de emprego em quarenta e cinco minutos.

— Emprego, Will?!

Nesse instante, Maria Elvira chegou às pressas e falou:

— Gente! A Danielle não está nada bem!

— Como não está bem?! — surpreendeu-se a irmã. — Acabei de vê-la agora!

— Então veja você mesma — exibiu o termômetro. — Ela está com mais de 40º de febre!

Eles foram até o quarto onde a moça, deitada, tremia. Não se importava com mais nada.

— Dani?! Pelo amor de Deus, filha! O que é isso?! Falei para sua mãe que estava bem e que amanhã ou depois iria voltar! — exclamou Maria Cândida.

— Precisamos levá-la ao médico — disse a irmã. — Só que o motorista não está. Ele foi levar a mamãe até o outro lado de Manhattan. O Matt e o Oscar saíram cedo. Talvez devêssemos chamar uma ambulância.

William olhou o relógio, mais uma vez, e sentiu-se insatisfeito. Porém, sem se manifestar contrariado, decidiu:

— Não. Eu a levo ao hospital. Só vou dar um telefonema.

Ao tentar levantá-la, ela não reagia. Não conseguia ficar em pé. Estava muito febril e extremamente fraca.

William a pegou nos braços e a levou até o carro. De lá foram para o hospital, onde foi medicada e logo a febre cedeu.

Algum tempo depois, Danielle foi liberada e retornaram para casa.

Assim que entraram no apartamento, quase às nove horas da manhã, uma empregada, nervosa, avisou-os:

— Um avião bateu no World Trade Center!!! Se olharmos pela janela da sala do piano... Está difícil, por causa da fumaça, mas dá para ver!!!

Com exceção de Danielle, todos correram e não acreditaram no que viam. Naquele momento, um segundo avião, outro Boeing 767, afundou-se na outra torre.

— Meu Deus!!! — gritou Maria Cândida, horrorizada com a cena.

William correu para a sala e ligou a televisão, dizendo:

— Quando estávamos chegando aqui perto, ouvi várias sirenes e percebi grande movimentação na cidade, mas não imaginava uma coisa dessas!

Todos os canais noticiavam a tragédia sobre os dois aviões que colidiram com as Torres Gêmeas. Só não sabiam, ainda, que se tratava de um grande atentado terrorista, naquele 11 de setembro.

O rapaz deixou-se cair sentado no sofá ao lado de Danielle, que estava um pouco tonta.

Ele não acreditava no que assistia.

Perplexo, olhou para ela e murmurou, parecendo assombrado:

— Eu deveria estar lá... na torre sul, WTC 2, no 76º andar. Se não fosse por você...

Maria Cândida entrou em desespero ao se lembrar da filha.

Correndo, pegou o telefone e ligou para o celular de Desirée, que atendeu:

— Fiquei sabendo, agora pouco, que outro avião atingiu essa torre também. Acho que foram alguns andares acima. Talvez uns vinte. Aqui está tudo bem! Não se preocupe! Um pessoal que desceu, subiu de novo, pois disseram que não corremos perigo. Mas agora que outro avião bateu aqui, não sei como vai ser. Estão tentando conter o pânico.

— Saia daí agora, Desirée!!! — exigiu a mãe.

— Estou bem! Não se preocupe! Já disse! Acho que o piloto ficou cego com a fumaça que tem na outra torre, por isso bateu nessa.

— Desça daí, agora!!! — gritou a mãe.

— Está bem. Vou desligar.

Maria Elvira tomou o telefone da mão da irmã e ligou para o marido, porém ele estava longe dali, do outro lado da ilha de Manhattan. Nem sabia do ocorrido.

Os minutos foram passando e eles acompanhavam, apreensivos e angustiados, os acontecimentos. Até que assistiram à segunda torre a ser atingida, a WTC 2, vir a baixo inesperadamente.

— Não!!! — gritou Maria Cândida em desespero. Imediatamente ela pegou o telefone e ligou para a filha. Ao mesmo tempo, querendo ter certeza, perguntou nervosa: — Em qual das torres fica a empresa do Matt?!

— Não sei!!! É... Acho que é a WTC 2, que é a torre sul... — respondeu a irmã chorando.

— Ai, meu Deus! A Desirée não atende!!!

— Talvez ela tenha descido! Talvez esteja sem sinal! — argumentou William, também preocupado.

Tentaram telefonar várias vezes, e nada.

A cada minuto, a aflição crescia. O desespero aumentou quando a outra torre foi abaixo.

Maria Elvira levou a irmã para o quarto. Nesse momento, Oscar chegou e ficou com a esposa.

Quando a tarde morria, Maria Cândida estava na fronteira do desespero.

Ninguém conseguia falar com Desirée pelo celular. Ela não telefonava. Não tinham qualquer notícia. Todos viviam uma angústia infindável. Não lhes restava outra escolha além de esperar.

Uma sombra muito escura cobria Nova Iorque e todo os Estados Unidos.

O país se fechou em doloroso luto e terror.

Várias famílias, em todo o mundo, viveram o drama de Maria Cândida e Oscar, experimentando um sofrimento inenarrável. Seus corações permaneceram esmagados, principalmente, nos dias que se seguiram sem notícias e provaram a dúvida e a esperança da filha ser encontrada com vida.

No Brasil, Belinda e o marido queriam ir buscar Danielle, mas as fronteiras americanas estavam fechadas.

Tensa, a América do Norte parou e se trancou.

A dor de Maria Cândida e do marido não terminava, assim como para outras milhares de famílias. Quase uma semana depois, no resgate ininterrupto, o corpo de Desirée foi encontrado e identificado. Diante de tudo, muito sofrimento.

William pouco falava. Permaneceu todo o tempo trancado no quarto e não se alimentava direito.

Ficar abraçada à Danielle, era a única coisa que acalmava Maria Cândida.

Em longas conversas com Belinda, por telefone, Maria Cândida pedia à amiga que deixasse sua filha ir com ela para a França. Porém a outra não admitia de forma alguma e, se tivesse um meio, iria para lá buscá-la. Mas não podia. As fronteiras americanas estavam fechadas. E ela exigia que sua filha retornasse ao Brasil.

Mais firme, Oscar assumiu o controle da situação e garantiu à Belinda que a filha retornaria o quanto antes. O que de fato aconteceu. O senhor decidiu ir para a Europa e pediu a William que levasse Danielle até São Paulo. Não queria que ela viajasse sozinha. Ele e sua esposa não estavam bem o suficiente para irem até o Brasil. Não era o momento de ficarem na casa de amigos.

Assim foi feito e o rapaz concordou.

Belinda e o marido foram buscar a filha no aeroporto e agradeceram a William, recebendo-o muito bem.

Na luxuosa mansão do casal, foi reservado um quarto com excelentes acomodações ao rapaz.

— Não se preocupem comigo. Não vou ficar por muitos dias. Pretendo ir embora amanhã ou depois.

— De forma alguma, William — afirmava a senhora. — Você precisa descansar e ocupar sua mente com coisas boas. Sei o quanto tudo está sendo difícil. Fique algumas semanas conosco. Somos muito gratos por tudo o que fez por nossa filha e pelo Raul também. — Vendo-o indeciso, tentou convencê-lo: — Por favor, fique conosco. Deixe-nos tentar retribuir com um pouco de atenção.

Ele estava abatido e fraco, além de muito abalado emocionalmente. Não tinha ânimo para conversar. Mas, muito educado, agradeceu:

— Obrigado pela consideração. Quero que saiba que a Danielle também salvou minha vida. Eu deveria estar na segunda torre atingida, a que caiu primeiro. No 76º andar onde entrou o avião. Em todo caso... Vamos ver. Não posso prometer que ficarei muitos dias. Contudo, devo confessar que estou relutante em voltar para casa.

Perceberam que o rapaz estava muito chocado. Só conversava quando alguém puxava algum assunto e falava só o necessário. O tempo que podia permanecia sozinho e preferia o grande jardim da casa onde havia uma mesa de ferro branca rodeada de cadeiras da mesma cor.

Nos dois primeiros dias, permaneceu ali por horas. À distância, Belinda acreditou que o viu chorar.

Danielle, também achava-se muito desanimada, estava nitidamente deprimida. Não saía do quarto. Não queria se alimentar, não conversava e chorava muito.

— Dani, filha!... Precisa reagir! Não pode ficar assim. — Ela não respondia e a mãe, comovida, pedia com jeitinho: — Levante dessa cama. Saia um pouquinho... Olha, por que não vai lá fora conversar com o William? Ele está muito tempo sozinho. O seu pai está no trabalho e eu não tenho mais assunto.

— Não quero... — murmurou.

— Ele disse que vai embora depois de amanhã. Já reservou a passagem. — Vendo-a sem atitude e para fazer com que reagisse, acusou-a: — Você está sendo tão ingrata, filha. É assim que agradece a tudo o que ele fez? Lembre que ele também teve uma perda muito grande e ainda, depois de tudo, veio até aqui só para lhe trazer! Pense nisso.

Belinda conseguiu tocar o coração da filha que se forçou a levantar. Trocou-se foi até o jardim onde William estava.

Aproximando-se, disse em tom triste:

— Minha mãe falou que já reservou a passagem.

— Sim. É verdade. Embarco depois de amanhã.

— Desculpe-me por não ser tão atenciosa com você. É que...

William a encarou e observou seu rosto pálido e muito abatido. Em seus olhos, podia-se ver uma sombra de angústia e um sofrimento sem fim.

— Na vida acontecem coisas estranhas. Estou tão confuso. Não sei o que fazer da minha vida agora. Eu ia me separar dela... Estava decidido.

— Você a amava?

— Amei muito. Houve um tempo em que eu fazia tudo por ela. Tudo para vê-la feliz. Mas... Acabou. Agora ela se foi e... Não sei o que estou sentindo. Às vezes vem um arrependimento pelas minhas palavras na nossa última conversa... Embora fosse o que eu sentisse de verdade, foram palavras duras. Eu estava cansado. Havia feito de tudo por ela, para ela, por nós dois...

— Eu também tentei fazer de tudo pelo Raul — lágrimas correram.

— Você não tentou. Você fez. E fez o principal. Foi tranqüila, companheira, compreensiva... Até o emprego largou para cuidar do seu marido.

— Eu o amo tanto... — Um soluço embargou sua voz. — Deixei o emprego porque nossas famílias podiam nos sustentar.

— Mesmo assim. Chego a duvidar que, se fosse comigo, a Desirée fizesse o mesmo.

— Não diga isso, Will.

— Desculpe-me.

— O que vai fazer agora?

— Não sei. Primeiro vou retornar a Europa. Não sei se continuo trabalhando na Companhia Aérea. O mundo está abalado por causa dos atentados de 11 de setembro e... Um novo emprego agora... Não sei... E você, o que vai fazer?

— O Raul deixou um vazio enorme. Nem nossa filhinha eu tenho para dizer que fiquei com um pedacinho dele — chorou.

— O único remédio que temos agora, para o que nos aflige, é o tempo — desfechou sentido.

10

Recomeçando a vida

William retornou para a Europa conforme planejado. Danielle ficou na casa de seus pais. Ela não quis ir para o apartamento onde morou com o marido. Não saía de casa. Só permanecia em seu quarto. Não conversava e era fácil vê-la chorar.

Havia dias em que nadava, por horas, na piscina. Depois caía na cama e dormia.

Belinda e o marido não sabiam mais o que fazer para ajudá-la.

Além disso, a mãe estava zangada com Nanci que teimava em ficar na Europa. O mundo encontrava-se bastante tenso após os atentados terroristas nos Estados Unidos.

O senhor Osvaldo também ficou muito insatisfeito com isso. Porém, como iria até a Europa em outubro, prometeu ir até Paris se entender com Nanci.

Belinda não viajou com o marido. Decidiu ficar com a filha, que parecia precisar muito dela.

Em oito de outubro, um avião da companhia Escandinava SAS, com 104 passageiros, chocou-se com um pequeno avião particular na pista do aeroporto de Linate, em Milão,

Itália. Cento e dezoito pessoas morreram nesse acidente. O senhor Osvaldo foi uma das vítimas.

A tragédia na vida de Belinda e da filha não poderia ser maior.

Ao tomar conhecimento do ocorrido, Nanci retornou ao Brasil, junto com Edwin e seu irmão Guilherme, que estava em Berlim.

Apesar de toda sua dor, Maria Cândida, acompanhada da filha Olívia, veio para o Brasil para ser solidária com Belinda.

Oscar não pôde vir e telefonou. Assim como William, que ligou para Belinda e para Danielle, dando-lhes os pêsames e querendo saber como se sentiam.

Ele ligou outras vezes e conversaram por horas. Depois de algum tempo, não se falaram mais.

Antes do Natal daquele ano terrível, Maria Cândida e a filha voltaram para a Europa, bem como Guilherme, que precisava retomar ao serviço e aos estudos.

Com o passar do tempo, Danielle se refazia aos poucos. Porém Belinda parecia mais imersa na densa tristeza.

Nanci e Edwin anunciaram o noivado para o final do ano e tinham intenção de se casarem logo. Ele vinha visitá-la a cada dois meses e, às vezes, trazia a irmã consigo.

Maria Cândida fez questão de oferecer uma grande festa para comemorar o noivado do filho. Belinda e Danielle teriam de ir até Paris, onde Guilherme também estaria. Apenas Kléber, a esposa e os filhos não poderiam comparecer.

* * *

Apesar de já ter decorrido mais de um ano da morte do marido, Belinda demonstrava-se muito tristonha. Com Danielle também não era diferente. Ela se fechava. Ninguém a via sair, visitar amigos ou ter qualquer atividade.

No último ano, saiu de casa apenas para acompanhar a mãe ao médico e nada mais. Danielle não sabia o que fazer nem para onde ir a fim de fugir da angústia que experimentava. Não tinha idéia de como recomeçar a vida.

Agora era obrigada a estar em Paris para a comemoração do noivado de sua irmã.

A festa magnífica, para Nanci e Edwin, foi dada em um *Châteu*, próximo da capital francesa, alugado para a refinada cerimônia. Havia convidados ilustres e importantes.

As mulheres estavam inegavelmente elegantes. Lindas, em seus trajes longos. Enquanto os homens, bem requintados em seus smokings, sustentavam suas taças.

Sem dúvida alguma, não pouparam nada na recepção. Tudo corria maravilhosamente bem.

Alguns jantavam, outros bebiam. Havia os que dançavam e brincavam respeitosamente. Até a imprensa cobriu o evento.

Danielle, extremamente magra, por toda tensão que viveu no ano anterior, aparentava bem séria, como se carregasse nos ombros um fardo bastante pesado. Muito embora fosse uma das mulheres mais lindas da festa. Parecia deslizar em distinto vestido verde esmeralda, longo, colante ao corpo, sem alças, que deixava o colo e os ombros à mostra e detalhava seu corpo escultural. Somente uma suave e transparente echarpe laçava-lhe, com simplicidade, a frente do pescoço com as pontas jogadas, soltas, para trás das costas. Seus cabelos, loiro-escuros e presos, reluziam as gotas minúsculas de brilho dando-lhe um charme especial. Usava um par de brincos de brilhantes que formavam uma flor e combinavam com seu delicado anel.

Flashs brilhavam em sua direção. A princípio os fotógrafos não sabiam quem era aquela encantadora e misteriosa mulher e ficaram admirados com sua beleza e elegância.

Danielle havia se perdido dos demais e saiu à procura de sua mãe. Precisou cobrir levemente os olhos com a mão para não se cegar com os relampejos insistentes das luzes das câmeras.

— Posso socorrê-la? — perguntou uma voz forte e gentil que, praticamente, falou-lhe ao ouvido.

— Will! — Danielle sorriu pela primeira vez em muito tempo. Seu rosto tornou-se iluminado e ela ficou ainda mais linda.

O rapaz a beijou no rosto com carinho e a imprensa não perdeu a oportunidade de registrar esse fato. Como muitos outros.

Pegando em sua delicada mão, William enlaçou-a em seu braço e a tirou daquele salão.

Levando-a para outra parte do *Châteu*, parou frente a ela e admirou-a de cima a baixo. Enquanto segurava uma de suas mãos, elogiou-a:

— Você está simplesmente linda! Deslumbrante!

— Obrigada — sorriu novamente. — Nossa, Will! Quanto tempo!

— É mesmo. E... Nesse tempo todo, nós nos falamos por quatro vezes, porque eu liguei — sorriu com um tom enfático e de brincadeira na voz. — Depois...

— Depois?...

— Esperei que me telefonasse. Fiquei sem graça de continuar ligando.

— Foi um período bem difícil. Ainda está sendo... Daqueles que a gente nunca se sente bem.

— Entendo. Sei bem o que é isso. Por isso queria conversar. Achei que era a única pessoa capaz de me entender. E... O que tem feito? — perguntou, colocando sua mão em seu braço novamente e, muito cavalheiro, conduziu-a para lenta caminhada, em um belo jardim, fora do *Châteu*.

— Nada.

— Nada?! — ele surpreendeu-se.

— Não. Não tenho feito nada. À medida que o tempo foi passando, a vida foi ficando mais difícil sem o Raul. — Após um instante, perguntou: — E você? O que tem feito? Estamos em Paris há uma semana e nem ouvi falar de você! — sorriu por brincar.

— Foi porque não perguntou! Todos sabem sobre mim! Principalmente a imprensa, que vem me perseguindo muito — retribuiu o sorriso. E logo explicou: — Ainda trabalho na empresa do senhor Oscar. Estava a serviço em Nova Iorque. Voltei ontem, por causa do noivado do Edwin. Eu sabia que iria encontrá-la. — Breve pausa e indagou: — Conte-me, como está dona Belinda? Não a encontrei ainda.

— Está superando tudo o que aconteceu.

— Ela veio, não é?!

— Sim. Claro! Nós nos perdemos no salão principal da festa. Estava procurando-a quando você me encontrou. O meu irmão, o Guilherme, também está aí. Quero apresentá-lo. Quando esteve no Brasil... — parou por um momento, ficou reflexiva e suspirou fundo ao se lembrar o que o levou ao seu país. Ele entendeu o motivo da pausa e não disse nada. Depois, ela prosseguiu: — Você não o conheceu.

— Já o conheço — sorriu.

— De onde?!

— Há cerca de dois meses, eu fui a Milão, a trabalho, e a Olívia estava lá com o Guilherme. Eles sempre estão juntos. Ela me apresentou-o.

— A Olívia?!

William deu uma risada engraçada reconhecendo a gafe. Não tinha como corrigir. Era tarde.

— Ah, não... Acho que falei demais.

— O Guilherme trabalha em Berlim. Às vezes, está em Heidelberg. O que estaria fazendo em Milão?!... — riu de modo malicioso. — ... e com a Olívia?!

William a conduziu por uma passarela que chegava até um coreto encantador, que ficava exatamente no meio de um lago. Lá ele explicou:

— A Europa é pequena demais. Podemos tomar café da manhã na Itália, almoçar na Suíça, jantar na França e dormir na Alemanha, se preferir.

— Não brinque! — sorriu.

— É verdade. Não estou brincando — riu. — Só exagerando um pouco.

— Eu sei. Não estou falando disso. Estou falando do Guilherme. Que negócio é esse do meu irmão sempre estar junto da Olívia?!

— Era final de semana. E... Ah! Não complique, Dani! Se você não sabia é porque não era para saber. — Em seguida, perguntou para mudar de assunto: — Vai ficar para o Natal?

— Não sei. Dona Maria Cândida nos convidou, mas minha mãe não está nada animada e, para falar a verdade, nem eu.

— Faz um ano e dois meses que seu pai se foi.

— É... Ele faleceu quase um mês depois do Raul e da...

— E da Desirée.

— Às vezes, eu não acredito. — Seus olhos ficaram marejados e ela se apoiou no guarda-corpo[1] do coreto, olhando para o alto a fim de disfarçar a emoção.

William foi esperto. Para não vê-la triste, ocupou seu pensamento com o convite:

— Fiquem para o Natal. Paris é linda nessa época. Já esteve aqui no Natal?

— Não.

— Sei... Você gostou mesmo foi do Canadá. Até morou lá por seis anos!

Ela sorriu levemente e continuou observando o céu, depois o lago. Ele ficou ao seu lado tentando acompanhar o seu olhar e adivinhar seus pensamentos. Reparou como a amiga estava diferente. Menos tensa do que quando a conheceu, contudo séria demais. Carregava uma suave e indefinida tristeza no olhar. Acreditou que devesse se ocupar, procurar dar um

---

[1] Guarda-corpo: proteção à meia-altura, em grade, balaustrada, etc., que resguarda a parte inferior do balcão, varanda, sacada ou vão, ou que acompanha os degraus da escada, encimado por corrimão.)

sentido a sua vida. Afinal, era jovem, bonita, tinha estudo. Poderia voltar a viver.

— Não pensa em voltar a trabalhar, Dani?

— Penso sim. Quero fazer uma reciclagem na minha área e ver o que consigo. Estou começando a fazer planos para o próximo ano. Preciso me sentir útil.

— Na área de *Web Designer*, falando três idiomas, como você, terá muitas oportunidades e em grandes empresas. Sabe disso, não?

— Estou tão desatualizada, Will!

— Esse é o menor problema. Você é inteligente. E o principal já tem. Não tenho muito contato com companhias brasileiras, no entanto conheço muitas organizações e talvez possa ajudar. Interessa?

— Claro. Por que não?!

— Mesmo se não for no Brasil?

Ela ficou surpresa. Não sabia o que responder. Sorriu enquanto ele aguardava, com expectativa. Por fim, disse:

— Eu gostaria. Quero tentar.

— Ótimo! Porém... Voltando ao assunto do Natal... — riu. — Fique até depois do ano-novo!

— Tudo depende da dona Belinda. Não gostaria de contrariar minha mãe.

— E quando conseguir um emprego? Como vai ser?

— Aí será diferente. Terá de entender que preciso reconstruir minha vida.

Ficaram em absoluto silêncio. Observando-a, por alguns minutos, reparou que por de trás da tristeza apresentava a mesma educação e generosidade. A mesma meiguice na fala mansa.

— Will, vamos voltar. Acho que está na hora de anunciarem o noivado. A Nanci me mata se eu perder! — sorriu.

Ele aceitou e imediatamente lhe fez uma mesura, oferecendo o braço para que ela o enlaçasse. Em seguida, conduziu-a novamente, com os mesmos passos compassados, para o interior do *Châteu* onde a festa acontecia.

Era a primeira vez que Maria Cândida e o marido apareciam em uma recepção e também ofereciam uma festa, desde a morte de Desirée.

A mãe estava apreensiva ao lado da filha Olívia que lhe perguntou:

— Mãe, não acha que exagerou um pouco nesta festa?

— De forma alguma!

— É... Pensando bem o Edwin merece!

— Não, não, não, Olívia! É a Nanci quem merece! Esta festa é para anunciar para todas as ex do Edwin, e também as que estavam concorrendo à vaga de ex, que ele ficou noivo. Uma recepção deste porte anuncia o quanto seu irmão está feliz com a moça que escolheu e conquistou. Que nenhuma outra apareça mais!

— Mãe!

— É isso mesmo! Adoro a Nanci! Ela é das minhas! Não merece ser importunada por ninguém. — Passado um tempo, comentou, sorrindo, ao olhar para a futura nora: — Que interessante! O seu irmão fez como o seu pai: precisou ir até o Brasil para conhecer a esposa. Quem disse que um raio não cai duas vezes no mesmo lugar?! — riu.

— A Nanci está linda!

— Sim. Está mesmo. Seus olhos são bem expressivos e

apareceram melhor sem os óculos e após a cirurgia. E depois que emagreceu um pouco, ficou mais bonita. Agora vamos!

— Onde?! — quis saber Olívia.

— Ajudar a Nanci a trocar o segundo vestido. Quero que ela fique ainda mais linda na hora do noivado!

A festa foi incrivelmente maravilhosa. Digna de um conto de fadas. Edwin e Nanci estavam imensamente felizes e anunciaram o casamento para depois de três meses.

Nos dias que se seguiram, Belinda concordou que Nanci ficasse morando com Maria Cândida para cuidar dos preparativos do casamento. Afinal, a filha continuaria morando na Europa, em Londres, após se casar.

Depois de muita insistência da amiga, ela aceitou passar o Natal e o ano-novo em Paris. O que deixou Danielle bem satisfeita.

* * *

Nos primeiros dias do mês de janeiro, Belinda planejava retornar para o Brasil, mas William, que freqüentava muito a casa de Maria Cândida, procurou por Danielle com uma novidade.

— Eu falei com o senhor Oscar antes de vir conversar com você. — Ela aguardou séria e ele informou: — Há uma vaga na Companhia, na área de computação, para alguém com conhecimento e prática em *Web Designer*. O que você acha?

— É um convite?

— Lógico!

— Eu não sei. Você me pegou de surpresa. Estou desatualizada.

— Esse é o menor problema. Se quiser, terá um período de adaptação.

— Mas terei de morar aqui em Paris.

— Sim, terá — sorriu.

— E minha mãe?

— Ela também pode morar aqui, Dani. Ou...

— Eu não sei. Ela não aceitaria se mudar para cá.

— Danielle, pense bem. Você é jovem e tem de continuar a viver. Pelo que me contou, não fez nada por você mesma nos últimos dezesseis meses. Acredito que não deva continuar assim. Sua mãe também. Ela ficou reclusa, em casa, esse tempo todo. Precisam dar um rumo a suas vidas!

— Não é fácil, Will.

— Eu sei. Sei exatamente o que é isso. Mas é preciso. Em algum momento terá de recomeçar. Que seja agora. Aproveite a chance.

— Preciso falar com ela. Se não se importar...

— Eu aguardo uma resposta. Vá lá.

Danielle ficou preocupada. Aquela oportunidade lhe interessou muito, mas Belinda não ficou satisfeita com o convite.

— Eu posso cuidar dela! Vou tratar a Dani como minha filha! — afirmou Maria Cândida contente com a idéia. Aliás, ninguém a viu tão animada, nos últimos meses, como naquele momento.

— Vou ficar sozinha, Maria Cândida.

— Fique aqui, Belinda. Lugar não falta. — Moravam em uma enorme mansão do estilo renascentista. Com doze suítes só na parte de cima. — Fique, por você e por sua filha!

Olha como essa menina está magra, abatida. Ela já sofreu muito! Perdeu a filhinha, o marido, o pai... A Danielle precisa voltar a viver.

— Eu sei. É por isso que vou respeitar a vontade da Dani. Se ela quiser o emprego e morar aqui. Não vou me opor. Mas não vou ficar. Minha filha precisa reconstruir sua vida, e eu quero voltar para minha casa.

Maria Cândida não se conformou com a idéia e insistiu muito com a amiga. Porém não adiantou.

Danielle aceitou o convite com a condição de arrumar um apartamento perto do centro de Paris para morar sozinha. Não gostaria de ficar dependente dos cuidados da amiga de sua mãe.

Belinda retornou ao Brasil e, com o passar dos dias, seu filho Kléber, a esposa e os netos, aceitaram morar com ela na mansão.

Em pouco tempo, Danielle se instalou em um lugar, como queria. Adaptou-se bem ao trabalho e se familiarizava aos poucos com os costumes e a Cidade Luz.

Olívia adorava sua amizade e a ajudava em muitas coisas. Sempre estavam juntas.

No apartamento alugado por Danielle, tudo era novo e havia muitas caixas ainda para abrir. Ela e Olívia riam de alguma coisa em meio às almofadas sobre o chão coberto por um denso tapete.

— Pensei que eu soubesse falar francês bem — ria Danielle de algo muito engraçado que não ousava repetir.

— Não foi problema com o idioma. Foi a forma como se expressou! — ria Olívia. — Isso acontece. — Alguns segundos e lembrou: — Sabe, é preciso que conheça bem a capital para se virar melhor. Paris é fabulosa!

— Sabe que nunca visitei um museu em Paris.

— Não acredito!

— Pode crer. Enquanto meus pais iam a um, eu adorava andar às margens do Sena.

— Vai amar os museus daqui. Tenho certeza. Mas não deixe de conhecer e explorar as diferentes *quartiers*, os bairros. Não é à toa que os parisienses chamam esta cidade de *Cidade das cem vilas*. Cada uma tem um encanto, um mistério, um gosto, uma história e muitos locais magníficos e curiosos.

— Vim aqui várias vezes, mas há muito tempo. Não me interessava por essas coisas. Agora vejo a cidade com outros olhos. Quero vasculhar tudo aqui.

A campainha tocou e Danielle disse, levantando-se:

— Eu atendo. Deve ser o Will com alguma coisa para nós comermos. Tomara! — Ao abrir a porta larga e alta, viu o amigo com o rosto oculto pelos pacotes que segurava, brincando de se esconder atrás deles. — Que bom que chegou! Estávamos morrendo de fome! — disse enquanto o ajudava.

William trazia, alçada em seu braço, uma sacola plástica bem grande com uma caixa embrulhada.

Na mesinha baixa da grande sala de estar, Danielle colocava as compras, quando ele se aproximou, tirou o embrulho da sacola e ofereceu-lhe.

— É para você! Um novo amigo para morar aqui!

— Amigo?! — Curiosa, começou a abria a caixa e exclamou: — Um ursinho! Ai, que lindo!

— Gostou?!

— Adorei, Will! Obrigada! — agradeceu ficando na ponta dos pés descalços para lhe dar um beijo no rosto. Em seguida, abraçou o ursinho contra o peito e admirou: — Que fofo! Amei! Vou lhe dar um nome! — Segurando-o e expressando um largo sorriso, enquanto o olhava, falou: — Raul! Vou chamá-lo de Raul.

— Aaaah, não! — exclamaram Olívia e William ao mesmo tempo. Depois se entreolharam surpresos.

— Não?! Por quê?!

— Desculpe-me. Não queria me meter — disse Olívia com fala delicada e mansa. — O nome não é legal.

— É o nome do meu marido — retrucou a outra com jeito simples.

— Do seu ex-marido — tornou a amiga com modos gentis e educados. — Por isso mesmo. É um nome especial para aquela pessoa que amou.

— O que me diz, Will?

— Concordo com a Olívia. — Para não vê-la triste, sugeriu: — Não tenha pressa. Durma com ele esta noite e amanhã cedo pensará em um lindo nome.

— Não tenho onde dormir! — riu gostoso. — Não vieram montar a cama!

— Pobre menina rica! — exclamou Olívia que encontrava em tudo motivo para rir e brincar.

— Entregaram o colchão? — quis saber o outro.

— Sim. Entregaram.

— Então está resolvido: durma no colchão, no chão! — Em seguida, comentou: — Eu trouxe vinho.

— Ótimo! — tornou Olívia, levantando-se e procurando taças para servir a bebida.

— Eu estava comentando com a Olívia que nunca fui a um museu em Paris. Acredita?!

— Vai adorar. Lembre-se de comprar o passe para ir ao museu. Assim não vai pegar fila — avisou o amigo.

— Onde?! — interessou-se Danielle.

— Na *Rue dês Pyramides*, 25, no Escritório de Turismo de Paris ou, então, pela internet. É fácil. Em alguns museus, a entrada é gratuita para menores de dezoito anos. Em outros, oferecem desconto para os que têm entre dezoito e vinte e cinco anos.

— Obrigada! — riu. — Não me encaixo em nenhuma das ofertas. E você, Olívia?

— Eu o quê?! Do que estão falando mesmo? Da bolsa de valores? — perguntou, caindo na gargalhada.

— Por que as mulheres têm problemas com a idade? — perguntou o rapaz em tom irônico.

— Não temos problemas com a idade, por isso não conversamos sobre ela. — retrucou Olívia.

— Eu tenho trinta e cinco. Quantos anos você tem? — tornou ele, insistindo no assunto, para vê-la irritada. Sabia que a amiga não gostava daquele tipo de conversa.

— Não seja indiscreto e deselegante, *sir* William Phillies! Não vou lhe dizer! Sirva o vinho! — exigiu Olívia fazendo de contas que estava zangada.

— Vou perguntar para sua mãe! — revidou com jeito travesso.

— Eu vou fazer vinte e nove — revelou Danielle.

— Que horror!!! Uma mulher anunciando a idade!!! — exagerou a amiga. — Se é capaz de dizer sua idade, é capaz de fazer qualquer coisa na vida!

— Você deve ter a idade do meu irmão, o Kléber. Ou é um ano mais velha que ele?

— Por favor, Danielle! Dá para mudar de assunto?! — Realmente aquela conversa incomodava Olívia, que agora estava séria.

— Experimente esse queijo *Pont l'évêque*. O sabor é simplesmente divino! — ofereceu William.

— Uaaauh! Que delícia! — tornou Olívia, provavelmente, para mudar de assunto. — Adoro queijos! Onde comprou?

— Esse, não comprei agora, trouxe do meu apartamento. Acho que o comprei perto do *Restaurant Bonfinger*, na *rue de la Bastille*. Sabe... Você dá a volta e dá de cara com o mercado no *boulevard Richard Lenoir*. Acho que foi lá.

— Sei onde fica.

— O que vocês vão fazer amanhã? — quis saber Danielle.

— Vamos até a *Place du Terte*? Você vai adorar os restaurantes de lá! — propôs William, animado. — O *La Mere Catherine* é um restaurante incrivelmente original. Lá cunharam a palavra bistrô, sabe por quê?

— Não — afirmou Danielle. — Conheço bistrô como significado de restaurante aconchegante.

— Mas o significado original não é esse. Logo após as Guerras Napoleônicas, os soldados russos iam até esse restaurante e, após pedir a comida, gritavam: *Bistrot*! *Bistrot*! — arremedou. — E, *bistrot*, em russo, significa *Depressa! Depressa!* Então começaram a chamar esse tipo de restaurante de Bistrô.

Danielle riu da forma como o amigo falava e comentou, com jeito engraçado, sobre o mal entendido:

— Quando perguntei o que iam fazer amanhã, quis saber se poderiam me ajudar com a mudança!

Olívia gargalhou e comentou:

— Hoje ela não está sabendo perguntar nada! Você não imagina o que a Dani fez o pobrezinho do senhoril da zeladoria entender quando perguntou se os homens dela chegaram com a mudança aqui no prédio.

— Pare, Olívia! Não vai contar!

— "Os seus homens vão mudar para cá?!" — disse a outra engrossando a voz para imitar o senhor. — "Sim! Devem ser vários! Eu nem sei quantos virão!" — tornou arremedando a amiga. — "Mas quantos homens vão mudar?!" — novamente imitou o senhor. — "Eu não sei... Mas qualquer homem, com caixas, que o senhor vir por aqui, mande para o 6º andar!" — gargalhou com gosto, jogando-se sobre as almofadas. — Na hora foi muito engraçado! Você precisava ver a cara do senhorzinho!

— Foi por isso que o senhor, lá em baixo, ficou me olhando de modo estranho, com olhos arregalados quando eu o cumprimentei. O pior foi que, por vê-lo surpreso, eu avisei: vou para o 6º andar. Minha amiga está morando aqui. Agora entendi o que o homem está pensando.

— Foi o senhorzinho que entendeu errado! — exclamou Danielle pretendendo se defender. — Eu não perguntei se os meus homens tinham chegado com a mudança. Perguntei se os homens tinham chegado com a minha mudança!

Não adiantava tentar se explicar. Os amigos riam, sem lhe dar atenção. Queriam rir e se divertir com a história.

Foram interrompidos pelo celular de William que tocou.

Ele se levantou e foi atender em uma sala ao lado. Enquanto isso, mais séria, a amiga comentou:

— Nossa, Olívia! Fazia tempo que não ria assim!

— Você sabe que outro dia, em Milão, estávamos em um restaurante e eu me enrolei com o italiano... Menina, se não fosse o Guilherme...

— O que aconteceu?

— Nem ouso contar! — riu.

— E você e o Guilherme? — interessou-se Danielle.

— Ah... O que tem? — perguntou com jeito dengoso.

— Como estão? Vocês não assumem um romance, não falam nada e não se largam!

— A gente se curte bastante. Eu estou sempre viajando. Você sabe. Nos vemos quando dá. — sorriu, fazendo charme. — Bem... Mudando de assunto, quando você vai às compras no Carrousel?

— Carrousel?!... — tornou Danielle.

— É. O shopping subterrâneo que fica na entrada do Louvre. Vai encontrar coisinhas muito legais para rechear este apartamento! Quando for lá, quero ir junto.

— Podemos combinar, mas só depois que eu colocar tudo em ordem.

Vendo-a se servir com mais vinho, Olívia comentou:

— Vai devagar. Come alguma coisa. Sabe... Uma vez fui ao Lê Fumoir, que fica entre o Louvre e a Igreja Saint Germain, o lugar é uma delícia para drinque ou jantar. Fiquei no bar e pedi um *sing song*, bebida à base de vodca. Adorei! Não sei o quanto bebi. Quando levantei... Ainda bem que eu estava com umas amigas no *happy hour*. Elas precisaram me levar para casa. Fiquei terrivelmente embriagada. Que vexame! – riu. – Nunca mais!

– Foi tão ruim assim?

– Horrível! Nunca tinha ficado daquele jeito. Aprendi. Não importa onde eu esteja nem com quem. Fico esperta quando tem bebida alcoólica no meio do assunto.

– Nunca me embriaguei. Não costumo beber. É raro. Quando bebo, no máximo, tomo uma taça de vinho e já me sinto muito zonza. Falo demais – riu.

Mudando de assunto, a outra comentou:

– Minha mãe está muito triste por você não querer ficar lá em casa. Desde quando foi morar lá, ela ganhou vida.

– Eu precisava assumir minha vida. Recomeçar... Todos vocês têm me ajudado muito. Não sei como agradecer.

– Sei disso e lhe dou o maior apoio. Gostamos muito de você! Parece que a conheço há anos! É como se fosse minha irmã. Sabe... Nunca me dei muito bem com a Desirée. Aliás, parece que ninguém se dava muito bem com ela. Éramos muito diferentes.

– Eu a conheci pouco.

– Minha mãe se sente muito culpada pelo que aconteceu. Ela e o Will se culpam muito. Eles ficaram muito mal pelo remorso que sentiram.

– Ficaram mal?!

– Você nem sabe. O Will está se recuperando agora. Mesmo assim... Desde que tudo aconteceu, nunca o vi desse jeito, como está hoje: alegre, brincando e conversando. Ele ficou muito pra baixo. Após levá-la ao Brasil, quando voltou, quis deixar a empresa. Trancou-se, no outro apartamento em que morava, por mais de dois meses. Pensei que ele nunca fosse se recuperar. Ia visitá-lo e o Will quase não conversava, não fazia a barba, não se arrumava. O pouco que conversamos ele falou que ligou para você, poucas vezes, para saber como estava após a morte do seu pai. Depois disse que não ligou mais, pois não retornava às ligações dele. De tanto eu e meu pai insistirmos, o Will voltou à empresa. Só depois que o meu tio morreu e meu pai o nomeou vice-presidente, ele se animou um pouco. Mesmo assim... Agora é que o vejo mais normal. Minha mãe ainda tem as crises depressivas, mas está melhorando. Principalmente depois que você veio para cá.

— Por que se sentiram culpados? — insistiu Danielle.

— Dias antes de 11 de setembro, o Will, não suportando mais o gênio da minha irmã, disse que iria se separar. Ela era muito ciumenta e não se ocupava com nada. Desirée era terrível com ele. Extremamente exigente. Ele ia se divorciar mesmo.

— Sério?! Ele comentou comigo, mas não acreditei.

— Foi isso o que nos afirmou. Então, lá em Nova Iorque, minha mãe aconselhou a Desirée a se ocupar, trabalhar, investir em si mesma para reconquistar o marido. Daí, ela falou com o tio Matt e naquela manhã foi para o escritório dele em uma das Torres Gêmeas, a fim de arrumar uma ocupação. E tudo aconteceu.

— Eu estava muito atordoada na época. Lembro que vi uma cena horrível de ciúme da Desirée comigo. Nossa!... Fiquei tão mal por isso! Eu já estava péssima. Soube, então, por sua tia, que ela reagia daquele jeito porque ele disse que iria se separar. Mas eu não sabia que ela tinha ido ao World Trade Center porque sua mãe aconselhou e o Will reclamou.

— Os dois ficaram péssimos por isso. — Após segundos, comentou: — Referindo-se a você, minha mãe sempre diz que Deus lhe tirou uma filha, mas devolveu outra. Acho isso tão bonito!

— Filha, mesmo, será a Nanci — expressou-se, sorrindo. — Daqui a quinze dias o casamento será oficializado!

— Quando sua mãe vem pra cá?

— Acho que na próxima semana — alegrou-se.

— Desculpe-me pela demora, meninas! — exclamou William, aproximando-se. — De quem estavam falando mal? Sim, pois quando duas mulheres conversam muito, falam mal de alguém — brincou.

— Falávamos da sua secretária! — riu Olívia, disfarçando.

— O que tem a Charlaine? — tornou ele.

— Nossa, Will! Você deveria proibi-la de usar tanto perfume! É doce demais e tão forte!

— É mesmo! Nossa! — disse Danielle, concordando. — Põe forte e doce nisso!

— Também acho — opinou ele. — Sabe, quando ela usa o meu telefone, é horrível. Fica impregnado. Semana passada eu dei uma reclamadinha. Pelo menos, até agora, ela não usou mais o aparelho. Porém ainda toma banho de perfume.

— Repararam que até o elevador fica com o cheiro do perfume quando ela sai? — perguntou Danielle.

— Outro dia, peguei o elevador e estava com o cheiro da Charlaine. Quando desci, não deu outra! Lá estava ela no mesmo andar! — tornou Olívia.

— Já percebi isso. Não gosto de aroma tão forte assim.

— Você gosta mesmo é do meu perfume, *sir* William Phillies! — riu a amiga, brincando.

— Não, Olívia. O seu não faz o meu gênero. Prefiro o da Dani. É bem suave, agradável. — Olívia disfarçou para que o amigo não a visse segurar o riso, enquanto Danielle sentiu-se corar. Ao perceber o que tinha dito, William atacou: — É bem provável que o Guilherme goste do seu perfume, Olívia! Mas... Mudando de assunto... Demorei ao telefone?

— Demorou mesmo — reclamou Olívia.

— Você nem imagina quem era! — brincou com ar de suspense.

— O Guilherme?! — interessou-se ela ansiosa.

— Guilherme!!! — William e Danielle gritaram juntos, gargalhando.

— Olha só! A Olívia está se entregando! — ainda rindo, zombou a amiga.

— Parem com isso! Diga logo quem era — falou séria.

— O seu pai — tornou ele.

— Ah... Não!...

— Por quê?! — quis saber Danielle que não entendeu.

— Quando o meu pai liga é: serviço, serviço e mais serviço!

— Na mosca! Você acertou. Logo após o casamento do Edwin, vou para Nova Iorque!

— Sério?! — perguntou Danielle mais séria.

— Seríssimo.

Danielle não pareceu satisfeita. Incomodou-se com a notícia, porém não disse nada. A amiga se levantou, colocou a taça sobre a mesinha e falou:

— Gente... A conversa foi boa!... O vinho delicioso!... O queijo maravilhoso!... Só que tenho de ir.

— Nem comemos o resto das coisas que eu trouxe.

— Obrigado, Will! Estou satisfeita! Preciso levantar cedo — tornou Olívia.

— Acho que ela vai para Milão. E acho que sei com quem!

— Sua boba! Quando vou para Milão, gosto de ficar por lá, pelo menos, dois dias. Vou para Saint-Louis-l'es-Bitche. Ele está lá!

— Uhhhh! — brincou a outra.

— Vamos. Posso lhe dar uma carona — propôs William.

— Não. O meu carro está lá embaixo. Fique tranqüilo. Obrigada.

— Gente, eu preciso comprar um carro — lembrou Danielle.

— Primeiro precisa arrumar a carteira de habilitação para dirigir aqui — disse o amigo. — Enquanto isso, aconselho que compre uma bicicleta — riu.

Olívia os beijou, despediu-se e se foi.

— Bem... ela não quis os pães maravilhosos que eu trouxe. Olha só — ele disse, de joelhos, junto à mesinha, abrindo os pacotes.

— Que pão é esse?! — estranhou a outra.

— Baguetes com azeitonas. É uma delícia! — Olhando para a cara engraçada que Danielle fez, ele afirmou: — Eu gosto. E esse aqui... é um pão de centeio com canela, uvas passas... Aqui tem brioches perfumados com água de flor de laranjeira. E ainda tem *croissant*.

— Você gosta mesmo de pão, hein!

— Trouxe Calissons d'Aix! Esses docinhos são recheados com pasta de amêndoas. Parecem *marzipã.* — Olhando a taça dela e perguntou: — Quer mais vinho?

— Aceito! — Enquanto o via colocar o vinho, comentou: — Eu não deveria beber tanto. Acabei de dizer para a Olívia que não estou acostumada.

— *Fiume seccu 2005 Tinto do Domaine d'Alzipratu...* — dizia, rodeando a garrafa na mão.

— Ai! Pare de complicar! — reclamou, rindo. — É só dizer que o vinho é bom.

— Ele cai bem com queijos e carne de vitela. Trouxe outra garrafa. Está ali. — apontou sorrindo.

Alguns minutos de silêncio e Danielle o chamou:

— Will!...

— Fala — disse diante da pausa.

— Está sendo difícil para você? — quis saber com jeitinho.

Ele estava de joelhos. Após servi-la com um pedaço de pão, sentou-se no chão a sua frente, suspirou fundo e afirmou bem sério:

— Está. Depois de tudo... Você não imagina como foi voltar para casa... Voltar para Nova Iorque...

— Voltou para Nova Iorque logo em seguida?

— Não. Foi antes do noivado da sua irmã. Fui a serviço como sempre.

— Ficou no apartamento da dona Maria Elvira?

— Não. Isso seria muito para mim. — Breve pausa e contou: — Estávamos prestes a nos divorciar, você sabe. Como fui eu quem pediu a separação, acusando-a de inútil, me senti péssimo. Por minha causa ela saiu, naquela manhã, à procura de algo para se ocupar.

— Sabe... São nesses últimos dias que estou me sentindo um pouco melhor.

— Eu também. Tem dia que ainda fico muito para baixo e...

— Posso ser indiscreta?

— Pergunte. Porém isso me dá o direito de fazer o mesmo — sorriu para quebrar a seriedade.

— Você teve outra ou se interessou por alguém?

— Não. — Olhou-a nos olhos e afirmou com convicção: — Até hoje, não.

— Eu nunca pensei em outro. Parece que minha vida nunca mais será a mesma. Amo tanto o Raul. Sinto tanta falta dele... Da nossa filhinha que... — sua voz embargou. — Desculpe-me, Will. Não quero chateá-lo com esse assunto tão desgastante.

— Pode falar. Às vezes, eu também necessito desabafar um pouco. Quero falar e falar a respeito... Porém me reprimo. Sei o que é essa necessidade de desabafar. — Vendo-a em silêncio, com olhar baixo, comentou: — O seu caso é bem diferente. Você e o Raul se amavam muito. Ele estava bem doente e você fez tudo o que podia. Ficou com ele até o final.

— Não há um momento em que não me lembro dele — falou sentida.

— Você nunca pensou em tirar essa aliança?

— Não. — Lágrimas correram em sua face alva. Ela secou com a mão e tentou disfarçar. — Foi tudo o que me restou dele. De todo o resto eu me desfiz, para ver se a dor passava. Eu queria, pelo menos, ter comigo nossa filha...

William sentou-se perto e a puxou para junto de si. Acariciando-lhe o braço, revelou amargurado:

— Sinto uma angústia e um remorso imenso por não pensar assim como você. Sinto falta dela e a queria viva. Mas não comigo. Ao mesmo tempo... Reclamei tanto por ela ser exigente e acabei exigindo que se ocupasse e por isso ela morreu. Eu me odeio pelo que fiz. É um sentimento de culpa tão grande. Você não imagina.

Danielle se afastou do abraço e secou o rosto com as mãos. Suspirou fundo e pediu lhe estendendo a taça:

— Quero mais vinho!

— Dani, cuidado! Você não está acostumada a beber — falou e sorriu.

— É só hoje. Vamos brindar ao meu novo lar. Vai!

Diante da insistência, William a serviu.

Fizeram um brinde ao novo apartamento. Depois conversaram muito e comeram pão, queijo e outras coisas que ele trouxe. Até beberam a segunda garrafa de vinho.

11

Um novo lar

Assim que desencarnou, Desirée, diferente de Raul, entrou em um estado de perturbação muito grande. Ao despertar, na espiritualidade, não entendia o que lhe tinha acontecido. Às vezes, sentia-se extremamente cansada, esvaída de forças e caia em uma espécie de sono. Em outros momentos, ficava mais alerta, mas não tinha idéia do que fazer. Lembrou-se de sua mãe e se atraiu para junto dela. Só então descobriu que havia desencarnado.

Desirée chorou, gritou, berrou, porém nada revertia sua condição. Ela não elevava os pensamentos a Deus, conforme sempre lhe ensinou a mãe. Apenas sabia exigir seu direito de viver bem, de estar encarnada, o que não podia.

À medida que conseguiu entender o seu estado, começou a culpar sua mãe e William por ter desencarnado. Acreditava que, se não fosse por insistência dos dois, não teria morrido. Revoltou-se incrivelmente. Acusando-os, brigando e xingando como se eles pudessem ouvi-la. Permaneceu bastante tempo perto de Maria Cândida, que se deprimiu demais, chegando a ficar de cama. Depois junto de William, que também se entristecia e se culpava por tudo, imaginando o sofrimento dela.

Desirée não era diferente da época em que se achava encarnada. Aliás, parecia bem pior. Ao compreender que seu ex-marido era muito sensível e se comovia quando ela estava próxima, passou a acompanhá-lo mais, deixando sua mãe que, após isso, recuperou-se rápido do estado deprimido.

Desde a festa de noivado de Edwin, o espírito Desirée estava demasiadamente revoltado e odioso. Não se conformava em ver a amizade entre William e Danielle. Tudo se agravou assim que seu pai, por indicação de seu ex-marido, concordou em contratar a moça para trabalhar na empresa e morar em Paris. Detestou quando seus irmãos, Edwin e Olívia, deram-se bem com Danielle, passando a tratá-la igual a alguém da família, uma irmã.

Nos últimos dois meses e meio, todos pareciam esquecer de Desirée e dar mais atenção à nova hospede, que irradiava generosidade e, muitas vezes, fazia rir os que a observavam por suas pequenas e curiosas gafes culturais ou sutil dificuldade com o idioma.

Nesse tempo, começou a se aproximar da moça. Não a suportando ver próxima de William, procurava um meio de prejudicá-la.

Quanto a Raul, este havia sido envolvido por amorosos irmãos espirituais, que o acompanhavam, no dia de seu desencarne. No momento em que Danielle foi retirada do quarto, seu desligamento do corpo físico se iniciou. Quando anunciado seu óbito, o espírito Raul já estava a caminho de uma colônia espiritual. Passou cerca de dois meses se recompondo. Depois, desperto, viu-se livre das angústias dolorosas vividas nos últimos meses com a doença que experimentou. Sentia saudade da ex-esposa. Muitas vezes recebia seus pensamentos e ficava triste por saber que ela sofria com sua ausência. Mas era orientado para orar, recompor-se e não perder o controle, ou isso lhe seria muito prejudicial, podendo atraí-lo para a crosta terrestre.

Nos últimos meses, após Danielle recomeçar a vida e a se ocupar com funções mais úteis, Raul passou a experimentar imenso alívio e agradável sensação por receber energias saudáveis de seus pensamentos e orações.

* * *

As cortinas não tinham sido colocadas no novo apartamento, por isso o sol invadia-o através da grande vidraça da sala. Devido à forte claridade em seu rosto, Danielle despertou. Remexeu-se um pouco e sentiu a cabeça pesada, doendo muito. Experimentando algo quente em suas costas, virou-se e viu as costas de William, que dormia profundamente ao seu lado.

— Ai... Meu Deus! Minha cabeça!... — resmungou baixinho, sentando-se no chão, pois era ali que haviam dormido.

William acordou, virou-se, olhou para ela e sorriu ao cumprimentá-la:

— Bom dia.

— Bom dia... O que aconteceu para eu ficar assim? O que eu fiz?... O que nós fizemos?... — murmurou, segurando a cabeça com as duas mãos.

— Nós?! Nós não fizemos nada. Você bebeu a segunda garrafa de vinho, praticamente, sozinha. Além do que havia bebido antes. Que deve ter sido meia garrafa. Para quem não está acostumada... — riu. — Conversamos muito, falamos sobre muitas coisas. — Com jeito maroto, sorriu e comentou: — Acho que eu sei de toda a sua vida.

— Will... Não brinca...

— Não estou brincando. Eu disse para você não beber. Tirei a garrafa da sua mão, mas brigou comigo. Lembra?

— Não. Não me lembro de nada. Não devia ter me deixado fazer isso. Não confio mais em você — falava baixo, como se a própria voz a incomodasse muito.

Ela engatinhou até a parede onde se apoiou para se levantar. Em pé, cambaleou para ir até a cozinha. William se ergueu rápido para auxiliá-la. Sentiu um grande arrependimento por vê-la daquele jeito e aconselhou:

— Tome um banho que isso passa. Tem algum analgésico?

— Na minha bolsa...

Ele a deixou quieta e de cabeça baixa, segurando-se em um balcão que dividia os ambientes. Foi até a cozinha, pegou a bolsa e a entregou à amiga. Ela remexeu e não conseguiu achar.

— Posso? — pediu. Danielle concordou. William encontrou o remédio, pegou um copo com água e lhe ofereceu, dizendo: — Toma. Daqui a pouco vai se sentir melhor. — Vendo-a sentada em uma banqueta, após engolir o comprimido, decidiu: — Vou preparar seu banho. Não saia daí.

Ao retornar, ela estava novamente deitada no chão sobre o tapete da sala.

William afagou-lhe as costas, afastou os cabelos de seu rosto e a chamou:

— Dani, seu banho está pronto.

— Que banho? — sussurrou sem tentar abrir os olhos.

— A banheira já está cheia.

— Eu quero a minha mãe... Que horrível... Nunca, nunca senti isso...

Ele a ajudou a se sentar e depois se levantar. Levou-a até o grande banheiro da suíte e pediu:

— Tome um banho. Vai se sentir melhor. Deixei a água um pouquinho fria. Isso vai lhe ajudar.

A moça se sentou na borda da banheira e segurou a cabeça com as mãos.

— Dani! É sério! Vai logo! Quanto mais demorar, pior. Vou fazer um café. Fazer, não. Não tem nada aqui. Vou até lá em baixo comprar um café para nós, tá?!

— Will... Estou tão mal... — murmurou.

— Quer que eu a ajude?

— Não! — respondeu rápido e de um jeito engraçado.

— Então está esperta, hein! Vejo que não está tão mal assim! — riu. — Vou sair e volto logo. Cuidado para não cair.

Mesmo preocupado, ele foi comprar o desjejum, enquanto Danielle mergulhou na banheira.

Mais de uma hora depois, o rapaz estava inquieto com a demora e decidiu chamá-la à porta do banheiro.

— Dani? Tudo bem aí?

— Preciso da sua ajuda.

— Posso entrar?

— Não!

— Como quer que eu a ajude?

— Procurando toalhas de banho ou um roupão. Deve encontrar em uma das caixas.

— Está brincando?! Em qual caixa?!

— Ah, Will!... Você entendeu o problema. Por isso preciso de ajuda.

Após longo tempo, ele abriu a porta do banheiro e colocou o que encontrou sobre a bancada da pia e se retirou.

Não demorou muito e Danielle saiu vestida com o roupão. Trazia os cabelos enrolados e presos com uma toalha no alto da cabeça.

— Nunca mais quero beber na minha vida!

— Melhorou?

— Estou melhorando.

— Desculpe-me por tê-la deixado beber tanto — disse sinceramente arrependido.

— Você não deve se desculpar. Já sou bem grandinha. Eu deveria saber me controlar.

— Eu trouxe café e crepe.

— Só café. Obrigada — agradeceu, sentando-se ao seu lado na banqueta frente ao balcão. — Eu tinha tantos planos para hoje.

— Vamos dar uma volta depois?

— Tenho muitas coisas para pôr no lugar. Minha cabeça ainda dói.

— Indisposta não conseguirá fazer nada. O ar fresco, uma caminhada vai lhe fazer bem. Vamos. Deixo o meu carro aí embaixo e vamos andar.

Danielle o fitou desanimada, mesmo assim, acenou positivamente com a cabeça, aceitando o convite.

* * *

Uma hora depois, enquanto eles andavam vagarosamente às margens do rio Sena, ela comentou:

— Sempre adorei caminhar por aqui. Quando vínhamos a Paris, nunca ia a museus por gostar de caminhar às margens do rio. É tão gostoso.

— A cidade de Paris foi fundada a partir daquela ilha no rio Sena. — apontou. — Sabia?

— Não.

— Arqueólogos descobriram que membros de uma tribo Gauleusa, os celtas, foram os primeiros a ocuparem a *Île de la Cité* — Ilha de Cité — no meio do rio Sena. Eles eram chamados de *parisii* — os parísios — que mais tarde dariam nome a cidade. Os celtas eram construtores de barcos e ótimos navegadores. Durante o Império Romano, Paris foi dominada e seus conquistadores a rebatizaram de Lutécia, cujo significado é: nascida das águas. Isso foi por volta de cinqüenta e dois anos antes de Cristo.

— Nossa! — admirou-se ela.

— Depois a cidade se desenvolveu fora da ilha de Cité, às margens do Sena. Com as invasões bárbaras do século III, da Era Cristã, a população recolheu-se novamente para a ilha.

— E depois? — quis saber diante da pausa.

Vendo seu interesse, William sorriu e continuou:

— No início do século IV o nome Paris, oriundo de *parisii*, foi adotado. Duzentos anos depois, os francos sálios apropriaram-se da cidade e Clóvis a fez capital do reino. Por volta de 1180, no reinado de Filipe Augusto, Paris chegou ao auge de seu crescimento e teve grandes melhorias. No século XIV, a Guerra dos Cem Anos, a peste negra e os excessos de protestos do povo acabaram com a população e com o desenvolvimento da cidade. Paris ficou acabada. Por volta de 1530, durante o Renascimento, Francisco I adotou Paris como capital do reino. O que fez com que a cidade crescesse novamente. Mas as crises econômicas e as guerras, por causa da religião, deixaram Paris abalada e insegura. Por isso Luís XIV mudou a corte para Versalhes. Na Revolução Francesa, a cidade tornou a ficar forte e no século XIX, com a Era Industrial e a iluminação elétrica noturna, não teve para mais ninguém. Porém, no século XX, Paris suportou as duas Guerras Mundiais e a ocupação alemã sem grandes danos. Agora Paris é, simplesmente, Paris!

— Uaaauh! Tenho um guia turístico! Que memória, hein! Você é muito bom com datas!

— Tenho de ser. Trabalho com números. Esqueceu?

Ela sorriu, depois perguntou:

— Esses celtas, eram quem?

— Era um povo, uma civilização calcasiana que se espalhou pela Europa, principalmente na Grã-Bretanha, França, Espanha, Irlanda e parte da Itália, Áustria, Alemanha, Grécia até o Egito, e alguns outros lugares. Eles possuíam sua própria língua e dialeto, cultura, seita, costumes, confecções de armas e fabricavam um tipo de espada muito afiada, pois também confeccionavam armas de ferro. Tinham amuletos, adornos, arte decorativa, cerâmica e usavam geometria. Na religião, tinham dogmas, ritos, celebravam as forças da natureza, faziam magia e adivinhações. Há registros deles com mais de 2.000 anos antes de Cristo. Esse povo desapareceu ou se misturou.

Só se encontram registros escritos sobre a cultura celta com os gregos e os latinos, pois os antigos celtas não conheciam nem desenvolveram a escrita. Foi na Irlanda, muito tempo depois, que alguns utilizaram o alfabeto latino e apareceu a primeira língua céltica com expressão escrita, o gaélico.

— Puxa! O que você é? Um historiador?! Um arqueólogo?!

— Não. Adoro museus! — riu. Em seguida, explicou: — Sabe, acho linda a história desta cidade. Quando algo ruim acontece em minha vida, eu me lembro da história de Paris. Esta cidade se ergueu e foi destruída várias vezes. Teve conquistadores, governantes, pestes, guerras... No entanto, sobreviveu a tudo e é maravilhosamente a Paris que vemos hoje. Quando algo me acontece e fico destruído de alguma forma, penso que é para eu me reerguer melhor, para eu me iluminar como a Cidade Luz.

— Você disse uma coisa tão bonita! Tão profunda! Algo ruim é para se reerguer e se iluminar. Nunca tinha pensado assim.

— E a dor de cabeça, passou?

— Passou. Estou envergonhada. Nunca bebi desse jeito. A Olívia me contou, ontem mesmo, que havia bebido tanto, em certa ocasião, que ficou esperta com a bebida. Não abusa mais. Parecia que aquilo era um conselho, um recado e eu não o ouvi. — Breve pausa. Pararam um pouco e Danielle tirou os óculos escuros, olhou as águas do rio que tremeluziam pela luz radiante do sol. Olhando para o amigo, perguntou devagar, com jeitinho tímido, por causa de uma sutil lembrança: — Eu fiz ou disse algo de que possa me arrepender?

William sorriu com generosidade e respondeu:

— Só falamos demais sobre muitas coisas. Desabafamos muito.

— E... Como foi que decidiu... Como resolveu dormir lá? — tornou constrangida.

— Você me pediu para ficar. Não se lembra?

— Não. Eu pedi mesmo?

— A verdade é que não me pediu, implorou para que eu ficasse — tornou bem sério.

— Ai, meu Deus!... Que vexame!

— Foi engraçado. Mas... Não se lembra mesmo?

— Não.

— Tem certeza? Não se lembra de nada? — ele insistiu, olhando-a firme.

— Não. Eu deveria? — O amigo nada disse, e ela argumentou: — Você está pensando horrores de mim. Nunca senti tanta vergonha.

— Não estou pensando nada. Pare com isso. — Sorriu, puxando-a pela mão para que continuassem caminhando. — Fiquei preocupado e arrependido por tê-la deixado beber mais, quando percebi que já tinha bebido o suficiente. É que estávamos conversando... Relembramos tanta coisa do passado... Você até me convenceu a visitar a minha mãe antes de eu ir a Nova Iorque de novo.

— Sua mãe?! Nós falamos da sua mãe?!

— Lógico! — sorriu engraçado.

— Eu nem sabia que você tinha mãe! Ai, que vergonha! — exclamou, inconformada consigo mesma.

— Tenho mãe, como já lhe disse. Ela mora em Londres junto com minha irmã.

— Você tem irmã também?! — assustou-se por não se lembrar de absolutamente nada.

William gargalhou gostoso e respondeu em meio ao riso:

— Tenho. Tenho uma irmã e um irmão. Ele e a esposa, com dois filhos, são donos de um hotel. Longe da minha mãe, vivem muito bem.

— Por que diz isso? Ela é tão terrível assim?

— É. Posso lhe garantir — falou mais sério. — Minha irmã não desgruda da minha mãe. A Vitória, minha irmã, era casada e se divorciou porque nossa mãe se intrometeu, imensamente, em sua vida. Eu e o Phillip, meu irmão, a alertamos, mas não adiantou. O casamento do meu irmão só deu certo depois que eles se mudaram trinta quilômetros para longe de minha mãe.

— Nossa! Em sua vida ela não se mete?

— Tentou. Vivi um período terrível. Quando não era minha mãe, era a Desirée. Fiquei quase louco. Desabafei tanto sobre os meus problemas com a Olívia. Minha salvação era a dona Maria Cândida. Ela me aconselhava, tratava-me como filho, orientava a Desirée... Havia temporadas que o serviço exigia que eu viajasse muito. Esse era o período que tinha sossego. Eu contei tudo isso, ontem, para você — riu.

— Lembro que me falou sobre um apartamento em Londres. Ah! Disso me recordo! — alegrou-se. — Só não sei o que fez com ele. Se é que me contou.

— Contei — riu. — Tínhamos um apartamento em Londres e outro aqui em Paris. Quando a Desirée morreu, eu me desfiz dos dois e comprei outro aqui. Não quis mais outro em Londres. Não queria ficar onde moramos juntos. O meu apartamento é aqui perto. Vamos lá?

— Vamos. Estou morta de sede.

Ao chegarem, Danielle admirou o requinte, o espaço e a organização, além da admirável vista para o rio.

— Tome — disse ele, oferecendo-lhe um copo com água.

Ela aceitou e agradeceu. Em seguida, perguntou:

— Nós dois falamos muito sobre o que aconteceu em 2001, não foi? Disso eu me lembro... Um pouco.

— Foi extremamente marcante para nós dois, creio.

— Você passou por muita tensão, mesmo assim salvou minha vida.

— E você a minha. Eu estaria nas Torres Gêmeas se não tivesse de levá-la ao médico. — Ao retomar essa conversa, William não se sentiu bem e, na primeira oportunidade, pediu: — Você me daria licença, por um instante? Quero tomar um banho. Depois podemos sair e almoçar naquele restaurante de que lhe falei.

— Onde fica?

— Na Place du Tertre. Onde tem os artistas de rua, exposições de quadros e é repleta de turistas.

— Ah! Sei! Puxa vida! Estou aqui há quase três meses e ainda me perco.

— É assim mesmo. Deixe-me tomar um banho.

Após alguns minutos, o celular de William começou a tocar. Sem saber o que fazer, Danielle gritou para ele, próxima à porta do banheiro da suíte.

— Will, o seu celular está tocando!

— Atende, por favor!

Ao atender, ouviu:

— Dani?! Desculpe. Acho que liguei errado.

— Olívia?! — chamou antes que a outra desligasse.

— Sou eu. Estava ligando para o William, mas...

— É o celular dele. É que ele dormiu lá em casa, saímos para caminhar e viemos para o apartamento dele e...

— Desculpe tê-los interrompido.

Riu e desligou.

Danielle ficou concatenando as idéias e tomou um susto quando percebeu o que havia contado. Imediatamente, retornou a ligação para a outra. Assim que foi atendida, esclareceu:

— Olívia, não é nada disso que você está pensando!

— Dani, eu não disse nada — gargalhou em seguida.

— Mas está pensando que...

— Não se explique. Você não é boa quando tenta se justificar. Chama todos para almoçar quando, na verdade, quer que a ajudemos com a mudança... Diz que não sabe quantos homens vão morar com você...

— Pare com isso! Que coisa!

— Estou brincando, boba! Liguei para o Will porque amanhã faremos a primeira reunião para a possível negociação de fusão das companhias aéreas. Tudo será muito sigiloso. Ele sabe. Só estou reforçando para que não esqueça que amanhã o meu pai não vai. Ele é quem irá representá-lo. Deverá estar lá com pontualidade britânica! — brincou.

— Eu peço para ele ligar para você.

— Não precisa. Estou em Saint-Louis. Chego amanhã cedo, tá?

Com deliciosa vingança, Danielle revidou:

— Mande um beijo para o meu irmão — riu. — Diga

que estou com saudade. Não vou alongar a conversa para não incomodá-los.

Olívia simplesmente desligou sem se despedir.

William chegou e a amiga deu-lhe o recado. Logo que lhe contou o ocorrido, o rapaz falou:

— Amanhã ela não vai me dar sossego! Já estou vendo — riu. Ao virar-se novamente para Danielle, seu sorriso se fechou. Ele ficou paralisado, perplexo. Olhava-a firme.

— Will, o que foi? — perguntou em tom brando.

Ele sacudiu a cabeça e esfregou o rosto. Sentiu um arrepio percorrer-lhe todo o corpo. Procurou o sofá. Sentou-se, curvou-se e apoiou a cabeça nas mãos. Preocupada, ela acomodou-se ao seu lado, colocou-lhe a mão nas costas e perguntou:

— O que está sentindo?

O rapaz ergueu o tronco e a encarou. Sem demora, contou em tom grave:

— Não sei o que está acontecendo comigo. Estou preocupado.

— O que foi?

— Estou vendo coisas — murmurou ao confessar.

— O que você viu? — tornou ela preocupada.

— Eu... Eu olhei para você e... Eu vi a Desirée.

— Meu Deus! — exclamou, levantando-se rápido.

— Desculpe-me. Não deveria ter lhe contado. É que foi tão real. Fiquei impressionado. Estou arrepiado até agora.

— Eu também — disse, olhando-o com espanto.

— A dona Maria Cândida sempre veio com aquelas conversas sobre espíritos e...

— Você acredita? — ela quis saber.

— Nunca dei importância. Mas não desacredito.

— A Desirée veio, alguma vez aqui, neste apartamento?

— Não. Nunca. Comprei-o há um ano.

— Olha... Não dê importância a isso. Conversamos muito, ontem à noite, sobre ela, sobre o que aconteceu e você ficou impressionado.

— Deve ser isso. — Sorriu forçadamente e se levantou, convidando: — Vamos?!

— Vamos sim — animou-se.

Dali, foram almoçar. Bem no final da tarde, enquanto caminhavam novamente, William comentou:

— A exuberante Île St-Louis — Ilha de Saint-Louis — a outra ilha do Sena. Vamos sentar aqui? — perguntou diante do cais repleto de árvores e da velha ponte Marie.

Danielle não pensou duas vezes para aceitar o convite e se acomodou no chão. E ele contou:

— A Île St-Louis atrai muitos turistas por seu encanto, suas mansões históricas. É conhecida como Ilha Romântica. Os casais se encontram e se sentam às margens para conversar. — Vendo-a em silêncio, quis saber: — Está tão quieta. Estou falando muito?

— Não. Adoro ouvir você falar — expressou-se com sorriso e jeito delicado. — Fiquei um pouco quieta porque estou cansada. Andei muito hoje.

— Desculpe-me. É que estou acostumado a fazer este percurso a pé.

— Eu estava pensando no que aconteceu lá no seu apartamento. Sobre a visão que teve.

— Ficou preocupada?

— Gostaria de saber se você me viu e viu junto à imagem dela ou se pensou que eu fosse ela?

— Foi algo estranho. Não dá para explicar. Parece que o rosto dela estava sobre o seu. Tenho sonhado muito com ela nos últimos tempos. Só não me lembro o quê.

— Raramente sonho com o Raul. Se há um céu, um paraíso, ele deve estar lá.

William, sentado ao seu lado, olhou-a de modo indefinido, como se sua mente estivesse vazia. E Danielle perguntou:
— O que foi?

— Nada.

— Will, por que também foi contra eu dar o nome de Raul ao ursinho?

— Para você não sofrer mais. — Ao vê-la pensativa, mudou o assunto, animando-se: — Dani, quer ir comigo até Nova Iorque?!

— Assim?! De repente?!

— É — sorriu empolgado.

— E o meu trabalho?

— Você acha que eu não posso dar um jeito? — riu.

— O que o senhor Oscar não vai pensar?

— Em um curso. Podemos ver a possibilidade de você fazer um curso de aperfeiçoamento em *Web Designer* enquanto estiver lá.

— Não acha que...

— Quê?... — tornou ele animado.

— Vão pensar coisas a nosso respeito. E nós somos só grandes amigos. Não quero prejudicá-lo. Sei o quanto o senhor Oscar confia em você. Ele lhe deu o cargo de vice-presidente na empresa dele. É um cargo de confiança, que não deu ao George. Você o substitui em tudo, Will. Vejo-o mandar e desmandar na companhia aérea e o homem não fala nada.

— Não estou entendendo... Aonde quer chegar?

— Você está sendo ingênuo. Hoje mesmo a Olívia brincou, insinuando que atrapalhava o nosso romance ou coisa assim. Se viajarmos juntos, vão acreditar que temos algum caso.

— Eu a respeito muito, Danielle. Deve saber disso — falou sério.

— Eu sei. Somos grandes amigos, mas os outros não vão acreditar que há só amizade entre nós.

— Só amizade... — murmurou. Danielle não entendeu seu olhar, seu jeito, sua frase incompleta. — Temos alguns dias pela frente. Viajo após o casamento do Edwin. Podemos pensar até lá. Apenas quero saber: você iria comigo?

— Eu gostaria muito — sorriu de modo gentil.

— Então deixa comigo! — expressou-se alegre.

Danielle começou a comentar algo sobre o serviço, com o qual estava muito empolgada, quando, de repente...

— O meu sapato!!!

O rapaz começou a rir.

— Você não é a primeira nem será a última a voltar descalça para casa. — Algum tempo e pediu: — Vamos, se não se importa.

— Vou caminhar descalça até em casa?

— Se quiser, podemos passar antes no meu apartamento. Só não sei se posso lhe ajudar.

— Você tem um par de chinelos? — sorriu de modo travesso.

— Tenho. Ficarão bem grandes. Vai dar certo. Vamos! — sorriu, puxando-a pela mão.

Após passarem onde ele residia, foram para o apartamento dela.

— Estou exausta! — enfatizou.

— Só que hoje não tem vinho.

— Não brinque. Não quero ver vinho por muito tempo. — Olhando em volta, reclamou: — Não fiz nada! Não arrumei o apartamento. Nem sei que roupa vou vestir amanhã.

— Eu posso lhe dar uma carona para a empresa, se for bem cedo. Tenho uma reunião importante com os acionistas antes da outra reunião de fusão.

— Não, obrigada. Pode deixar. Vou de metrô.

— Tem certeza?

— Tenho.

— Então está certo. Agora eu preciso ir. — Aproximando-se, beijou-a no rosto e brincou: — Comporte-se. Não abra a porta para estranhos.

— Pode deixar.

Ele sorriu e se foi.

Após William sair, Danielle sentiu um aperto no peito. Não queria ficar sozinha. Era tão bom ter companhia. Não sabia mais o que era ficar tão só.

O silêncio a deixou triste e nervosa. Principalmente quando o espírito Desirée a envolveu em seu campo vibratório, dizendo-lhe coisas, fazendo-lhe acusações que a deixavam com uma sensação muito ruim.

Danielle sentou-se no chão, agarrou o ursinho que havia ganhado de presente e começou a chorar sem motivo.

A princípio pensou que fosse saudade de Raul, de sua mãe ou de Maria Cândida, entretanto sentiu algo muito mais forte.

A campainha tocou e, sem ver quem era, ela abriu a porta depressa.

— Dani, o que foi?! — perguntou William preocupado.

Danielle se abraçou a ele que entrou e fechou a porta atrás de si. Afagando-lhe as costas, o amigo tornou a perguntar enquanto ela o apertava com força: — O que aconteceu? Por que está assim? — não houve resposta. O rapaz a fez sentar nas almofadas, acomodando-se junto dela. — Eu esqueci as chaves do meu carro. Voltei para pegar. — Vendo-a mais calma, tirou-lhe os cabelos do rosto e acariciou-lhe a cabeça com carinho. — O que foi?

— Eu não sei... — respondeu envergonhada, escondendo o rosto e afastando-se do abraço.

— Antes de sairmos ou durante o passeio, eu falei algo que não deveria?

— Não. Nada disso. Quando foi embora, eu fiquei com medo. Senti uma coisa tão ruim. Uma saudade, uma dor...

Ficou calado e sentado algum tempo ao seu lado, e ela não disse mais nada. Depois se levantou, pegou um copo com água e lhe serviu. Em seguida, perguntou:

— Quer ficar lá em casa?

— Não — respondeu mais recomposta.

— Olha, eu sei o que é isso. Você sofreu muito. Não só com a morte dele, mas também de sua filha, de seu pai... Falamos muito sobre isso ontem à noite, talvez não se lembre... Acho que também a doença dele a maltratou excessivamente.

Isso acontece com quem acompanha o doente bem de perto, como foi o seu caso. Por amá-lo, você não o deixou por um minuto. Depois que tudo passou, ficou deprimida e sempre protegida, sempre com alguém por perto. De repente, retomou a vida e no começo teve o apoio da dona Maria Cândida, da avó, do senhor Oscar... Agora, nesse instante, ficou sozinha e se sentiu desprotegida. Eu também fiquei assim quando me mudei.

— Eu me senti insegura.

— Vamos lá para minha casa. Depois que colocar seu apartamento em ordem, vai ser diferente. Tenho certeza. — Ela nada dizia e ele se explicou: — Eu não fico aqui porque amanhã devo sair cedo. Tenho de me barbear, arrumar-me, fazer algumas ligações antes...

— Vou ficar bem. Pode ir, Will.

— Tem certeza?

— Tenho.

— Qualquer coisa, liga.

— Ligo sim. Fique tranqüilo.

— Então eu vou. Assim que chegar a minha casa, ligo.

— Está certo — respondeu, levantando-se e sorrindo constrangida.

William segurou seu rosto fez-lhe um carinho. Beijou sua testa. Despediu-se e se foi.

Novamente aquela impressão estranha, inexplicável e forte vontade de chorar.

Após algum tempo, William telefonou e Danielle mentiu, dizendo estar bem e que a sensação ruim havia passado. Forçando-se a tomar uma atitude, ela entrou em um banho muito longo. Mesmo depois, não ficou bem. Ocupou o tempo abrindo caixas e arrumando suas roupas no armário, ainda assim sentia uma angústia infindável.

Mais tarde, telefonou para Maria Cândida. A conversa lhe fez bem. Melhorou um pouco.

Na espiritualidade, Desirée encontrava-se furiosa.

— Sua vadia!!! Safada!!! Pensa que vai ficar com o meu marido?!! Está enganada!!! Ele não vai querer você!!! Não vai ficar no meu lugar por muito tempo!!! Sei que roubou a atenção de todos! Que está sendo boazinha! Até trabalha na empresa do meu pai! Até ele caiu na sua conversa! Desgraçada!!! Bem que não gostei de você quando a vi pela primeira vez! Só fiquei ao seu lado para saber o que queria com o meu marido!!! Mas não vai ficar com ele!!! Prefiro que ele morra a ficar ao seu lado!!!

Danielle voltou a passar mal. Tinha algo errado. Achou que estava com fome e começou a procurar algo para se alimentar. Encontrou as baguetes que William trouxe na noite anterior. Mordeu um pedaço de pão, mas não gostou. Havia perdido o sabor de antes. Comeu só aquela mordida.

O telefone tocou e foi atender.

— Will! Que bom que ligou!

— Depois daquela hora que nos falamos, liguei de novo, só que estava ocupado. Você está bem?

— Creio que tem razão. Não estou mais habituada a ficar sozinha. Deve ser isso.

— Vem pra cá. Dorme aqui.

— Não. Devo me acostumar à nova vida.

Conversaram bastante, mas a moça não cedeu. Estava muito disposta a recomeçar. O espírito Desirée, ao entender que William se achava, a cada momento, mais interessado em Danielle, decidiu atacá-lo.

Após desligar, ele se deitou e tentou dormir. Não conseguia. Quando pegava no sono, sobressaltava-se com algo e despertava assustado. A noite inteira teve o sono entrecortado por sonhos estranhos e sustos inexplicáveis. Acordou sentindo-se mal, porém precisava ficar bem atento em tudo o que ia fazer.

12

BELINDA CONTRA O ROMANCE DA FILHA

William e Olívia almoçavam juntos e conversavam a respeito da reunião.

— Você acha que o seu desinteresse foi o melhor a fazer? — ela perguntou.

— Confie em mim. As ações vão baixar. Estou acompanhando rigorosamente o mercado. Eles vão nos procurar correndo e aceitarão a minha oferta. Quando isso acontecer, sou bem capaz de diminuir minha oferta — sorriu.

— Você é corajoso, Will! Não tenho essa ousadia! Temos a concorrência no nosso encalço e sabe o quanto o meu pai quer essa fusão.

— Deixe comigo! Não sou de perder negócio algum — disse confiante. Breves instantes e falou em tom menos empolgante: — Quero conversar com você, Olívia. É a respeito de um assunto delicado e não sei por onde começar.

Ela o olhou por algum tempo e, esperta, deduziu, facilitando-lhe o assunto:

— É sobre a Dani?

— É. Como sabe?!

— Está escrito na sua cara! — sorriu. — Fique à vontade, Will. Somos amigos há muito tempo.

— Eu sei. Mesmo assim... Não é fácil — retribuiu o sorriso.

— Vocês estão se gostando? É isso?

— Não exatamente. Sou eu que estou gostando dela. Não sei o que fazer. Ela me considera um grande amigo.

— Acredito que a Dani também goste de você, mas não sabe disso.

— Ela me vê como um amigo. Entende?

— É um bom começo! — tornou Olívia, incentivando. — Ela já gosta de você, confia... Vocês se conhecem bem... Quer coisa melhor para se começar um romance?

— Estou preocupado com os seus pais. O que vão pensar?

— Não acredito no que estou ouvindo! — enfatizou. — Você é um homem livre, Will! É independente! Eles não podem dizer nada. A Desirée está morta.

— Estou muito ligado a sua família. Talvez ainda me vejam como genro. Trabalho na companhia e...

— Quer saber o que eu acho? — E sem esperar por uma resposta, considerou: — Você ganhou vida depois que a Dani veio para cá. Pelo que entendi, aconteceu o mesmo com ela. A vida não tem sido muito bondosa com vocês dois, até agora. Acredito que devam buscar a felicidade.

— Gosto muito de sua mãe. Não quero perder a amizade, a consideração, o respeito que ela tem por mim.

— Minha mãe o ama, Will, e ama a Dani. Duvido que ela ou meu pai se oponham. — Após um momento, sugeriu: — Por que não fala com minha mãe?

— Falar com sua mãe sobre a Dani?! — surpreendeu-se.

— Sim. Diga que está gostando dela. Pergunte se, por acaso acontecer de vocês dois ficarem juntos, ela se magoaria.

— E a Dani?

— Invista na Dani depois. Se é que já não está fazendo isso...

— Não... Não estou fazendo nada.

A amiga sorriu de um jeito maroto e afirmou:

— Vai em frente! Vou lhe dar a maior força.

— Quero levá-la para Nova Iorque comigo.

— Ótimo! Adorei a idéia!

Conversaram muito e William sentiu-se estimulado com o que a amiga disse.

* * *

Naquela noite ele procurou por Maria Cândida que estava bem ocupada com os últimos preparativos para o casamento do filho.

— Ah, Will! Quanto trabalho! — reclamou a senhora, sorrindo.

— Imagino.

Fazia alguns minutos que o rapaz a rodeava. Não tinha coragem para dizer o que queria. Desconfiada, a senhora deixou o que fazia e o chamou para uma saleta. Colocou uma música clássica tranqüila e pediu para o mordomo servir-lhes chá.

— Gosta da música? — perguntou ela.

— Sim. Gosto.

— Você parece nervoso, Will — disse em tom afável.

— Estou um pouco apreensivo. — Sentando-se frente a ela, em pequena e delicada mesa redonda, olhou-a firme e comentou: — Não sei como lhe dizer que... — Subitamente, contou: — Estou gostando muito da Danielle.

A senhora, que tomava vagarosamente a xícara de chá, permaneceu da mesma forma: inabalável. Percebendo seu nervosismo, durante os segundos de silêncio decorridos, falou com incrível brandura:

— Isso não é novidade para mim, filho. Qual é o problema? Por que está desse jeito?

— É que... Fui casado com sua filha e... Mesmo depois que ela se foi, continuei ligado a vocês.

— Danielle é minha filha também. Não sei se já entendeu isso. Falar dela é como falar de Desirée ou de Olívia.

— Sim, eu sei, mas...

— Eu já sabia que vocês iriam ficar juntos e, para ser sincera, estou feliz — sorriu. — Quando ela foi embora daqui, eu sabia que isso iria acontecer. — William ficou confuso, totalmente sem jeito. Não esperava aquilo. — O seu casamento com Desirée já havia terminado antes de ela ir. Agora esse capítulo da sua vida está encerrado, filho. Abandone o passado. Tudo aquilo é parte de um outro tempo que não voltará mais. Quero ver você muito feliz. Quero ver a minha Dani feliz também. Como eu quero! Preciso ficar ao lado dessa menina e fazer por ela o que não fiz. — Breve pausa e o viu esfregar o rosto e alinhar os lisos e teimosos cabelos negros. Em seguida, perguntou: — Ela também está preocupada conosco como você? Foi ela quem pediu para que viesse aqui?

— Não. De forma alguma! A Dani não sabe — sorriu.

— Não sabe que você veio aqui?

— Não sabe de nada. Ela me considera um amigo.

— Will, deixe-me ver se entendi... — expressou-se meio confusa. — Você veio me contar que gosta dela, mas ainda não falou com a Dani sobre isso?!

— Exatamente. Tenho medo de me aproximar mais e, ao mesmo tempo, sinto-me no dever de dar uma satisfação à senhora e ao senhor Oscar.

— Eu não acredito! — pareceu assombrada e sorriu levemente. Após um instante, aconselhou: — Filho, esqueça de mim e do Oscar. Ele também sabe.

— Sabe o quê?!

— Quem não viu uma paixão estampada no seu rosto, Will, está cego! Já conversei com o Oscar sobre vocês dois. Eu sabia que iam ficar juntos. — Maria Cândida se deteve. Quase contou que entendeu isso antes de Raul falecer. — Bem... Acho que deveria ter se aproximado mais dela e tirado a impressão de ser apenas um amigo. Poderia ter falado a respeito do que sente. — Sorriu ao dizer: — Você está demorando muito.

— A Dani ainda fala demais no Raul.

— Porque não houve outro para preencher o vazio que ela sente. — Levantando-se, falou: — Venha comigo.

Maria Cândida segurou a mão de William e enlaçou em seu braço, conduzindo-o vagarosamente escada acima em direção à luxuosa suíte. Ao entrarem, foi até um móvel e pegou um porta jóias. Indo até sua cama, espalmou-a e pediu:

— Sente-se aqui. — Quando o viu acomodado, contou: — Faz um mês, eu pedi ao Oscar para tirar isso aqui do cofre. Queria dar para a Danielle, mas não sabia como fazê-lo. Às vezes tenho medo de assustá-la e afastá-la de mim. Veja. — De dentro da caixa, tirou um bracelete de safira, cravado com brilhantes. — Este foi o presente que demos a minha filha Danielle quando fez quinze anos. Menos de um ano depois, ela desencarnou. Eu gostaria que você devolvesse a ela.

— É lindo! — admirou, rodeando a jóia nas mãos. — Incrivelmente belo! Mas... Por que eu?

— Quero que volte para ela, e você... — sorriu. — Você poderia fazer isso para mim.

— Eu não sei... Sinceramente não sei como. O que vou dizer? Que é um presente meu?

— Diga que pediram para você lhe entregar. Pode contar que fui eu.

— Para ser sincero, não quero fazer isso — confessou, devolvendo-lhe a jóia. — Desculpe-me. Porém... Posso trazê-la aqui para que a senhora o entregue.

— Combinado. — Estendendo-lhe os braços, disse sorrindo: — Dê-me um abraço, filho! — Envolvendo-o, afirmou: — Amo você, Will. Agora, mais do que nunca. Faça a Dani muito feliz!

Na espiritualidade, Desirée ficou transtornada, inconformada com o que via.

— Vocês me pagam!!! A Olívia vai se ver comigo e a senhora não perde por esperar!!! Eu tanto quis essa jóia e nunca me deu!!! Odeio vocês!!! Odeio!!! Odeio!!!

Assim que saiu dali, William sentiu o coração mais leve. Estava feliz e satisfeito, embora ainda apreensivo por Danielle não saber de suas intenções. Antes de ir para seu apartamento, decidiu procurá-la.

— Que bom! Já entregaram os sofás!

— E a cama também! Venha ver! — ela contou alegre.

— É muito bonita. Você tem bom gosto. — Ele sorriu ao olhar sobre a cama arrumada, o ursinho que ele havia lhe dado. Pegou o bichinho e o abraçou. Depois, sentou-se e se balançando como se experimentasse o colchão, perguntou: — Então... Está preparada para ir para Nova Iorque?

— Não sei, Will. Como falei, fico preocupada com o que vão pensar.

— Pedi para minha assistente verificar algum curso de aperfeiçoamento rápido que possa fazer. Tem um sim. De três semanas. Só que vai ter início uma semana após chegarmos e término previsto para uma semana após a data que devo retornar.

— Quer dizer que, quando você estiver voltando, eu precisarei ficar por lá mais uma semana? — indagou nada satisfeita.

— Exatamente.

— E eu vou ficar sozinha?

— Posso ficar... Se quiser — expressou-se sorrindo, observando-a.

Danielle acomodou-se ao seu lado e quis saber:

— Por que está fazendo isso?

— Para vê-la mais ativa. Você mesma disse que estava desatualizada. Vai ser muito bom, não só o curso, mas também a viagem, a sua interação com o mundo. Às vezes, acho que é muito fechada.

Recostando a cabeça em seu ombro, ela sorriu afirmando com jeito dengoso:

— Você parece com os meus irmãos. Sempre se preocupando comigo. Além de um grande amigo, tenho mais um irmão.

— Pode me ver como amigo, mas não como irmão. Por favor — disse sério.

— Por quê?

— Eu não vou tratá-la nem considerá-la, nunca, como minha irmã. Não pense tão bem de mim.

— Por quê?! — perguntou sem entender.

William sorriu de um jeito enigmático. Colocou o ursinho sobre a cama quando se levantou. Estendendo-lhe a mão, puxou-a para que se levantasse e, levando-a para a sala, respondeu:

— Porque a considero de uma outra forma.

— Pensei que gostasse de mim.

— E gosto. Muito. Quero o seu bem e tudo o que for bom para você. Porém... — sorriu, falando de um jeito meigo: — Os seus irmãos não gostariam de saber quais as minhas intenções com você. — Rápido, antes que ela concatenasse as idéias, decidiu: — Boa noite. Preciso ir. — Beijou-lhe a testa e pegou as chaves, não dando tempo para que Danielle se pronunciasse.

Após vê-lo sair, ela organizou os pensamentos e se preocupou.

"Será que o Will está gostando mesmo de mim?" — pensava. — "O que quis dizer com isso? Não pode ser... Ele é meu amigo... É alguém que me ajuda em tudo e...".

As palavras do rapaz ficaram ecoando em sua mente e, não suportando, depois de algum tempo, telefonou para Olívia.

— É muito tarde?! Você estava dormindo?!

— Não, Dani. Pode falar.

Danielle contou-lhe o que havia acontecido e quis saber:

— O que você acha?

— Eu não acho. Tenho certeza!

— Do quê?

— Deve-se permitir ser feliz novamente, Dani. Por que não?! O William é um homem muito bom, até onde eu o conheço. Além de muito bonito, charmoso, elegante, bem-sucedido, diga-se de passagem... — riu com gosto.

— Não brinque, Olívia!

— Não estou brincando. — Mais séria, afirmou: — Acho que vocês dois se gostam e se merecem. Formam um casal tão bonito de se ver! — falou com jeitinho amoroso.

— Eu amo o Raul!

— O seu coração é tão pequeno, que só cabe uma pessoa?

— Olívia! Não sei o que fazer. E se ele estiver gostando de mim?

— E se você estiver gostando dele?

— Não sei se estou.

— Tem hora, na vida, que não devemos fazer nada, Dani. Deixe as coisas acontecerem.

— É muito cedo.

— Pensei que você fosse uma mulher mais moderna e mais madura.

— Tenho medo...

— Do quê, Dani? De ser feliz? De viver bem ao lado de um homem tão bom? Acorde!

— O que os seus pais vão pensar? E os seus irmãos?

— Vocês são livres e desimpedidos. Se ele tivesse se divorciado e a Desirée estivesse por aqui... Talvez meus pais não se sentissem tão à vontade. Mas não é o caso.

— Ele quer que eu vá para Nova Iorque com ele.

— Eu sei.

— Como sabe?

— É... — gaguejou. Pensou rápido e se justificou: — Eu o vi pedindo para a assistente informações a respeito de um curso. Logo deduzi que fosse para você.

— Olívia, eu adoro sua mãe. Gosto dela tanto quanto da minha. Não sei explicar. Por isso não quero magoá-la.

— Não irá magoá-la. Seja feliz!

— Eu não sei se gosto dele. O Will é meu amigo. E o Raul?

— Menina! Pelo amor de Deus! Você me assusta! — esbravejou. — Deixe o Raul descansar! Ele se foi! Talvez esteja se preparando para reencarnar de novo, como diz minha mãe! Você é jovem, bonita... Precisa viver, Danielle! Permita-se! Deixe as coisas acontecerem naturalmente. Se descobrir que não gosta dele, tudo bem, parte para outro!

— Sinto uma coisa indefinida.

— Isso passa. Tenho certeza. É medo de coisa nova.

Danielle escutou uma voz conhecida ao fundo da ligação e perguntou:

— Olívia, você está em casa?

— Não. Por quê?

— É o meu irmão que está aí?

— Seja mais discreta, Dani!

— O Guilherme não está em Berlim?

— Não. Está resolvendo algumas negociações por aqui. Deixe de ser curiosa.

— Desculpe. Amanhã conversamos — riu.

— Até amanhã.

Mesmo depois de desligar, Danielle sentia-se insegura. Algo a incomodava. Na espiritualidade, Desirée se revoltava com o rumo dos acontecimentos.

* * *

A festa de casamento de Nanci e Edwin foi ainda mais deslumbrante do que a de noivado. Os convidados, finamente trajados, exibiam luxo nas roupas de alta-costura e nas jóias.

Danielle nunca pareceu mais linda. Estava séria e provocante em um vestido azul-marinho de tecido cintilante colado ao corpo exuberante. Longo, abria-se com leveza do chão até perto da coxa. Os cabelos presos, com leve cacheado atrás, davam-lhe um tom sóbrio, clássico e refinado.

— Você está absolutamente extraordinária! Maravilhosamente linda! — elogiou William, cochichando-lhe ao ouvido, quando foi cumprimentá-la, fazendo-a sorrir com delicadeza. — Está chamando a atenção de todos os convidados e *paparazzis* por causa da sua beleza! Cuidado, hein! — observou com um toque de ciúme proposital, na voz cálida e afável.

— Também está muito elegante e bonito! Todas as mulheres disponíveis, nesta festa, não tiram os olhos de você! Pensa que não percebi?! — rebateu sorrindo, como se falasse de outro assunto para os outros não perceberem o que dizia.

Durante toda a festa, um estava ao lado do outro. O tempo todo.

Dançaram muito. Até pareciam haver ensaiado para isso.

Danielle e William formavam um casal perfeito. Todos admiraram a harmonia exibida naturalmente. Pareciam conversar com o olhar, sempre brilhando, com um toque de paixão.

Quando teve oportunidade, discretamente, William a conduziu para longe do salão principal do castelo, alugado para a refinada comemoração. Caminharam tranquilamente pelo gramado sob árvores majestosas de copas largas que tinham uma iluminação especial. Chegando a um banco, frente a um lago, ele perguntou:

— Vamos nos sentar? — Ela aceitou e William acomodou-se ao seu lado. — Eu gostaria de repetir algo que já disse.

— O quê? — quis saber, curiosa.

— Que você está deslumbrantemente linda! — sorriu.

— Você me deixa sem graça... — respondeu delicada, com jeito recatado.

Algum tempo depois, perguntou:

— Importa-se em ficarmos aqui um pouco?

— Não. De forma alguma.

— Não está gostando da festa?

— Não é isso — riu. — É que os meus pés estão me matando!

Ele riu junto e não disse nada. Danielle era elegante, mas também muito simples, sincera demais e, às vezes, muito ingênua. Ele adorava isso. Fazia-o rir ao ser alegremente agradável. Após longos minutos de maravilhoso silêncio ao seu lado, William comentou:

— Eu preciso lhe falar uma coisa.

— Diga.

Levantando-se, ficou a sua frente e pediu:

— Dê-me a sua mão! — Ela sorriu e estendeu-lhe a mão esquerda instintivamente. — Feche os olhos. — Tornou a pedir e Danielle obedeceu. William tirou do bolso um lindo e delicado anel e colocou no mesmo dedo onde tinha a aliança. — Gosta?!

Abriu os olhos e levemente a boca. Depois admirou:

— É lindo!!! Will! Ficou louco?! É o que estou pensando?!

— O que está pensando? — sorriu intrigado.

— É um anel de diamante?!

— É. É um solitário. Gostou?!

— Adorei!!! — dizia estendendo a mão em vários ângulos e distância a sua frente. — Nossa!!!... Eu...

— Fico feliz que tenha gostado.

Ela se levantou, abraçou-o com carinho e beijou-lhe o rosto demoradamente.

— Obrigada. Não mereço isso!

— É para se lembrar de mim.

— Nunca vou esquecê-lo, Will! — disse, afagando-lhe o rosto.

William pegou sua mão com ternura e a beijou. Danielle sentiu o coração bater forte. Em seguida, ele a fitou de modo indefinido e se declarou:

— Danielle, eu a amo muito. Não posso e não quero mais ficar ao seu lado somente como amigo. Quero você

— murmurou com voz suave. Segurando-a contra si, curvou-se levemente e beijou-lhe os lábios com amor. E ela correspondeu.

Ficaram ali por mais algum tempo, conversando e trocando carinho. Antes de voltarem para a festa, ela perguntou:

— Quer que eu tire a aliança?

— Não.

— Não?! — tornou surpresa.

— Não. Não vou lhe exigir nada. Siga o seu coração.

Dizendo isso, tomou-a novamente para si e a beijou com amor.

No final da festa, não quiseram ir para a casa de Maria Cândida, apesar de Belinda, Guilherme, Kléber e a família, terem ido para lá. O motorista levou-os para a cidade e William insistiu para que ficassem em seu apartamento. Ela concordou.

Nas primeiras horas da manhã, Danielle acordou com o toque de seu celular.

Atendendo-o, surpreendeu-se:

— Mamãe?!

— Onde você está, Danielle?! — questionou parecendo exigir.

— Eu... — Para não acordar William, saiu da suíte, fechou a porta e foi para a sala. — O que a senhora quer? A Nanci já foi viajar? — perguntou com a intenção de distrai-la.

— Liguei para o seu apartamento e ninguém atendeu! Onde você está?! — inquiriu zangada.

— O motorista me trouxe junto com o Will e... — dizia querendo pensar em algo.

— Está no apartamento dele?

— Estou... — murmurou. Não conseguiu negar. Tentava se defender: — Era de madrugada e decidimos ficar aqui, pois estávamos conversando e... Mamãe, não aconteceu nada — reagiu. — Eu só dormi aqui. Mais nada. Era tarde...

— Não me faça passar vergonha, Danielle! O William era marido da filha da Maria Cândida, minha melhor amiga! Ele é o braço direito do Oscar e muito ligado à família! O que vão pensar de você?!

— Não vão pensar nada, mamãe. Somos livres e... Eu e o Will...

— Você já leu os jornais?! — indagou interrompendo-a.

— Jornais?!... Não.

— Então, depois conversamos! — falou rudemente e desligou.

Belinda não se despediu. Ao desligar, Danielle se virou e viu William parado, olhando-a.

— O que foi? — perguntou ele, com tranqüilidade.

— Minha mãe... Ela ligou para o meu apartamento e... Estava uma fera por eu ter dormido aqui.

— Não houve nada entre nós. — Sorriu de modo maroto ao brincar: — Aliás, não houve porque você não quis. Se ao menos levasse bronca por um motivo concreto, seria melhor.

— William, não brinca! — pediu séria e preocupada.

Ele se aproximou, beijou-lhe os lábios e disse:

— Não se preocupe. Isso ia acontecer. Ela não estava preparada. Vai se acostumar com a idéia.

— Ela perguntou se eu li os jornais — contou ainda sem entender.

— Por quê?! — Um instante e preocupou-se: — Aaaah! Não!

William deu um telefonema e providenciou os jornais. Não demorou e leu surpreendido:

— "William Phillies, vice-presidente da grande Companhia Aérea, um dos homens disponíveis mais cobiçados da Europa, de caso com uma mulher casada, irmã da noiva..." — leu a notícia em um dos jornais com várias fotos suas com Danielle.

— Meu Deus! Will!

— Droga! Diabo de imprensa! — irritou-se. Em seguida, leu em outro: — "Danielle Linhares, irmã da noiva, não fez questão de tirar a aliança para ocultar seu estado civil. Ela é brasileira e veio a Paris para o casamento de sua irmã com o herdeiro da grande Companhia Aérea. William Phillies, vice-presidente da mesma companhia e Danielle Linhares ficaram juntos e não esconderam o romance. Dançar e beijar não foi o suficiente. No final da festa, ele a levou para o seu apartamento e..." Que inferno! Droga! — enervou-se.

— Continue lendo! — pediu aflita.

— Para quê? Para ficarmos mais nervosos?!

Danielle pegou os jornais de suas mãos e começou a olhar as fotos.

— Veja! Foi quando saímos do carro! Essa é em frente ao prédio! Ainda perguntam: "será que o marido dela está sabendo?" Quase não falaram sobre o casamento. Nós fomos os alvos!

— A Europa é assim mesmo — reclamou. — Aqui não se tem vida privada. Foi isso o que matou Lady Diana, em um acidente de carro, aqui mesmo em Paris.

— Aqui diz que sou casada! Que vim para Paris! Não falam a verdade! — exclamou inconformada.

— Não falam mesmo. Viram a aliança em sua mão e deduziram qualquer coisa. Montaram uma história para vender jornais, porque eu estou envolvido. Como se não bastasse essa tensão por causa da invasão do Iraque, já venderam jornais com o meu nome e...

— Não estou entendendo. Como assim? — interrompeu-o.

— O mundo vive muita tensão desde 11 de setembro. Os Estados Unidos deram início a uma guerra contra o terrorismo, bombardeando e invadindo o Afeganistão. De repente, do Afeganistão, o presidente Bush vira-se contra o Iraque dizendo que Iraque, Irã e Coréia do Norte constituem o "eixo do mal". Mesmo com a permissão do Iraque para a volta dos inspetores de armas de destruição em massa da ONU, os Estados Unidos pediram apoio para o ataque ao Iraque, levando a questão à ONU. O primeiro-ministro da Inglaterra, Tony Blair, apóia o ataque ao Iraque. A Inglaterra fez convocação de reservistas e já enviou cerca de cinco mil homens para lutarem no Iraque, dando apoio aos americanos. Sou britânico. E não fui convocado, por enquanto. Disseram que isso aconteceu por minha fortuna, por eu ser rico. Como se eu tivesse comprado alguém do exército britânico para eu não ir.

— Isso aconteceu? Pagou por isso?

— Não! É lógico que não! Ainda corro o risco de ser chamado. Sou reservista. Tenho isso para me preocupar. Agora querem atrapalhar os negócios.

— Por que atrapalhar os negócios? Não estou entendendo.

— Essa história de eu não ter sido convocado porque paguei a alguém por isso, perdeu força, ficou abafada. Ninguém deu importância. Talvez, por vingança, os *paparazzis* querem mexer com o meu nome novamente e atrapalhar as negociações que estou fazendo. O caso da fusão, ou melhor, a compra da outra companhia aérea, vazou. Porém ninguém tem certeza de nada. Foram só boatos. Como sabem que todos, no mundo dos negócios, aqui, são muito conservadores, um escândalo desses pode me comprometer. Esse tipo de imprensa sensacionalista quer mexer comigo de novo. Sou um prato cheio. Entendeu? — Explicou calmo.
— Preciso falar com o senhor Oscar. Sinceramente, não sei o que dizer.

— Desculpe-me, Will. Jamais pensei que...

— Não é sua culpa — afirmou, aproximando-se. Envolvendo-a com um abraço, disse: — Vou me trocar e ir conversar com o senhor Oscar o quanto antes.

— Vou com você.

* * *

Mais tarde, William estava trancado no escritório da mansão de Oscar, conversando com o senhor a respeito do ocorrido.

— O senhor sabe, muito bem, como são os *paparazzis*. Não preciso explicar. Não tivemos nada. Nunca tivemos. Ontem eu a pedi em namoro e...

— Você não me deve explicações, William. Pare. Isso não tem cabimento.

— Em minha opinião, eu devo sim. Começamos a namorar ontem. Eu queria ficar com ela, então pedi que fosse lá para o meu...

— Pare com isso, William! — reclamou, interrompendo-o mais uma vez.

— Eu preciso me explicar, senhor Oscar. Não estou me sentindo bem com isso.

— Reverta a situação, homem! Seja inteligente como sempre foi. Quantos jornais publicaram a notícia?

— Dois, creio. Mas deve ter revistas, também. Isso é o suficiente para...

— Espere. Ouça. Peça que tire a maldita aliança. Saiam, almocem e jantem juntos nos melhores lugares. A concorrência desses jornais vai adorar desmentir a notícia de que ela é casada. — O senhor sorriu ao dizer: — Você já foi mais esperto, Will!

— É... — sorriu mais relaxado, concordando. — Fiquei nervoso com isso.

— Deveria ficar nervoso para enfrentar a Belinda. Ela está uma fera com você e com a filha. É uma mulher muito conservadora, eu acho.

Nesse momento, George, filho mais velho de Oscar, entrou no escritório e cumprimentou:

— Bom dia, William.

— Bom dia.

— Viu os jornais?! — perguntou com ironia.

— Vi.

— Não acha que isso vai atrapalhar as negociações, que, aliás, você está retardando sem razão?

— Estou fazendo o que é certo. Economizaremos milhões de libras ou dólares, como queira. As bolsas estão baixando, como eu falei. A Guerra do Iraque, de certa forma, deixa a economia insegura. Vou fechar esse negócio com uma economia de quarenta por cento. Acredite.

— Duvido muito. Você não está sabendo administrar nem a própria privacidade. É só olhar os jornais.

— O que você quer, George? Qual é o seu problema? Seja direto! Quer o meu cargo?

— Você é novo demais para ele. Não tem tanta experiência assim. Quero provar a sua incompetência!

— Quando fui incompetente?! Se conseguir provar isso, eu deixo a companhia agora! — disse firme.

— Acalmem-se os dois! — exclamou o senhor. — George, procure ocupação. E você, William, acho que tem um almoço esperando-o!

Ao sair do escritório, William deu de cara com Belinda e Danielle.

— Procurávamos por você — disse a senhora bem séria. — Pode vir conosco?

Ele aceitou e foram para uma sala onde se explicou:

— Eu gosto muito de sua filha e, ontem, começamos namorar e...

— E ela precisava dormir, no seu apartamento, logo no primeiro dia de namoro?! E ainda ter isso estampado na primeira página do jornal?!

— Mamãe!...

— Fui eu que pedi para que ficasse no meu apartamento — falou como se a enfrentasse. — Eu insisti. Não houve nada e... E mesmo se tivesse acontecido... A senhora não acha que sua filha é bem grandinha para decidir o que quer ou não da vida?! A Danielle tem vinte e nove anos, dona Belinda!

— Não seja atrevido, William! Fico pensando no que minha amiga e a família da Desirée vão achar do comportamento de minha filha! O que você pensa que a Dani é?!

— Penso que ela é uma mulher madura, capaz de saber o que quer. Quanto à dona Maria Cândida e ao senhor Oscar, eles já estão sabendo do nosso compromisso. Eu ia falar com a senhora de uma forma mais educada, pois não sou insolente como acredita. Só estou retribuindo a sua educação e compreensão.

— Will! — repreendeu Danielle.

— Pense um pouco, dona Belinda, e veja se realmente precisa agir e falar desse jeito. Com licença e... — virando-se para a moça, falou: — Estou esperando você no jardim. O senhor Oscar nos mandou ir a um almoço, hoje. Temos de nos arrumar.

Danielle conversou um pouco com sua mãe. Depois procurou por William, que a aguardava onde disse. De lá, voltaram para o apartamento no centro. Em seguida, foram almoçar, conforme orientação do senhor Oscar.

Porém, antes, o rapaz precisava pedir para que tirasse a aliança.

— Não é por mim, Dani — justificava-se com generosidade. — Eu nunca lhe faria esse pedido. Você entende?

— Claro — concordou em tom triste.

À noite, também saíram para jantar e dançar. Nessa oportunidade, outros *paparazzis* se aproveitaram para registrarem os dois juntos. Novas manchetes os destacavam. Só que, desta vez, com outras notícias sobre o romance, desmentindo as anteriores.

Ao chegar a seu apartamento, Danielle jogou-se no sofá e anunciou em tom alegre, tirando os sapatos:

— Estou exausta! Como se não bastasse a noite de ontem!

— Eu também!

— Vai trabalhar amanhã? — ela quis saber.

— Não. Não vou conseguir. Estou acabado! — riu, jogando-se em outro sofá. — O que não faço por aquela empresa! — gargalhou.

— Quer comer alguma coisa?

— Não. Obrigado. Quero água. — Ela se levantou. Ele também, impedindo-a: — Pode deixar. Não se incomode. Eu mesmo pego. Não vou fazê-la de empregada.

— Então vou tomar um banho.

Quando retornou ela viu William dormindo no sofá. Ao seu lado, Danielle afagou seu rosto com carinho, fazendo-o acordar.

— Deite-se direito. Vai ficar com dor no corpo se continuar assim.

— Nossa! Já é tarde! Está na hora de eu ir embora.

Em pé, ele a beijou com carinho. Ia se despedindo, quando, num impulso, ela convidou com jeito meigo:

— Dorme aqui.

William não disse nada. Abraçou-a, beijou-lhe os lábios, longamente, e aceitou o convite.

Na manhã seguinte, encantada, Danielle olhava para ele, que dormia ao seu lado. Contemplava-o por longo tempo e sorria. Examinou o relógio e sobressaltou-se. Ia levantando, mas ele segurou sua mão, perguntando com voz rouca:

— Aonde você vai?

— Ai! Que susto, Raul! Pensei que estivesse dormindo.

Ele a puxou para si, beijou-lhe suavemente os lábios e disse em tom brando, sussurrando:

— O meu nome é William, não Raul.

Danielle sentiu-se gelar. Ficou constrangida, sem saber o que dizer. Séria, pediu envergonhada:

— Por favor, desculpe-me, Will. Eu...

— Eu sei. Não diga nada — murmurou no mesmo tom.

Afastando-se do abraço, comentou tímida, enquanto se levantava:

— Preciso me arrumar para ir trabalhar. Estou atrasada.

— Você não vai trabalhar hoje! — anunciou rindo e puxando-a de volta. — Amanhã você diz que dormiu com o vice-presidente da companhia e estará tudo certo! — gargalhou.

— Will! Você é...

Ele a calou com um beijo.

13

Lembranças do passado

Nanci e Edwin viajaram em lua-de-mel. Guilherme voltou para Berlim. Belinda, Kléber, a esposa e os filhos, aceitaram o convite para ficarem por mais quinze dias em Paris. Conversando com Danielle, o irmão comentou:

– A mãe não está satisfeita com você. Segura a onda enquanto ela estiver aqui. Aquelas notícias e as fotos dos jornais foram desagradáveis.

– Eu e o Will não esperávamos por aquilo. Foi uma espécie de vingança dos *paparazzis*, Kléber.

– Ele conversou comigo e se explicou. Mas a mãe não entende isso.

– Semana que vem vou para Nova Iorque com ele. A mamãe vai ter de entender.

– Vocês estão vivendo juntos?

– Não. Cada um mora em seu apartamento. Só namoramos, Kléber.

– Concordo que tenha de recomeçar sua vida, Dani. Não foi nada legal ou confortável vê-la deprimida no ano que passou. Só aconselho que vá devagar para não se machucar. Conheci um pouco o William e deu pra ver que é um cara legal. Mas ainda estão se conhecendo. Veja... Eu acho que você não tem estrutura, agora, para um rompimento, caso esteja apaixonada.

— Gosto muito dele. Acho que estou gostando do Will tanto quanto do Raul.

— Pare de falar o nome do Raul, Dani! — repreendeu-a. — Eu vi você chamando o William de Raul. Ele não ouviu. Você nem percebeu.

— Jura?!

— Acho que a dona Maria Cândida ouviu também. Ela ficou olhando, mas não disse nada.

— Que droga! Isso já aconteceu quando estávamos sozinhos.

— Cuidado então. — Vendo-a pensativa, perguntou: — A mãe sabe que vai para Nova Iorque com ele?

— Por mim, ainda não.

— Conversa com ela, Dani. Não deixe um clima tenso entre vocês duas.

William se aproximou deles, sorrindo, e quis saber:

— Tudo bem?

— Tudo. A Dani está me contando que vão para Nova Iorque!

— Vamos. Antes vou passar em Londres para apresentá-la para minha mãe.

— Nós não falamos sobre isso! — surpreendeu-se ela.

— Falamos sim! — exclamou irônico. — Lembra-se daquele dia em que me convenceu a ir visitá-la? Tomamos vinho com a Olívia, conversamos muito. No outro dia...

— Ah, tá, tá!... Lembrei! Obrigada por refrescar minha

memória — interrompeu-o sem graça, desesperada para fazê-lo parar de falar.

William riu com gosto e Kléber ficou sem entender. Em seguida, o namorado avisou:

— A dona Maria Cândida quer falar com você, Dani.

— Onde está a mamãe, Kléber?

— Saiu com a Vanessa e a Olívia. Foram às compras. Lógico que eu fiquei para olhar as crianças! — riu. — Sempre sobra pra mim!

Deixando o irmão no jardim, Danielle entrou conduzida por William, que sobrepôs o braço em seus ombros. Subiram as escadas e, no quarto principal da mansão, encontraram a senhora.

— Oi, Dani! Entre, minha filha! Sente-se aqui.

Com generoso sorriso, ela aceitou o convite e William fechou a porta, parando em pé frente a elas.

Abrindo uma caixa, Maria Cândida disse:

— Danielle, eu quero que fique com esta jóia. — Era o bracelete que deu de presente para sua primeira filha.

Ao pegá-lo nas mãos, a moça deu um suspiro, prendeu a respiração e ficou com a boca levemente aberta. Paralisada. Pálida.

William parou de sorrir, aproximou-se mais e, tocando-lhe as costas, perguntou:

— Dani, o que foi?

— Não sei... — murmurou. — Eu... me sinto esquisita.

Maria Cândida apanhou-lhe a jóia e segurou sua mão gelada, querendo saber:

— O que está sentindo, Danielle?!

— Uma coisa... Não sei o que foi. — William, em pé ao seu lado, afagou-lhe o rosto e ela contou: — Vi uma cena... Parece uma lembrança.

— O que viu? — ele indagou.

— Vendaram os meus olhos e queriam que eu adivinhasse o que tinha na caixinha. Ouvi risos e brincadeiras... Descobri que era esse bracelete, pois eu tinha gostado dele, na loja em que entramos e... Foi nas últimas férias que passei em Londres. Era o que eu queria ganhar, mas disseram que eu era nova demais para ter um desse... Depois que adivinhei, o senhor Oscar me deu um anel de safira combinando... A pedra era igualzinha.

Incrédula, Maria Cândida olhou para William sem saber o que dizer. Se tivesse contado a ele, pensaria que o rapaz não havia guardado segredo.

— Esse foi o presente de quinze anos que dei para minha filha Danielle. — Lágrimas correram em seu rosto, quando contou: — Sempre gostei de vê-la tentar adivinhar os presentes. Agora... Este bracelete é seu. Quero que fique com ele. Quanto ao anel... Vou contar isso ao Oscar.

A moça estava nitidamente perplexa, nervosa. Suas mãos tremiam e seu rosto continuava pálido feito cera. Algo havia acontecido.

— Dani, você está bem? — preocupou-se William.

Ela não respondeu e segurou sua mão, apertando-a sem perceber.

— Filha — tornou a senhora em lágrimas —, Deus foi bom demais comigo quando a mandou de volta.

Num impulso, envolveu-a com carinho, apertando-a contra si.

Danielle, atordoada, não sabia como agir. A mulher afastou-se e lhe entregou novamente a jóia nas mãos.

Nesse momento, poucas batidas à porta e Maria Cândida, após secar o rosto rapidamente com as mãos, permitiu:

— Entre.

George adentrou e se surpreendeu ao vê-los ali.

— Desculpe-me se atrapalho.

— Não, filho. Eu estava dando esse bracelete para a Danielle.

— Isso foi da minha irmã! — falou descontente.

— E está voltando para ela! — retorquiu em tom firme.

— Definitivamente a senhora não está bem. Vou falar com o meu pai e...

— Por que não diz tudo ao papai?! — quase gritou Danielle.

— Você é louca ou muito interesseira?

A moça o olhou de forma estranha. Levantando-se, enfrentou-o, falando descontroladamente enquanto o acusava:

— Por que não conta que, quando eu tinha treze anos e você seis, me empurrou das escadas desta casa, porque me odiava e queria que eu quebrasse o pescoço?! Vai! Conta! Se existe alguém desequilibrado aqui, é você! Aproveita e diga todas as coisas horrorosas que me falava! Que eu não era filha legítima, não merecia ter os mesmos direitos que você e o Edwin! Que eu deveria morrer! Vai Conta também que deu veneno de rato para aquele cachorro que o papai tinha, só porque o pobre animal me adorava quando eu vinha aqui! Fale também que cortou o meu cabelo quanto eu tinha quatorze anos e colocou a culpa no filho do tio Robert! Conte também que, quando todo o mundo estava desesperado no hospital, quando eu estava em coma, você entrou no quarto e puxou os fios dos aparelhos para eu morrer! Foi a mamãe que o segurou e gritou por socorro e o papai até hoje não sabe disso!

— Dani! Pare! O que está acontecendo aqui?! — perguntou William preocupado e tentando ficar calmo.

— Cale a boca, sua!... — gritou George reagindo contra ela e erguendo o braço para agredi-la.

Rápido, William se colocou na frente dela, enfrentando e inibindo o outro:

— Não se atreva! — gritou. — Você não vai tocar nela!

Ao ouvi-lo gritar, Danielle pareceu ter recebido um choque e voltado a si.

Maria Cândida assistia a tudo petrificada.

— Will... — murmurou a namorada não entendendo o que acontecia.

— Filha!... — exclamou a senhora abraçando-a e fazendo com que se sentasse. Acomodando-se ao seu lado, acariciava-a com ternura.

— Essa safada é uma farsante! Nunca vi palhaçada melhor! — gritou George.

Na espiritualidade, Desirée o envolvia e o irmão dizia exatamente o que ela desejava.

— O que a Dani contou é verdade, George! — afirmou Maria Cândida com veemência. — Parte do que ela disse, eu sei que é verdade. O resto foi entre vocês dois. Eu não estava presente.

— É invenção! Quanto ao que a senhora sabe... Deve ter contado a ela! — Ainda gritou ao sair do quarto: — Isso não vai ficar assim!

Maria Cândida tentou conversar com Danielle, que não falava nada e exibia-se bem confusa. Ela parecia suplicar a William, com o olhar, que a socorresse. Sem saber o que fazer, ele decidiu:

— É melhor irmos embora.

— Não, Willl — pediu a senhora. — Por favor, não vão. Quero ficar mais tempo com minha filha...

— É melhor irmos. Conversaremos sobre isso em outro momento.

— Dani!... — tornou a senhora, como se implorasse para que ficasse.

— Desculpe-me... Eu quero ir embora. Estou com medo — disse num sussurro, levantando-se e se abraçando a ele.

* * *

O caminho para o apartamento foi feito, quase todo, em silêncio. William quis conversar, mas ela mal respondia.

Ao chegarem, ele insistiu:

— O que foi aquilo, Dani?

— Não sei. Até agora estou chocada. Fiquei com raiva por vê-lo daquele jeito e... As coisas vinham a minha cabeça como lembranças vivas. Não sei explicar.

— Fiquei muito preocupado com você. Agia e falava de modo estranho. Não parecia a mesma pessoa. Mas... Tudo bem. Vamos procurar esquecer.

— Ainda estou tremendo. Sinto uma coisa estranha...

— Tome um banho e procure relaxar. — Parecendo animado, aproximou-se e fez-lhe um carinho, comentando: — Eu trouxe aquele filme... É uma comédia romântica muito legal. Podemos assistir.

— Claro. Vou tomar um banho e depois assistimos.

Mais tarde, Oscar e a esposa foram até o apartamento de Danielle.

— E o Will? Já foi? — quis saber a senhora.

— Não — respondeu sem jeito. — Ele está no banho. Não deve demorar.

Acomodando-se todos na sala, Maria Cândida, falou:

— Eu disse ao Oscar o que aconteceu. Contei até sobre o hospital. Era um segredo meu e do George. Ninguém sabia.

— Não sei como foi que aconteceu. Eu...

— Dani — falou o senhor —, desde quando a vi, pela primeira vez, achei você muito semelhante a nossa Danielle. Não só na aparência. A voz, o jeito, o sorriso... Tudo em você a lembra. Porém, o que a Cândida me contou... Não há como negar. Sei que nos conhece, mas não tanto assim!

— Sabe, filha, eu queria fazer por você o que não pude. O que não tive tempo. Quero ser sua mãe... — chorou.

— Eu não sei como pude fazer isso. Estou assustada com tudo. Nem sei o que dizer.

— Diga que me deixa participar mais da sua vida, assim como quero que viva a nossa — tornou a senhora emocionada. — Você terá uma nova vida ao nosso lado.

— Para ser sincera, estou com medo do que senti lá. As lembranças vieram com intensidade e os sentimentos se misturaram. Fiquei confusa...

— Boa noite — a voz grave de William a interrompeu. Ele não gostou de ver o casal ali, mas não disse nada.

— Boa noite, Will — cumprimentou Oscar. — Eu soube o que aconteceu. Fiquei surpreso, apesar de saber...

— Saber o quê? — perguntou o rapaz, sério.

— Saber que a Dani é a nossa Danielle. Agora não se trata só da aparência, do jeito, da voz... Eu não imaginava que ela teria as lembranças. Eu trouxe aqui... — E tirando uma caixinha do bolso, entregou: — É o anel que dei de presente a ela, minha filha do coração.

Danielle, ainda sob o efeito de um susto, pegou o anel e segurou. Olhava para eles sem saber o que dizer.

— Dona Maria Cândida, senhor Oscar... Eu entendo o que estão sentindo a respeito da Dani, no entanto estou preocupado. Na verdade, estou com medo de que isso a afete de alguma forma. Pode ser que, conforme acreditem, ela seja a filha de vocês que se foi, mas... hoje ela tem a própria vida. Uma vida nova e deve vivê-la sem interferência da outra.

— O melhor é a Danielle decidir o que fazer, não acha? — interferiu a senhora. Ao lado da moça, enquanto a afagava, comentou: — Fiquei emocionada quando a vi chamando o Oscar de papai... Chamou-me de mamãe e, de todos os meus filhos, somente ela nos chamava assim. São muitos detalhes, Will. Não podemos negar isso! Não é filha?!

— Com todo o respeito. Não acho que ela esteja em condições, agora, de pensar direito — respondeu William educado, na vez de Danielle. — Podemos ver que ela está em choque e eu não estou gostando disso. Para ser sincero, não aprovo nada disso que estão fazendo. Sejamos realistas: a Dani se recuperou, nos últimos meses, de perdas imensuráveis. Ela sofreu muito. Está retomando a vida agora, depois de tudo o que lhe aconteceu. Não quero que sofra pressões nem que enfrente situações tensas como a de hoje. Certamente, isso não vai lhe fazer bem.

Oscar refletiu um pouco, afagou as costas da esposa e concluiu:

— Ele tem razão. A Danielle tem uma vida nova. Tê-la perto de nós já é um presente. Não precisamos pressioná-la. Não queremos mais nenhuma demonstração. Certo, Cândida?

A esposa não respondeu e ainda continuou olhando emocionada para Danielle.

— Mais uma coisa, senhor Oscar. Não gostei do comportamento do George hoje. Se ele está com inveja...

— Deixe o George comigo. O problema do meu filho é ver o seu sucesso e não admitir a própria incompetência.

— Sei que não é o momento nem o lugar apropriado, porém se isso continuar...

— Você não vai deixar a companhia, William! Não vou permitir! — Fitando a esposa, ele se levantou e pediu: — Vamos, Cândida. Ninguém sabe que estamos aqui.

— Você está bem, Dani? — indagou a mulher.

— Estou.

Vendo-a quieta, com o anel nas mãos e sem saber o que fazer, o rapaz perguntou:

— Quer ficar com o anel, Dani?

Ela titubeou. Olhou para o casal, em grande expectativa, e não teve como recusar, afirmando:

— Vou ficar com ele.

Maria Cândida sorriu satisfeita e a abraçou com carinho, seguida por Oscar. Não demorou e logo se foram.

William ficou preocupado. Sentia que algo estava errado, mas não sabia o quê.

Naquela noite, ele decidiu ficar ali. Danielle, ainda abalada, não queria conversar muito.

Ao deitarem, ela, rapidamente, adormeceu. E ele, pensativo, demorou a pegar no sono. O espírito Desirée o atacava obsessivamente.

— Você é meu marido!!! Está me traindo com ela!!!

Atirando-se sobre William, acusava-o e ofendia ininterruptamente.

De madrugada, o rapaz acordou num sobressalto.

— O que foi isso, Will?! — assustou-se Danielle.

Ele nem respondeu. Sentando-se na cama, passou as mãos pelos cabelos e esfregou o rosto gotejado de suor.

— Will? Tudo bem?

— Foi um sonho. Só isso.

Ela esfregou-lhe as costas e ele se virou. Sorriu levemente e disse:

— Desculpe se a acordei.

— Não se preocupe. Agora deita. Precisamos levantar cedo, Raul.

— O meu nome é William! — disse, encarando-a firme.

Sentando-se rápido, pediu, parecendo implorar:

— Desculpe, Will! Por favor! Não fiz por querer.

Aproximando-se, e arrependido pela dureza na voz, falou enquanto a abraçava:

— Eu sei. Perdoe-me. Eu deveria entender... — Vendo-a triste, propôs: — Vamos dormir, vai. Preciso levantar cedo.

O espírito Desirée havia entendido como perturbar Danielle e William. Faria tudo para tirar a harmonia e a felicidade do casal, a partir de então.

Na manhã seguinte, ele abriu os olhos lentamente e ficou perplexo. Ao seu lado viu Desirée, deitada, olhando-o firme. Sua aparência era feia e estava machucada. Assim que piscou o vulto desapareceu.

— Dani?! — incrédulo, tocou-lhe o ombro.

— Oi — respondeu ao acordar.

O companheiro respirou aliviado e depois falou:

— Vou ao meu apartamento. Preciso de roupa para ir trabalhar.

— Vou fazer o café para nós.

— Não dormi bem. Estou cansado ainda.

— Tome uma ducha.

— Isso mesmo. Vou tomar uma ducha fria e rápida.

Ela preparava o desjejum enquanto ele saiu do banho.

Chegando perto da bancada, o rapaz sentou-se e a observou.

Sem entender, viu Desirée, novamente, em vez de Danielle. Permaneceu quieto, absolutamente parado. Logo a imagem sumiu. Ela conversava naturalmente e nada percebeu. Ofereceu-lhe uma xícara com café e colocou alguns pães sobre a bancada. Percebendo-o atônito, perguntou:

— O que foi?

— Nada — surpreendeu-se.

— Estava tão distante. Garanto que não sabe o que eu estava falando.

Ele a envolveu e lhe fez um carinho no rosto. Examinando o relógio, ela avisou:

— Estamos nos atrasando.

— É mesmo. Eu posso levar bronca do meu chefe! — riu ao brincar.

— Engraçadinho! — ironizou. William a puxou para um abraço e Danielle reclamou, brincando: — Vamos nos atrasar! Pare, Raul!

— Eu me chamo William, Desirée! — exclamou, propositadamente. Segurou-a firme e parou. Seus olhos azuis brilhavam intensamente quando a fitou, afirmando: — William, por favor.

Danielle se afastou. Parecia encolher quando se sentou ao seu lado. Arrependido, trouxe-a para si e abraçando-a pediu:

— Por favor, perdoe-me. Eu não deveria tê-la chamado de Desirée.

— Eu mereci. Desculpe-me, você.

Levantou-se chateada, deixando-o pensativo. Indo atrás de Danielle, tornou em tom triste:

— Não fique assim, Dani. Desculpe-me.

— Estou triste comigo mesma. Isso não deveria acontecer. Respondeu daquela forma porque o chamei de outro nome. Isso não foi justo com você.

— É uma fase. Vamos esquecer.

— Não sei como pode compreender isso.

— Primeiro, porque eu a amo. Segundo, porque sei o quanto se apegou a ele. Entendo que viveram muito bem e isso é difícil de esquecer.

Ela se aproximou, envolveu-o e disse em tom romântico:

— Eu te amo, Will.

— Eu também amo você.

Beijou-a com todo amor.

* * *

Antes de ir para os Estados Unidos, William fez questão de resolver tudo o que, para sua consciência, estava pendente. Na primeira oportunidade, procurou por Belinda e pediu:

— Gostaria que me desculpasse pela forma como falei com a senhora, por ocasião das fotos nos jornais. Meu comportamento não foi digno. Preciso que me perdoe. — Ela o ouvia com atenção, e ele se justificou: — Eu estava bastante nervoso com a imprensa. Aquele tipo de notícia poderia interferir na minha vida profissional principalmente. Não é por mim, mas por consideração e respeito ao grupo que eu represento e para o qual trabalho. De certa forma, não poderia decepcioná-los nem trair a confiança que têm em mim.

— Eu também me deixei levar pela emoção. Devo confessar que não gostei. Não estou acostumada à liberdade que existe hoje em dia. Não queria ver minha filha falada daquela forma. Quis protegê-la e esqueci que, realmente, a Danielle é bem grandinha. No entanto, deve concordar comigo, que foi algo muito desagradável e eu gostaria de que não se repetisse aquele tipo de escândalo.

— Não vai acontecer. Eu prometo. Também não gostei de vê-la exposta daquela forma. Serei cuidadoso. — No momento seguinte, perguntou: — Então, a senhora me desculpa? — sorriu largamente.

— Claro, Will! — estampou lindo sorriso, abraçando-se a ele.

O rapaz correspondeu. Ele admirava aquele modo afável e carinhoso que percebia em Belinda e Maria Cândida. O toque, o contato meigo e o desvelo maternal eram muito marcantes nas senhoras, devido à característica típica da generosidade brasileira. Mas, em Belinda, havia algo especial. Por motivo ignorado, gostava muito dela, apesar de não conhecê-la tão bem. Sabia que ela seria incapaz de magoá-lo, por qualquer razão.

— Não está chateada comigo, não é? — riu.

— Não. Lógico que não. Também não quero que fique zangado comigo. Preciso que entenda a preocupação de mãe.

— Eu entendo. Gosto muito da senhora.

— Eu também, Will. Adoro você! — emocionou-se. — Pode contar comigo sempre. Quero que sejam felizes, filho. Vocês merecem toda a felicidade do mundo.

— Seremos. Se depender de mim, eu prometo. Farei sua filha muito feliz.

— Quando vai ao Brasil novamente? Quero você e a Dani lá!

— Quem sabe no próximo ano?... — alegrou-se.

— Ficarei muito feliz! — disse, abraçando-o e beijando-o, com ternura, no rosto. — Só lhe peço uma coisa...

— Pode pedir.

— Cuide bem da minha Dani nessa viagem a Nova Iorque.

— Cuidarei. Com todo o meu amor — sorriu.

Passando a mão, maternalmente, em seu rosto, disse com afeto:

— Gosto muito de você, menino!

Ele pegou, carinhosamente, sua mão, beijou-a e respondeu:

— Eu também da senhora. Quanto à Dani, não se preocupe. Cuidarei muito bem dela.

— Eu acredito. Você já demonstrou isso de outra vez.

Abraçaram-se e conversaram mais um pouco. O rapaz percebeu que Belinda não sabia sobre o bracelete nem a reação estranha que Danielle teve ao recebê-lo de Maria Cândida. A mãe ignorava tudo, completamente. Ele teve forte desejo de lhe contar, mas não conseguiu. Pensou que, talvez, fosse melhor a filha fazê-lo.

* * *

Antes de irem para os Estados Unidos, William fez questão de passar em Londres para apresentar Danielle a sua mãe.

Como esperava, a senhora não gostou da moça, criticando-a assim que pôde. Ele não se importou. Conhecia bem sua mãe.

* * *

A viagem foi ótima. No final, retornaram a Paris.

Ao chegarem, os negócios estavam em alta e, alguns dias depois, ele realizou a fusão que tanto desejava, deixando o presidente da companhia muito satisfeito.

— Parabéns, William! Você foi ótimo! — disse o senhor empolgado.

— Obrigado, senhor Oscar. Aprendi com o senhor — respondeu com sorriso maroto.

— Parabéns — cumprimentou George sem empolgação. — Fez um bom negócio.

— Obrigado. Eu disse que daria certo.

Esperando que os diretores se retirassem da sala de reuniões, Oscar não se preocupou com a presença do filho e perguntou:

— E a Danielle?

— Hoje ela não estava muito bem. Pedi que ficasse em casa.

— Algum problema sério?

— Não. Reclamou de dor de cabeça e indisposição.

— A Olívia também não veio hoje. Disse que não estava bem — reclamou George.

— Ela me telefonou logo cedo, avisando — tornou William.

— William, não tenho nada com isso, mas... Por que não regulariza sua situação com a Danielle? Deveriam se casar. Sei que estão morando juntos — disse Oscar inesperadamente.

O rapaz sentiu-se corar. Sorrindo, sem jeito, explicou:

— Não estamos, exatamente, morando juntos.

— Só dormem, cada dia, no apartamento de um. Viajam juntos, ficando na mesma suíte de hotel... — criticou George com sorriso irônico.

— Somos independentes e não devemos satisfações a ninguém! Muito menos a você!

Quando viu o filho tomar fôlego para esbravejar, Oscar, praticamente, ordenou:

— Por favor, vá ver se a secretária já preparou os relatórios.

Revoltado, sem conseguir rebater ao outro, retirou-se.

— Desculpe-me, senhor Oscar. Às vezes perco o controle com o George. Acabo esquecendo que ele é seu filho e... Também... Ele me provoca muito.

— E então? Por que você e a Danielle não se casam?

— Para dizer a verdade, já estive pensando a respeito e, pensando muito mesmo. Mas não conversei com ela, porque estamos há tão pouco tempo juntos.

— Esperar mais tempo para quê? Não são mais crianças nem adolescentes.

— Eu sei.

— Conheci pouco a minha mulher e estamos casados há mais de cinqüenta anos. Isso será bom para você. Pense bem, mas não pense muito. É um homem de grandes negócios. Representa uma grande empresa e, para ser bem visto pelos de igual importância no mundo dos negócios, precisa de uma vida sólida, estável, sem aventuras. Entende?

— Entendo. Mas não vou me casar por causa desta empresa. Vou me casar com a Dani, porque gosto dela.

— William, espero que me entenda de uma vez. — Breve pausa e tentou se impor: — De certa forma, sinto-me pai da Danielle. Acho que sabe disso. Não estou muito satisfeito em vê-la com uma vida como essa, aventureira, em minha opinião. Estão vivendo como marido e mulher. Isso não podem esconder mais. Gostaria de lhe pedir que regularize essa situação.

— Como eu disse, já estou pensando muito a respeito. Mas não vou me casar com ela por causa desta empresa nem por sua causa. Se eu o fizer e quando fizer, será por mim e por ela.

— Você tem coragem, rapaz. Muita coragem para me dizer isso assim! Porém sei que tem juízo e muito bom senso também! — exclamou, sorrindo, e saiu da sala.

William ficou quieto e pensativo. Aquele homem era liberal, mas tinha um lado conservador. Estava realmente decidido a falar com Danielle a respeito de casamento e esperava um bom momento. Mas não sabia qual.

* * *

Naquela noite foi direto para o apartamento de Danielle, que se recuperava do mal estar.

— Obrigada pelas flores que me mandou — agradeceu-lhe, beijando-o assim que chegou.

— Gostou?

— Adorei! São lindas! Veja! — mostrou-as postas em um lindo vaso sobre a mesa. — Você está me mimando muito, Will.

— É para animá-la mesmo. Quero que se recupere logo. — Alguns instantes e perguntou: — Melhorou?

— Estou melhor. Um pouco. — Em seguida, contou: — A dona Maria Cândida ficou o dia todo aqui comigo.

— Eu sei. Todas as vezes que liguei, você disse que ela estava aqui.

— Gosto de ficar com ela. É uma mãezona e tanto.

— Deveria ter aproveitado a companhia dela e ter ido ao médico, Dani. A dor no corpo passou?

— Um pouco. A cabeça é que me incomoda. Não é uma dor forte e, junto com a tontura que às vezes me dá... fica ruim. Se eu não melhorar, amanhã eu vou mesmo.

Danielle o olhou de modo estranho e William pareceu ler o seu pensamento e sobressaltou-se:

— Dani, você não está grávida?! Está?!

— Não sei! Mas está atrasada — tornou, olhando-o firme e séria.

Ele sentiu-se mal para surpresa desagradável de Danielle.

Sentando-se no sofá, William segurou a cabeça com as mãos. Enquanto o espírito Desirée lhe passava energias pesarosas, piorando a situação.

— Will, o que foi?! — perguntou Danielle temerosa. — Diga alguma coisa! Não faça isso comigo!

— Não faça isso comigo você! Não estou preparado para ter um filho! Aliás, eu não quero que você tenha um filho!

— Will! — exclamou em choque, magoada.

Ela correu para o quarto e ele foi atrás.

— Dani! Por favor! Não foi isso o que entendeu!

— Por que não quer um filho?! Problemas financeiros?! Por sermos muito jovens?! — perguntou triste e irônica. — Por vergonha de mim?! Por que o que vivemos é uma aventura?! Por...

— Não! — interrompeu-a. — Pelo amor de Deus! Escute-me! — Segurando-a pelos braços, abraçou-a em seguida e explicou: — Não quero que passe pelo que passou. Fico apavorado em lembrar aquela noite em Long Island! Não me faça imaginar que vai passar por aquilo de novo por minha causa!

— William! O que é isso?! — afastou-se do abraço, inconformada. — Estávamos sem recurso! Passou! Acabou! Agora é diferente!

— Porque não pensei nisso antes?! Por que não conversamos antes sobre um filho?! — questionava nervoso, andando pelo quarto.

— Por que tudo aconteceu muito rápido! — zangou-se. Firme, exigiu: — Vá embora, William! Se a sua próxima fala for para pedir que eu tire essa criança, suma daqui!!!

— Ficou louca?! — rebateu no mesmo tom. — Acha que vou pedir para matar o meu filho?!

— Se não quer que eu passe pelo que passei, só pode querer que eu faça um aborto!

— Não tente pôr palavras na minha boca! Eu não falei nem pensei nisso! Você não entendeu! Acho que ninguém me entende! — Respirou fundo, tentou se acalmar e depois justificou: — Eu tenho algum problema, algum trauma inexplicável, nesta vida, com dor, sangue e tudo do gênero. Foi terrível, para mim, vê-la sofrendo para ter aquela criança. Eu sempre quis um filho, mas, depois do que vi, não quero mais. As mulheres são loucas ao desejar isso! Eu passo mal só de lembrar daquela noite! Até hoje, não deixo de pensar que matei sua filha. Acho que o médico quis esconder isso de mim.

— Você me ajudou! Salvou a minha vida! — Vendo-o nervoso, tremendo, parou frente a ele, afagou-lhe o braço e o rosto e perguntou com voz branda: — E o que vamos fazer? Eu não vou tirar.

— Eu não quero que tire. Nunca lhe perdoaria, se fizesse isso. — Breve pausa e disse: — Quero me casar com você.

— Por que acha que estou grávida?

— Não. Porque eu a amo. Porque a quero comigo para sempre. — Ele a abraçou e beijou-lhe os lábios. Depois, afagando-lhe o rosto com as duas mãos, tirou-lhe os cabelos da face e falou: — Olha... Eu quero esse filho. Vou adorar ter um filho. Só não vou conseguir acompanhá-la ao médico, aos exames... Acho que não vou passar da porta do hospital. E... Não vou assistir ao parto nem à filmagem.

— Will... O que sente em relação à dor, é tão terrível assim? — quis saber comovida.

— Pior do que imagina. Sinto muito. Talvez não fosse isso o que esperasse de mim. Sempre fui desse jeito, mas depois daquela noite... Piorei. — Abraçando-a, pediu com carinho: — Perdoe-me, Dani. Eu a amo tanto.

— Eu entendo. Não fique assim.

— E então?

— O quê?

— Quer se casar comigo? — perguntou com ternura.

— Eu quero! — sorriu docemente.

Depois de beijá-la, ele comentou:

— Vou providenciar tudo. Só que... Eu gostaria de me casar em Londres e... Se não se importar, quero que nosso filho nasça em Londres também.

Ela sorriu lindamente ao exclamar:

— Calma! Nem sei se estou grávida. É só uma suspeita.

— Eu sei. É que já quero pensar nisso desde já. Sabe, sempre quis que o meu filho nascesse onde eu nasci. Você se importa?

— Não. Claro que não. — Sorrindo, ainda falou: — Eu

sempre quis ter um filho. Só quero dividir todos os momentos com você. Não precisa me acompanhar ao médico, mas viva comigo cada alegria, cada detalhe...

— Eu prometo que sim.

Danielle era calma, educada e tranqüila. Tudo o que ele queria em alguém que amasse. Com ela, desejava viver e se casar. Estava disposto a tudo, inclusive superar seu medo e seu trauma a respeito da dor e sofrimento a fim de acompanhá-la onde fosse preciso.

Exames revelaram que Danielle não estava grávida, deixando ambos decepcionados.

O médico não diagnosticou a origem das dores de cabeça, do corpo nem do mal-estar, que se tornavam cada vez mais freqüentes. Contudo, isso não atrapalhou a cerimônia simples, linda e bem discreta na capital inglesa.

Foi no salão de festas do hotel de seu irmão. Decoração agradável, de muito bom gosto e flores maravilhosas. Danielle adentrou de braços dados com o senhor Oscar, desfilando no corredor principal entre as cadeiras dos poucos convidados. Longe da imprensa.

Ao olhar para o noivo, ansioso, ela lançou-lhe um sorriso luminoso e ambos sentiram-se alegres como jamais estiveram em suas vidas.

A cerimônia não foi demorada. Nem o beijo que ele lhe deu foi discreto. William a abraçou com força, diante do altar improvisado, como se não acreditasse naquele momento, e ela correspondeu ao carinho.

Em seguida, os convidados se reuniram para um jantar em mesas bem dispostas em outro salão. Tudo perfeito.

Somente a mãe do noivo teceu-lhe reclamações, mas ele estava tão feliz que não se importou. Brindaram com champanhe e dançaram muito.

William não tirava os olhos de Danielle. Por muito tempo, contemplou-a em seu vestido de cor creme, que lhe caia delicadamente e muito bem. Não queria esquecer de como ela estava extravagantemente encantadora naquele dia.

No final, a noiva jogou o buquê. Abraçou e beijou demoradamente a mãe e os irmãos, assim como o noivo ao cumprimentar os novos parentes. Depois partiram, deixando todos aproveitarem a festa.

Fizeram uma viagem à Suíça e ficaram no luxuoso Hotel De La Paix, em Genebra, por dez dias. Depois voltaram para morar em Paris, retomando a vida normal.

Poderiam ter gastado verdadeira fortuna em uma festa fabulosa e viagem excêntrica, mas William sugeriu à Danielle que uma recepção simples, apesar de bonita, e uma viagem menos ostentosa, seria de bom tamanho. O mais importante era estarem juntos e felizes. Ele propôs também que o valor economizado em festa e viagem seria destinado à instituição filantrópica ajudada por ele.

* * *

Todas as coisas de Danielle foram levadas para o apartamento do marido, pois decidiram morar nele.

Ela continuava a mesma pessoa tranqüila, alegre, calma, risonha e sempre bem humorada e William adorava isso.

Demorou alguns dias para colocarem tudo em ordem,

pois haviam voltado a trabalhar e a esposa precisava conciliar seu horário de serviço com arrumação de suas coisas na nova casa. Danielle era muito ordeira. Não deixou para a empregada fazer seu dever.

— Estou cansada de tanta coisa que arrumei hoje! — disse rindo e jogando-se no sofá.

Ele diminuiu as luzes, ligou a televisão, deixando a sala na penumbra.

— Quero assistir a esse filme — mostrou. — Você me faz companhia?

— Faço qualquer coisa para descansar — respondeu alegre, puxando-o para que se sentasse ao seu lado.

Enquanto o filme não começava, escutaram um barulho.

Ele não se importou, acreditando ser as propagandas antes do início do filme. Curiosa, a esposa se levantou. Algo a atraiu até a cozinha. Não demorou e o marido ouviu um grito agudo.

— Dani? — levantou-se indo, atrás dela.

Chegando à cozinha, viu-a paralisada. Todas as portas dos armários estavam abertas e muitas coisas espalhadas pelo chão.

— Will, foi você quem fez isso? — perguntou incrédula.

— Não. Lógico que não!

— Acabei de sair daqui agora. Deixei tudo arrumado. Você viu. Passei a manhã inteira arrumando o nosso quarto e depois vim para cá.

Entreolharam-se e, com o mesmo pensamento, correram juntos para a suíte do casal, que estava do mesmo jeito: as portas abertas, mas somente as roupas de Danielle jogadas no chão.

— O que está acontecendo aqui? — ele quis saber intrigado. Indo até os demais quartos, observaram que tudo se achava no lugar. — Eu vi nosso quarto arrumado pouco antes de ir lá para a sala.

— Ainda bem que não estou sozinha, senão pensaria que estou louca!

— Dani! O que é isso?

— Não sei — respondeu, temendo revelar seus pensamentos.

Imediatamente, ele reagiu:

— Não tem importância. Eu vou ajudá-la a por tudo no lugar.

Tentando não dar importância ao ocorrido desagradável, ambos arrumaram tudo. Somente depois voltaram para a sala a fim de assistir ao filme. Ficaram calados. Não tocaram mais no assunto, porém não o esqueciam.

* * *

Bem mais tarde, o marido já estava deitado quando Danielle terminou o banho.

Frente ao espelho, passava a toalha nos cabelos úmidos, viu terra no chão de seu banheiro. Olhando em torno de si, teve certeza de que tudo se encontrava bem sujo.

— O que é isso?! Will!!!

Ele se levantou e chegou rápido.

— O quê?!

— Olha isso! Parece terra.

— De onde apareceu?

— Não tenho a menor idéia.

— Não é possível! Saí desse banheiro pouco antes de você.

— Eu sei. E, quando entrei no banho, não havia nada no chão.

— Venha. Saia daí.

Nervosa, ela foi para o quarto e o marido ficou procurando a origem daquilo. Irritada, a esposa pegou material de limpeza e voltou para o banheiro, limpando tudo.

Nada foi dito. Ao vê-la terminar, William pediu:

— Venha. Vamos esquecer isso também.

* * *

Com o passar do tempo, os episódios estranhos foram esquecidos. Conversaram sobre eles algumas vezes, mas não chegaram a nenhuma conclusão.

Era conveniente trabalharem próximos. Além de irem e voltarem juntos, almoçavam também, de vez em quando, e se viam com freqüência.

O tempo corria célere e William admirava muito a esposa. Seu jeito carinhoso, tranqüilo, sua educação e elegância era algo que o cativava muito. Até que, uma tarde, ele se despedia de um grupo de empresários com quem cuidou de alguns negócios, quando Danielle se aproximou. Observava-o a certa distância, sem ser vista.

No grupo havia uma mulher bonita e bem distinta que reparou a aliança na mão do vice-presidente e comentou, ousadamente:

— William, que pena que se casou! Eu ainda tinha esperanças. — Riu e beijou-o, inesperadamente, no rosto e desfechou: — Se bem que isso não será um empecilho...

Todos riram. Ele não disse nada e os viu entrar no elevador.

Danielle se aproximou sorrindo. Ficou a sua frente e o marido lhe sorriu com generosidade. Ela escorregou a mão para baixo de seu paletó como se fosse abraçá-lo pela cintura, no entanto o beliscou com força. Ao sentir a dor, William, imediatamente, segurou seu pulso e se afastou com delicadeza para que ninguém percebesse. Em seguida, sério, invadiu sua alma com o olhar e, puxando-a pela mão, pediu:

— Venha até minha sala. — Ao entrarem, fechou a porta atrás de si e exigiu ponderado e firme: — Nunca mais faça isso!

— Você mereceu! — rebateu de cara amarrada.

William se arrepiou. Era como ter visto Desirée falando a sua frente.

— Dani, o que é isso?! — censurou-a com dureza.

Num sobressalto, a esposa pareceu acordar, como se tivesse perdido o controle de si por alguns minutos. Confusa, não sabia o que dizer.

— Eu...

— Você o quê?! — exigiu firme.

— Não sei o que fiz, Will. Nunca fiz isso antes... — tornou, nitidamente, nervosa.

— Não faça cena de ciúme. Odeio isso! Entendeu? Odeio!

Abraçou-o rápido, escondendo-se em seu peito. O marido respirou fundo, afagou-a com carinho, beijou-lhe no alto da cabeça. E a mulher pediu:

— Desculpe-me, por favor.

— Tudo bem. Mas não faça isso nunca mais.

Naquela noite, ao chegarem ao apartamento, William, animado, falava sobre um negócio fechado naquele dia. Alegre, decidiu preparar o jantar. Danielle reclamava de cansaço e resolveu tomar um banho.

Acreditando que demorava demais, o marido pegou duas taças com vinho e foi até o banheiro. Vendo-a de olhos fechados, imersa na banheira, aproximou-se oferecendo:

— Que tal um... — deteve as palavras ao olhar para a água da banheira onde a esposa se encontrava submersa. Ele colocou as taças sobre a bancada da pia e chamou: — Dani, levanta daí!

— O que foi?! — assustou-se.

— Olhe a cor dessa água!

A água da banheira estava imunda, cor de lama vermelha. Ela levantou-se depressa, enrolou-se na toalha oferecida e o abraçou. Rápido, o marido tirou a corrente que prendia a tampa e, parados, olhavam a água ir embora. No final, ainda puderam ver um pouco de pó, resquícios de terra no fundo da banheira.

— O que é isso?! — perguntou incrédula e assustada.

— Não sei. Enxágüe-se no chuveiro.

Ela obedeceu. Ambos ficaram surpresos, preocupados e sem saber o que fazer.

Um pouco depois, Danielle não conseguia se esquecer do ocorrido e, gentilmente, recusou a comida que o marido havia preparado e continuou bebericando o vinho, observando-o jantar.

— Pode ter sido da torneira. A água talvez veio suja, com ferrugem ou coisa assim — disse ele, tentando encontrar uma explicação.

— Isso já aconteceu antes? — quis saber ela.

— Não — admitiu sem jeito. — Por que não contamos isso à dona Maria Cândida?

— Está pensando o mesmo que eu? — tornou a esposa.

— Que é algo espiritual?

— Sim.

— Na verdade, estou. Não há nada que justifique isso. Se eu não tivesse visto... — Ao observá-la apanhar a garrafa para se servir com mais vinho, colocou a mão sobre a taça, tampando-a, e disse com jeitinho: — Dani, importa-se se eu lhe pedir para não beber mais?

— Lógico! — respondeu agressiva. — Você está me controlando, por quê?!

Novamente William acreditou ver e ouvir Desirée falar.

Em seguida, Danielle o olhou de modo estranho, quando lhe sorriu. Pegando a garrafa de vinho foi para a sala e ligou a televisão. Seu jeito, seu modo de andar e até como segurou a garrafa e a taça, era Desirée.

O marido respirou fundo. Parou de comer e foi atrás dela.

— Dê-me a garrafa — solicitou educado.

— Por quê?

— Porque eu quero — respondeu tranqüilo, observando-a atento.

A esposa lhe entregou a garrafa. Ele foi até a cozinha e despejou todo o vinho dentro da pia. Seguindo-o e vendo o que fazia, atacou em tom agressivo:

— Se fosse com uma de suas amantes, você estaria bebendo, rindo ao seu lado e oferecendo mais.

Aquela frase era típica da ex-esposa. Conhecia-a muito bem. Aproximando-se, pegou a mulher pelos braços. Olhando firme em seus olhos, chamou repreendendo-a:

— Dani, pare com isso!

— Você está me apertando... Está me machucando... — reclamou em tom frágil, franzindo o rosto. Mudando de comportamento imediatamente. — Pare, Will! O que foi?

Ele a soltou, olhou-a, desconfiado, e perguntou:

— Por que está falando desse jeito?

— De que jeito?

— Que negócio é esse de dizer sobre eu beber e rir junto com uma amante?

— Que amante?! O que você está falando?!

— Pare com isso, Dani! Pelo amor de Deus!

— Com isso o quê? — chegou a sorrir, sem entender.

— Pare de imitar a Desirée! — exigiu sério.

— Do que você está falando, Will?! Nós conversávamos sobre contar o que aconteceu para a dona Maria Cândida e... E o que mesmo? — O marido ficou preocupado e não disse nada. Não queria enfatizar o ocorrido. — Você não vai terminar de jantar? — perguntou ela com simplicidade.

— Não. Não quero mais.

* * *

Com o passar dos dias, o caso não teve mais importância para ele. Porém Danielle não via a hora de chegar sábado e ir até a casa de Maria Cândida para conversar.

Sentada, com as pernas cruzadas sobre a cama da senhora, ela contou-lhe tudo. Dona Filomena ouvia também.

— Além disso, disse que eu falei e agi de um jeito... Mas não me lembro. Pode ser espiritual?

As senhoras se entreolharam e a mais velha afirmou:

— Pode. Um espírito sem evolução usa esse tipo de coisa para chamar a atenção. Entretanto é preciso que haja um médium de efeitos físicos para ceder energia a ele.

— E quem é esse médium? — perguntou a moça.

— Um de vocês dois — tornou a senhora com simplicidade.

— Pelo que nos contou... O jeito como agiu é bem próprio da... — Maria Cândida deteve as palavras. Era difícil afirmar aquilo.

— Desirée? — Breve pausa e contou: — O Will disse que eu falei como ela.

— Não quero acreditar nisso — desabafou com um travo de amargura. — Não posso pensar em minha filha sofrendo a ponto de se prender nesse plano. — Pensando um pouco e querendo negar os fatos, considerou: — Por outro lado... Pode ser um outro espírito, brincalhão. Algum desafeto de um de vocês dois. O que acha, mamãe?

Dona Filomena a encarou, suspirou fundo e respondeu para Danielle:

— Você precisa orar, filha.

— Mas, vó, eu rezo, toda noite!

— Palavras repetidas não são suficientes. Eu me refiro a orar com fervor. Pegar o Evangelho, ler e conversar a respeito. Garanto que vocês não sabem o que é isso.

— Com licença — pediu William, batendo à porta que estava aberta.

— Entre, filho — disse Maria Cândida, batendo sobre a cama para que se sentasse ao seu lado. — A Dani está nos contando o que vem acontecendo.

— Foi muito estranho vê-la falar comigo daquele jeito. Não parecia ela.

— Precisam orar muito. Eu sei que você, Will, sabe fazer o Evangelho no Lar, pois aprendeu aqui em casa — disse Maria Cândida. — Ainda tem aquele Evangelho que eu lhe dei?

— Tenho sim. Eu o guardei. Só que é em português. Posso falar bem esse idioma, mas para ler e escrever... — sorriu sem jeito.

— A Dani pode ler — tornou a senhora. — Orem. Comecem a fazer o Evangelho.

— Estou começando a ficar com medo lá de casa — confessou Danielle.

— Não precisa ter medo, filha — sorriu Maria Cândida, puxando-a para junto de si. — Quando se é superior a um espírito, ele não pode fazer nada contra você. Sou sua mãezinha do coração — beijou-lhe a cabeça com carinho, afagando-a. — Vou orar por você e vai ver que nada vai lhe acontecer. Sabe que prece de mãe tem muita força. Muita energia. Não está sozinha nisso, não.

William ficou olhando, mas não disse nada. Percebia que Maria Cândida cuidava de Danielle como se fosse realmente sua filha, porém com muito mais mimos do que a viu tratando Desirée ou Olívia. Achou estranho. Algo estava errado.

14

O TEMPO ENCONTRA SOLUÇÕES

Durante o almoço, naquele dia, Maria Cândida e dona Filomena tentavam disfarçar a preocupação com o que souberam a respeito dos ocorridos no apartamento de Danielle.

Nanci e Edwin estavam presentes, assim como Olívia, George, sua esposa Lisie e seu filho Henry.

Antes de terminarem a refeição, Edwin pediu a atenção de todos e anunciou a gravidez de Nanci, o que justificou o motivo do casal não tirar um lindo sorriso do rosto. Danielle se abraçou com a irmã e quase não se largaram. Depois os demais a cumprimentaram.

Bem mais tarde, assim que os ânimos se acalmaram e a tarde estava tranqüila, quando Danielle, sozinha, caminhava próximo da piscina, George a viu e se aproximou:

— Pensando em quê? — ele perguntou.

— Nada importante.

— Preciso saber uma coisa. Serei bem direto e espero sua sinceridade.

— Sempre fui sincera, George.

— Como sabe aquelas coisas que falou sobre mim e minha irmã que já faleceu?

— Eu, simplesmente, sei. Não tenho explicações. Não sei como aconteceu.

— Você estava jogando, não estava?!

— Como você me jogou nessa piscina quando eu tinha treze anos?! — sorriu de modo enigmático e um brilho estranho no olhar.

— Como faz isso? — inquietou-se.

— Eu não faço. Como falei, simplesmente, acontece. E eu não vim para morar com a mamãe, aqui, por sua causa. Fique sabendo. Não foi só porque o vovô não permitiu. Se eu tivesse pedido, ele deixaria. Mas eu não gostava de você, com suas ameaças de que iria me matar. Dizia que envenenaria minha comida, que iria me sufocar quando estivesse dormindo, eletrocutar minha banheira. Você é doente, George. E ainda não mudou. Esse seu instinto assassino ainda me deixa preocupada. Só que agora é diferente. Cresci. Sei me defender. Não me provoque.

— Você é uma farsa! — Aproximando-se, agarrou-a pelos braços e a ameaçou, falando irritado: — Vou descobrir como faz isso! Sua!...

— Solte-a, George!!! — num grito, William exigiu, ao se aproximar.

O outro a largou com leve empurrão e Danielle ainda disse:

— Seu assassino! Você tem medo que eu descubra alguma coisa sobre você! Cretino! Vou saber o que é!

George sentiu um medo pavoroso e virou as costas sem dizer nada antes que o marido dela fizesse alguma pergunta.

— O que estava acontecendo aqui? — ele indagou.

— Não sei, Will — respondeu ela mais branda, mas confusa. — Foram as lembranças novamente. Não sei como isso acontece. Falei outras coisas para ele e parece que não gostou.

— Tome cuidado. Não confio no George, Dani.

— Nem eu.

Ela enlaçou-se ao braço do marido e começaram a caminhar em silêncio. Atravessaram o jardim, andaram bastante até William parar, virar-se para ela e perguntar:

— Está tão quieta, por quê?

— Não sei. Não tenho assunto.

Desconfiado, ele perguntou:

— Ficou feliz ao saber que a Nanci está grávida?

— Fiquei. Claro! — sorriu.

— Quer ter um filho, Dani?

— Você não quer, Will. Já conversamos sobre isso antes de nos casarmos. Vi como ficou quando suspeitamos que eu pudesse estar grávida e entendi muito bem.

Frente a ela, acariciou-lhe o rosto, passou-lhe levemente os dedos pelos cabelos longos, curvou-se e a beijou. Depois, afagando-a com carinho, suspirou fundo e falou:

— Não é que eu não queira. Podemos adotar quantos filhos você quiser.

— Adotar?! — exclamou ao reclamar. — Só se não pudéssemos...

— Tenho medo de não suportar, Dani. Não sei como vou reagir.

— Então não vamos ter nenhum filho — decidiu rápida e insatisfeita.

— Também não é assim. — Beijou-a com ternura. Em seguida, considerou: — Vou amadurecer a idéia. Vou me acostumar com tudo. Vai dar certo. Você vai ver.

Ela sorriu um tanto triste e o marido percebeu. Não tinha o que falar. Mudando de assunto, a esposa comentou:

— A Nanci me contou que foram para a estação de esqui em Super Besse e Le Lioran. Disse que foi uma delícia. Antes passaram em Auvergne onde tem aquelas crateras de vulcões extintos.

— Ah! Sei. Onde os gauleses ergueram um santuário para o deus Lug e os romanos, um templo para Mercúrio. Realmente o lugar é lindo.

— Contou que os queijos e os vinhos são ótimos.

— A senhora está proibida de chegar perto de vinho! Entendeu?! — brincou, apertando-lhe o nariz.

— Eles esquiaram em Super Besse. Vamos lá qualquer dia?

— Claro, vamos sim. Você vai adorar. — Após um tempo, com jeitinho, ele falou: — Sabe, Dani... Às vezes, vejo você com a dona Maria Cândida e... Não sei se gosto do jeito como ela a trata.

— Como assim?! Ela é uma mãe para mim, Will.

— Não. Ela a trata muitíssimo bem. Sua mãe é a Belinda. Não confunda as coisas.

— Conversamos muito e, quando fazemos isso, sinto uma coisa... Tenho lembranças de situações que não vivi. Ela fica maravilhada. Nós nos entendemos bem. Gosto tanto dela.

— Tudo bem. Pode gostar. É que percebo algo muito estranho quando você está perto dela. Ela a trata como se fosse a filha que morreu e você corresponde, fica estranha... Age diferente. Às vezes, não parece você. Depois tem essas lembranças de situações que não viveu, nesta vida, e que não colaboram em nada. Vejo que conversam muito a respeito disso. Será que isso não a prejudica?

— Lógico que não — respondeu rápido.

— É que... Você muda até comigo.

— Mudo nada! Seu bobo! Está é com ciúme. Quer que eu fique mais tempo com você — sorriu, parou e o beijou rápido.

Conversaram bastante e retornaram para dentro de mansão. William não se sentia muito bem com a presença de George que o olhava de modo estranho. Ele queria ir embora, mas Danielle havia desaparecido com Olívia.

— O que você tem, Olívia?

— Nada, Dani. Só estou quieta.

— Você não é assim. Está com algum problema?

— Sempre temos problemas — sorriu para disfarçar o que sentia.

— Tem visto o Guilherme?

— Nos vimos há quinze dias. Ele está muito ocupado.

— É por isso que está triste.

Estavam sentadas sobre a cama, Olívia encolheu as pernas e se aninhou, recostando a cabeça na perna da outra. Danielle começou a acariciar seus cabelos e a viu com lágrimas nos olhos.

— Quer conversar a respeito, Olívia?

— Estou sentindo uma coisa...

— O quê?

— Uma angústia... Não sei explicar.

— É por que não viu o Guilherme com mais freqüência?

— Não sei, Dani. Tudo para mim é tão difícil. Sinto-me tão sozinha, às vezes.

— Sei como é. Já me senti assim.

— Eu e o seu irmão... — deteve as palavras, sentindo a voz embargada.

— O que tem vocês dois?

— Estou insegura, Dani. Tenho uma decisão importante para tomar e...

— Quer se separar dele?

— Não. Não é isso. Eu... É que...

Poucas batidas à porta do quarto de Olívia e Maria Cândida entrou alegremente.

— Ah! Vocês duas estão aqui!

A filha sentou-se direito e disfarçou a emoção enquanto Danielle perguntou:

— O Will está lá embaixo?

— Está. E procurando por você. Acho que quer ir embora. Ah! — contou ao lembrar. — A Nanci ligou para sua mãe e deu a notícia. A Belinda adorou saber que vai ser avó mais uma vez! Disse que virá para a Europa quando o nenê estiver para nascer.

— E você, Dani? Quando vai arrumar um nenê? — perguntou Olívia.

A amiga fechou o sorriso e abaixou os olhos, respondendo:

— Não pretendemos ter filhos.

— Por quê?! — surpreendeu-se a senhora.

— O Will não quer — praticamente sussurrou, fugindo-lhe o olhar lacrimoso.

— Por que não quer?! O William gosta tanto de criança! — tornou a senhora.

— Mãe! — repreendeu Olívia ao ver a outra triste e constrangida.

Danielle respirou fundo, passou as mãos pelos cabelos, ajeitando-os e se levantou, dizendo:

— Acho que vou indo. Com certeza, o Will quer ir embora.

Elas se despediram. Danielle se foi, deixando Maria Cândida com mais uma preocupação.

* * *

À noite, o casal já estava deitado e William fazia planos para o dia seguinte a fim de ver se animava a esposa, que estava calada, parecendo triste.

— E então? Vai ou não correr comigo amanhã?

— Não estou disposta.

— Podemos correr daqui até o vinhedo de Montmarte.

— Você está louco?! Só vou daqui lá, se você me carregar! — sorriu levemente.

— No segundo sábado de outubro, todo ano, tem a festa do vinho lá. Apesar do vinho que oferecem, nesse festejo, ser horrível, a comemoração é muito legal. Sabia que artistas sem dinheiro, como Picasso, iam até lá e pagavam a conta com pintura?

— Não.

— Depois, podemos subir até o restaurante La Maison Rose. O que acha? — quis saber empolgado.

— Você está falando sério? — perguntou em tom sóbrio e desanimado.

— Não gosto de vê-la assim tão quieta, tão séria — falou carinhoso e com jeitinho. Pegando-lhe a mão, ele a beijou e deu-lhe leves mordidas quando ela, descontraída, pediu com mimos:

— Pare, Raul!

Nesse instante, ouviu-se um barulho forte e alto de vidro se partindo.

O quarto estava na penumbra, somente com as luzes dos abajures acessas.

William sobressaltou e acendeu as luzes principais. Olhando em volta, imediatamente viu o grande espelho, que tinham no quarto, estilhaçado no chão.

— Meu Deus! — exclamou ela, imóvel, sentada na cama.

Enérgico, o marido disse firme:

— Danielle, preste atenção! Nunca mais me chame de Raul novamente! Entendeu?!

— Desculpe-me eu...

William, sentado na cama, apoiou os cotovelos nos joelhos e segurou a cabeça com as mãos. Tudo o que acontecia, levava-o crer em algo espiritual. Não tinha outra explicação.

A esposa se levantou, saiu do quarto e retornou com vassoura, pá e balde de lixo.

— Deixe isso aí. Amanhã a empregada limpa.

— Não, não vou deixar. Se levantarmos, com o quarto escuro, podemos nos cortar.

Ele ficou olhando-a limpar o chão, ao mesmo tempo que tinha a impressão de ouvir risos.

— Dani, você está escutando alguma coisa?

— Não. — respondeu com simplicidade.

Depois de recolher os restos de espelho e varrer o máximo que pôde, a esposa saiu do quarto, deixando-o sozinho. Não demorou e o marido ouviu seu grito.

William a encontrou na sala, pálida e gelada, sem conseguir falar.

— Calma. O que aconteceu?

— Eu vi... — agarrada a ele, recostou-se em seu peito, gaguejando: — Vi a... a...

— Quem?!

— A Desirée... Aqui... Parada. Ela queria me atacar... Quando gritei, ela sumiu.

— Isso está indo longe demais. — Abraçando-a, solicitou: — Venha. Vamos dormir.

— Não!

— Como não?!

— Não quero. Não vou dormir aqui!

— Dani, por favor, para onde vamos a essa hora da noite?!

Não houve resposta. Ele podia ver e sentir o quanto estava nervosa. Com carinho, conduziu-a para o quarto e a fez se sentar na cama, acomodando-se ao seu lado. A esposa não queria se deitar e recostou-se no marido sem dizer nada. Muito tempo depois, ele pediu carinhoso:

— Deita, meu bem. Já é tarde.

— Estou com medo. Nunca me senti assim.

Enquanto William acariciava-lhe as costas e o rosto, viu em seus olhos uma sombra de pavor. Continuou assim até o sono dominá-la. Deitou-se e adormeceu agarrada a ele.

Ao amanhecer, tentando se livrar do abraço, acordou-a:

— Bom dia — sorriu, ao vê-la se remexer. — Você está bem?

— Estou — murmurou.

— Vou preparar um café para nós — disse o marido, levantando-se.

— Meu corpo todo dói.

— Você dormiu encolhida. É por isso. Quer que eu lhe prepare um banho?

— Não, obrigada. Eu faço isso.

Danielle estava pálida e indisposta. Muito quieta. Parecia não querer conversar a respeito de nada. Precisava se forçar para tudo.

* * *

A semana iniciou com novidades na empresa e William necessitava ficar atento a elas. Mesmo assim, não se esquecia da esposa que ainda não se exibia bem, apesar de não reclamar.

Ao sair do elevador, ele encontrou Olívia, que comentou:

— Vim de sua sala agora.

— Fui ver como a Dani estava. Por telefone ela sempre diz que está tudo bem.

— Ela melhorou? — quis saber a amiga.

— Um pouco. Ao menos foi o que me disse. Ela foi ao médico ontem e ele acha que pode ser algum tipo de estresse. Não encontrou nada que possa abalar sua saúde desse jeito. — Caminhavam para a sala da vice-presidência, quando ele, examinando alguns papéis que ela lhe entregou, pediu: — Amanhã, Olívia, vou a uma reunião e a quero comigo. Você vai ver...

— Amanhã não venho.

Fechando a porta da sala, perguntou:

— Por acaso o Guilherme vai estar na França, amanhã? — sorriu com jeito maroto.

— Não — afirmou séria e sem explicações.

— Algum problema, Olívia?

Ela acomodou-se em um sofá e ele se sentou em uma cadeira a sua frente. Após respirar fundo, a amiga comentou:

— Tenho um assunto para resolver amanhã. Não posso adiar mais.

— Então depois de amanhã...

— Acho que não venho depois de amanhã.

Percebendo-a muito diferente, quis saber:

— Você está nervosa, angustiada... Posso ajudar?

— Não, Will. Ninguém pode.

— Posso, pelo menos, saber o que está acontecendo?

— É bem pessoal e... — calou-se e abaixou o olhar. Não conseguia encará-lo.

— Olívia, eu não quero me envolver, mas é que... Pelo seu jeito, parece sério ou grave. Estou ficando preocupado — falou de modo amigo.

Ela pensou um pouco. Torceu as mãos com gesto nervoso e revelou, encarando-o com lágrimas brotando em seus olhos:

— Eu tomei uma decisão. Amanhã cedo, vou até uma clínica. Já está tudo agendado. Eu não posso ter esse filho.

— Você, o quê?! — perguntou sob o efeito de um susto. Não houve resposta. Ele sentiu-se mal. Perplexo, levantou-se e caminhou alguns passos negligentes pela sala. Voltou, sentou-se ao seu lado e pediu em tom comovente: — Não faça isso, Olívia. É uma vida! É arriscado. É perigoso. — Breve pausa. Ela abaixou a cabeça e não disse nada, e ele indagou: — O Guilherme sabe? Foi ele quem pediu isso a você?!

— Não. Ele não sabe.

— Fale com ele.

— Tenho medo. Não quero. Nunca falamos a respeito de ficarmos juntos. Muito menos sobre um filho. Sempre fui uma mulher independente, autônoma, descompromissada com nosso relacionamento. Nunca exigimos nada um do outro e... Eu decidi isso sozinha.

— De quanto tempo você está?

— Três meses — murmurou, abaixando a cabeça.

— Olívia, não faça isso. Pense bem. Se quiser, eu posso conversar com ele. Eu e você sempre fomos amigos e...

Foram interrompidos pelo senhor Oscar, que nem se deu ao trabalho de bater à porta antes de entrar. Pararam o assunto imediatamente.

Pelo resto do dia, William não conseguiu mais falar com Olívia nem por telefone. Aquela decisão da amiga o incomodou muito e não sabia o que fazer.

* * *

O dia estava quase amanhecendo quando Danielle olhou para o marido e o viu acordado.

— Bom dia, amor — cumprimentou-o com voz meiga. Consultando o relógio, comentou: — Ainda nem amanheceu e já está acordado. Dormiu bem?

— Não dormi nada. — Olhando-a, perguntou: — Sente-se melhor?

— Sinto sim. Acho que o médico receitou o remédio certo desta vez. Mas... Por que não dormiu? Pensando em problemas na empresa?

— Não. Estou preocupado com a Olívia.

— Por quê? — O marido contou a ela que não acreditou no que ouvia: — Não pode ser! O Guilherme precisa saber disso!

— Eu sei que o que ela vai fazer é cruel, é errado, mas a decisão é dela. Não podemos nos envolver, Dani.

— Podemos sim! Vou ligar para o meu irmão...

— Não faça isso. A Olívia não vai gostar. Não era para eu ter lhe contado.

Danielle não o ouviu. Levantou-se, pegou o telefone e ligou para o irmão. Entretanto não foi atendida, pois a ligação só caía na caixa postal. William se arrependeu por ter contado, porém não podia fazer mais nada.

— Ainda é muito cedo. Ele talvez esteja dormindo. — Pensando um pouco, indagou: — Aonde é a clínica que ela vai?

— Não sei, Dani. Por favor, não se envolva.

— Já fui envolvida no momento em que soube. Vou fazer de tudo para impedir esse crime, Will. Estamos falando de uma vida! É filho do meu irmão e ele nem sabe! É meu sobrinho! — exclamou enérgica.

Vendo-a se trocar às pressas, perguntou:

— O que vai fazer?

— Vou até a casa dela. Talvez ainda não tenha saído. Se eu telefonar, vai desligar na minha cara e não a encontrarei mais. Conheço a Olívia.

— Vou com você — decidiu firme.

Chegando à casa de Maria Cândida, imediatamente Danielle foi para o quarto de Olívia sem dizer nada. Mas não a encontrou. No corredor do andar superior da residência, a senhora se surpreendeu por vê-los tão cedo ali. William não sabia o que explicar. E Danielle pediu à senhora:

— Podemos conversar um pouquinho?

— Claro. Venham até o meu quarto. O Oscar já saiu. Venham aqui.

Ao fechar a porta, a moça contou sem trégua:

— A Olívia está grávida de três meses e está indo fazer um aborto agora cedo.

— O quê?!!! — assustou-se incrédula.

— Eu soube agora. O Will me contou. Meu irmão não sabe. Acho que a Olívia está desorientada. Alguém precisa conversar com ela.

— Quando ela disse que ia fazer o aborto?! — perguntou a senhora nervosa, em choque.

— Ontem ela me contou. Disse que seria hoje cedo em uma clínica. Mas não sei onde.

— Danielle, preciso da sua ajuda, filha! — disse enérgica. — Precisamos trazer a Olívia de volta para casa, agora, e a única que pode fazer isso é você!

— Como?!

— Ligue para o celular dela.

— Ela vai desligar na minha cara se eu pedir que não vá para a clínica. Faz isso sempre que não gosta de um assunto!

— Minta! Diga que eu estou morrendo! Mas traga a Olívia até aqui!

Danielle não pensou duas vezes. Pegou o telefone, foi para outra sala e, sozinha, ligou. Olívia atendeu e a amiga avisou que Maria Cândida passava muito mal e esperavam o médico. Disse que a mãe parecia agonizar e chamava por ela. Voltando, abraçou-se ao marido e desabafou:

— Eu menti. Não acredito que fiz isso com minha amiga.

— Calma. Fez isso pensando no bem dela, na vida que quer salvar e acho que conseguiu.

Maria Cândida estava nervosa. Aquilo era contra os seus princípios. Contra a educação que deu aos filhos. Enquanto aguardava, decidiu:

— Dani, dê-me o telefone do seu irmão. Vou falar com ele.

Imediatamente ela ligou para Guilherme, em Berlim. Ele não sabia absolutamente de nada.

— Por que ela não me falou?! Por que não me contou?!

— Não sei, Guilherme. Vocês brigaram? Aconteceu alguma coisa?

— Não. Nos vimos faz... Quinze dias. Ela estava quieta, diferente... Mas não aconteceu nada entre nós. A verdade é que nunca brigamos. Nunca!

— E agora? O que digo? Ela está vindo para cá.

Guilherme respirou tão fundo que deu para ouvir. Tentou demonstrar calma e, falando baixinho, pareceu implorar:

— Pelo amor de Deus, não a deixe matar o meu filho. Amanhã cedo estarei aí. Assim que conversar com a Olívia, peça para ela me ligar.

— Está certo. Farei isso — tornou a senhora firme.

— Dona Maria Cândida? — chamou-a antes que ela desligasse.

— Diga.

— Eu amo muito a sua filha.

— Direi isso a ela, Guilherme.

Após desligar, Maria Cândida voltou-se para o casal que a observava nervoso. Nesse instante, ouviram um barulho na porta de entrada. Era Olívia. A senhora deixou que subisse as escadas e fosse até seu quarto. Encontrando-os em pé, Olívia se surpreendeu:

— Mãe?! A Dani me ligou e disse...

— Por que não me contou, Olívia?! — perguntou firme, veemente.

Seus olhos se nublaram, lágrimas correram em seu rosto e ela não respondeu.

William fez sinal para a esposa e ambos saíram da suíte. Enquanto rodeava-a, Maria Cândida perguntou com dureza:

— Por que ia matar o seu filho?!!

— Eu...

— Nada justifica isso! A não ser risco de morte para a mãe! Foi isso o que lhe ensinei, Olívia?!!

— A vida é minha! A senhora não entende! — exclamou firme e chorando.

— Não, meu amor. A vida não é sua não! A vida pertence a Deus! Você só é responsável por ela!

— Eu não planejei...

— Se não pensou antes, aceite as conseqüências de seus atos depois! Eu fui mãe solteira aos quinze anos! Não me casei com o pai de sua irmã, porque os pais dele queriam que eu tirasse a criança. Naquela época, ser mãe solteira era um absurdo. Hoje, o mundo está diferente. Nada justifica que você faça isso! — Alguns instantes de pausa e, inconformada, prosseguiu: — Você não imagina, não faz idéia de como é triste perder um filho! Eu sei muito bem o que é isso! Perdi duas filhas! Uma parte de mim morreu junto com elas! Estou decepcionada com você, Olívia! Não foi isso o que aprendeu comigo! Sempre orientei você e sua irmã para tomarem cuidado com uma gravidez indesejada, mas tirar?! Fazer um aborto?! Matar o próprio filho?! Nunca!!! Se não quiser essa criança, deixe-a nascer, abandone-a nesta casa e suma daqui! Mas não a mate!!! — A filha estava em lágrimas, soluçando, porém a mãe não se intimidou: — Você nem deu ao pai o direito de saber que ele tem um filho! Ele não tinha a menor idéia de que essa criança existia!!!

— Como sabe disso?! — perguntou chorando, sentada na cama.

— Liguei para o Guilherme!!! Ele ficou tão assustado quanto eu!!! — A mãe, enfurecida, gritava ao falar.

— Eu pensei que ele... ...ele não fosse querer e... — sua voz embargou.

— Ele não sabia, Olívia!!! Nem imaginava!!! E agora?!! O que esse rapaz vai pensar?!! Vai se perguntar que tipo de pessoa você é! Que monstro você é! Se é capaz de matar o próprio filho, o que não fará com ele, com os outros?!

— Não é assim, mãe!... — chorou. — Eu não sabia como ele ia reagir. Achei que não quisesse.

— Por que não perguntou?!! — exigiu.

— Não sei... — murmurou, arrependida, secando o rosto com as mãos.

Com um tom mais calmo na voz, continuou:

— Vocês nunca brigaram. Foi ele que me contou quando ficou atordoado por não saber de nada. Sabe o que o Guilherme me pediu? — Por não ouvir a resposta, falou em tom comovente: — Pediu, pelo amor de Deus, para eu não deixar você matar o filho dele. E ainda foi capaz de dizer que a ama muito!

Olívia chorou ainda mais e perguntou:

— Ele disse isso?

— Disse. Com todas as letras. Falou que amanhã ele estará aqui.

— Eu não sei o que fazer, mãe... — Erguendo seus lindos olhos azuis, Olívia implorou em pranto: — Me ajude... Não sei o que estou sentindo, mãe...

Comovida, Maria Cândida foi em sua direção e a abraçou com força. Acariciando-a e tirando os cabelos que lhe cobriam o rosto, disse emocionada e em tom brando:

— Eu amo você, filha. Jamais a abandonaria em qualquer situação, principalmente nesta. Mesmo se o Guilherme não quiser a criança, o que eu duvido, vou cuidar dela e de você.

— Estou sentindo uma coisa, mãe... Não sei o que é...

— Você está assustada. Vai passar. Tenho certeza.

Olívia ficou abraçada à mãe por longos minutos. Chorou algumas vezes e depois se recompôs.

Algum tempo depois, Maria Cândida desceu para a sala e relatou a William e Danielle:

— Ela está telefonando para o Guilherme. Nunca vi a Olívia assim tão insegura, tão desprotegida... Ela nunca foi desse jeito. Minha filha sempre foi confiante e dona de si. Não sei o que aconteceu.

— Será que eu posso vê-la agora? — perguntou Danielle.

— Claro! Vai lá, minha filha! Acho que a ligação não vai demorar. Ele está trabalhando.

Danielle subiu as escadas e, observando-a, William comentou:

— Quando eu soube o que a Olívia ia fazer, senti-me tão mal. Não dormi esta noite.

— O aborto e o suicídio são os maiores crimes contra Deus que alguém pode cometer. Algum espírito amigo o fez experimentar um pouco da energia ruim desse ato e você, que é muito sensível, incomodou-se, por isso contou para a Dani que ficou inconformada e tomou uma atitude.

— É assim mesmo que funciona?

— Sim, é. Como existem espíritos ruins, sem evolução, que nos perturbam também existem os bons, que nos protegem, nos sustentam e nos guiam.

— A Dani é contra o aborto, por causa da criação católica.

— E os católicos têm razão. Infelizes daqueles que não têm opinião ou são a favor desse ato. Muitas catástrofes ocorrem em diversos lugares por causa da energia pesada criada pelo aborto.

— Estou me sentindo mais leve agora que a Olívia está bem. Sei que tudo acabou.

— Um ato bom e você recebe uma carga de energia boa. — Maria Cândida sorriu ao dizer: — Também estou aliviada e feliz, é claro! Mais um neto! — riu alegre. — Eu e a Belinda, novamente, avós juntas! Não podia imaginar que encontrá-la fosse-me render dois netos! — Ao vê-lo rir, perguntou: — E vocês dois, Will?

— O que tem? — dissimulou, fazendo-se desentendido.

— Não tenho nada com isso. Porém a Dani é minha filha e eu me importo com ela.

— Aonde a senhora quer chegar? — perguntou educado.

— Quando vão providenciar um herdeiro? — sorriu generosa.

— Bem... Eu... — não conseguiu responder.

— Eu a vejo um pouco triste nos últimos tempos... Será que ela está assim por que você não quer ter filhos?

A pergunta caiu-lhe como um raio e, sentindo o coração apertado, indagou:

— Como a senhora ficou sabendo disso?

— Foi por acaso. — A mulher lhe contou como foi e depois disse: — Outro dia, você mesmo lembrou que ela passou por muita tensão. Perdeu a filha, o marido, o pai... Tudo, praticamente, ao mesmo tempo. Talvez, ouvir de você que não queria ter filhos... Foi muito forte. Cruel demais.

— Não é bem assim. — Ele expôs-lhe seus motivos e se explicou: — Eu acho que não suportaria. Adoraria ter um filho. Iria amar, educar, brincar... Tudo. Faria tudo por ele ou por ela. Mas não me peça para acompanhar, de perto, a gestação. Fico em choque... Apavorado ao imaginá-la passando por aquilo de novo.

— Will — falava com jeitinho —, toda mulher quer ter um filho!

— Vocês são loucas! Não consigo entender! — disse, levantando-se do sofá e caminhando, quase em círculos, tentando esconder seu nervosismo.

— Quando era casado com a Desirée, pensava desse jeito?

— Não. — Após um momento, contou: — Não tivemos um filho... Primeiro foi por causa da vaidade dela. Desirée não queria estragar o corpo. Depois, eu quis adiar por causa do seu gênio. Mas eu não sabia como era. Nunca tinha visto uma criança nascer e... Aquela experiência foi terrível. Depois daquilo... Hoje fico apavorado com a idéia de a Dani engravidar.

— Você está traumatizado. Certamente, alguma experiência de outra vida passada o deixou sensível e o que viveu em Long Island o deixou ainda mais traumatizado. Porém, pense: você não precisa ver seu filho nascer. Ficar ao lado de sua mulher, durante a gestação, será o suficiente. Sei que ela vai entender.

— Não quero que a Dani sofra.

— Talvez a esteja fazendo sofrer muito mais falando desse jeito, pensando que assim a está protegendo.

— Será que ela está triste e vem apresentando esse quadro clínico, que nenhum médico sabe o que é, por causa disso?

— Parece que ela ficou assim desde quando soube que a irmã estava grávida.

— Creio que também foi desde que começaram a acontecer aquelas coisas estranhas no nosso apartamento.

— Podem ser as duas coisas, Will. O estado emocional, o psicológico afeta muito o físico. Tenho certeza. Converse com ela direitinho. Você é um homem inteligente, culto, bem sucedido... Tem todas as condições de resolver isso.

— Existem situações que todo o dinheiro do mundo não resolve. Deve saber disso. Eu quero paz, felicidade... Quero viver bem tranqüilo e ao lado de quem amo. Mais nada. Quando penso que encontrei o que tanto procurei... Surgem situações quase impossíveis de resolver, coisa que o dinheiro não soluciona. — Com um tom amargo em sua voz cálida, desabafou: — Sabe... eu queria viver em um lugar simples, com algumas dificuldades... Poderia ser em um chalé, em uma cabana... Mas ao lado da Dani, bem, sem essas coisas inexplicáveis que nos acontecem. Creio que eu seria o homem mais feliz do mundo. — Breve pausa e prosseguiu: — Não sei por que me sinto assim. Não entendo o que acontece comigo. Fico com vergonha de confessar que passo muito mal só em pensar em dor, sofrimento... No entanto, por ela, sou capaz de tudo. Até de enfrentar o meu pior medo. Se a Dani quiser, vou concordar em ter um filho. Mas não sei se tenho estrutura para acompanhá-la em tudo. Vejo muitos homens acompanhando suas mulheres ao médico, às clínicas de exames e até durante o parto... Acho que não consigo fazer isso. Contudo, se ela quiser...

— Converse com ela, mas não fale dessa forma. Não diga: se você quiser, nós teremos. Dá a impressão de que só vai aceitar porque ela quer. Seja mais participativo.

— O que digo então?

— Que talvez não consiga acompanhá-la em tudo, principalmente, quando tiver procedimentos médicos, porém a ama e gostaria muito de ter um filho dela.

Ele suspirou fundo e comentou:

— Essa sensação horrível de medo, que estou sentindo agora, é uma das coisas que o dinheiro não pode consertar. Entende? — Ela não respondeu e ele ainda lembrou: — A senhora não sabe o desespero que fico para, simplesmente, ir ao dentista. É vergonhosamente horrível, a cada seis ou oito meses, chegar ao dentista e pedir que, praticamente, me dê uma anestesia geral para fazer uma simples restauração. Mas não posso fazer nada.

— Talvez isso passe com o tempo, filho.

— Vamos ver.

— Will, outra coisa — ele ficou atento e ela recomendou: — Façam o Evangelho no Lar, como já falei.

— Sim, vamos fazer. Eu prometo.

Continuaram conversando, enquanto Danielle, no quarto, ouvia Olívia desabafar:

— Eu fui uma tola. Uma estúpida. Não sei o que aconteceu comigo.

— Não diga isso. Você ficou confusa. Foi uma situação inesperada.

— Estou morrendo de vergonha do que ia fazer. O que o Guilherme vai pensar de mim?

— Não vai pensar nada. Você vai ver.

— Eu deveria ter contado para ele, Dani.

Para vê-la mais animada, a outra riu com gosto e comentou:

— Teremos outra festa de casamento! Doces, bolo!...

— Ora! Pare com isso! Quem disse que vou casar?!

— O meu irmão não vai querer ser pai solteiro. Tenho certeza.

— Será que ele gosta de mim? Sinto-me tão insegura.

— Se ele foi capaz de dizer para a sua mãe que a ama, você ainda duvida?

— O Guilherme nunca me disse isso. Para mim, não.

— Talvez porque você não tenha falado. — A amiga ficou pensativa e Danielle a puxou para um abraço. Acariciando-a, disse com jeitinho: — Fique tranqüila. Posso lhe dizer, por experiência própria, que, às vezes, quando a gente se vê no fundo do poço, qualquer problema parece imenso e sem saída. De repente, o tempo encontra soluções e novas alternativas e a vida, sozinha, toma um rumo inesperado, muito sólido e mais feliz. Confie.

— Obrigada, Dani. Você me ajudou muito. As pessoas não costumam ajudar as outras desse jeito — sorriu.

— Você é minha irmã. Faço tudo por você.

Abraçou-a com carinho. Ficaram conversando mais um pouco até que William chamou a esposa para que fossem embora.

15

O DINHEIRO NÃO COMPRA A PAZ

Na noite do dia seguinte, Guilherme foi visitar a irmã em seu apartamento e contava:

— Eu não sabia se ria, se brigava ou se dava uns chacoalhões na Olívia! — ria. — Fiquei tão preocupado com ela! Você nem imagina! Não entendo por que ela não me contou.

— Nunca falaram a respeito? — perguntou a irmã.

— Não. Pensei que ela se cuidasse — ainda riu.

— Por que a obrigação de evitar a gravidez sempre tem de ser da mulher?! — falou insatisfeita, quase irritada.

— Não é isso! — tornou descontraído. — Acho que, no fundo, eu estava pouco me importando. Para não dizer que estava querendo mesmo. Gosto muito da Olívia, por isso não me preocupei. Se quer saber, estou adorando a idéia!

— Safado! Canalha! — a irmã riu, atirando-lhe uma almofada. — Você aí se divertindo e a coitada desesperada, nervosa!

— Eu disse a ela que sofreu porque quis! Deveria ter me contado.

— E a mamãe? Já ligou para ela?

— Já. Ontem e hoje também.

— E qual foi a reação da dona Belinda? — quis saber curiosa.

— A princípio, me chamou de cafajeste, irresponsável, safado... Daí para baixo! — riu com gosto. — Depois, ficou toda abobalhada, querendo saber se nós já sabíamos se era menino ou menina! Pode?! — riu. — Por fim, deu conselhos e mais conselhos. Disse que virá para cá conversar direito com os pais dela — gargalhou. — A mãe pensa que temos dezessete anos! Eu vou resolver isso com tranqüilidade. Ninguém precisa ficar preocupado não.

— O que vocês dois decidiram? Como vão ficar?

— Bem... Você e o Will serão meus padrinhos e a Nanci e o Edwin, os padrinhos dela. Que tal?!

— Vão se casar?! — alegrou-se ela.

— Lógico! Não sei por que estamos demorando tanto. Nós nos gostamos, nos damos muito bem. Não existe empecilho.

— Que bom! Fico feliz. E vão morar onde?

— A princípio em Berlim. Ela terá de me acompanhar. Já conversamos sobre isso e ela topa. Não posso ficar viajando tanto e não quero que fique aqui sozinha. Quero acompanhar tudo de perto. — Guilherme não percebeu que a irmã sentiu uma pontinha de inveja quando respirou fundo e não disse nada. Ele continuou: — Então moraremos lá. Quando estiver perto do nenê nascer, ela diz que quer ir para a Inglaterra. Quer que nosso filho tenha a mesma nacionalidade dela. Depois voltamos para a Alemanha onde devo cumprir meu contrato de trabalho e... Tenho novidade! — sorriu.

— Qual?!

— O senhor Oscar quer que eu venha para cá, depois do término de meu contrato de trabalho em Berlim. Ofereceu-me uma colocação na Companhia Aérea. Disse que a sugestão foi do William e ele adorou a idéia.

— Uaaauh! Que legal!

— Fiquei de pensar. Porém, devo admitir que gostei da proposta. Vamos ver. Acho que vou topar.

— Hoje não tive tempo de ligar para a Olívia e sei que ela não foi trabalhar. Como ela está?

— Ainda estou bem preocupado com ela — disse mais sério. — Nunca vi a Olívia assim tão quieta, insegura, sensível. Ela melhorou um pouco depois que comecei a brincar para escolher o nome do nenê. Fiz aquelas emendas maravilhosas... — brincou. — Oliviguilher, se for menino e Guilherlívia, se for menina... — gargalharam. — Depois disso, ela riu. Começou a falar onde gostaria que o nenê nascesse.

— A gravidez provoca alterações no estado emocional, Gui. Deve ser isso.

— Acho mesmo é que está envergonhada pelo que ia fazer. Se não fosse você e o Will. — Olhando-a nos olhos, agradeceu de coração: — Obrigado, Dani. Obrigado, mesmo.

— Ora... Não precisa agradecer — disse sem jeito. Em seguida, empolgou-se: — O nenê de vocês vai nascer antes do da Nanci!

— Vai sim! Lembrei isso para a Olívia — exclamou animado. — Quero acompanhá-la no que puder. Hoje ainda tenho de voltar para a Alemanha. Pego o avião daqui a pouco. Estou envolvido em um projeto do qual não posso me afastar.

A partir da semana que vem, retorno para cá e vou cuidar de tudo. Pretendo tirar vinte dias para isso.

— Vão se casar aqui?

— Vamos. Por mim sim. E o quanto antes — riu. — Nossa! Essa amizade, da qual ouvimos falar a vida toda, entre a mãe e a dona Maria Cândida, já rendeu dois netos para a mãe! E pode render mais! — Olhando-a sorrindo, perguntou: — E você Dani? Para quando é o herdeiro?

Quando a irmã pensou no que responder, ouviu a voz forte do marido, que chegava à sala:

— Nós já vamos providenciar — anunciou William.

— Como vai, Will? Quanto tempo!

— Estou ótimo. E você?

— Muito bem! Muito surpreso! Muito feliz! Muito tudo!!! — sorriu.

— Parabéns, Guilherme. Parabéns mesmo!

— Obrigado. E, como você ia dizendo...

— Ah, sim! Estou pensando seriamente em providenciar um herdeiro. Fiquei com inveja de vocês! — brincou. Olhou para a esposa, que ficou surpresa, e não disse nada. Em seguida, comentou: — Só quero que a Dani descubra, antes, que tipo de mal-estar é esse.

— É. Ela estava me contando. Tem dia que está péssima. Tem dia que está bem.

— Vamos investigar isso direito. Pode deixar.

Conversaram por mais algum tempo, depois Guilherme se foi.

A sós com a esposa, William a abraçou com carinho e quis saber:

— Está se sentindo melhor?

— Estou — respondeu e o beijou rapidamente.

Quando quis se soltar dos braços do marido, que a envolvia, ele a segurou. Olhou-a firme e, invadindo-lhe a alma, perguntou:

— Sabe... Eu estava pensando e... Depois que você melhorar, quando estiver mais disposta... O que acha de arrumarmos um nenê?

Ela ficou paralisada e deu-lhe um sorriso luminoso, respondendo:

— Não acredito que está me dizendo isso!

— Você quer? — perguntou gentil e romântico.

— Quero... — murmurou.

— Então vamos ter — sorriu com ternura. Com jeito afável na voz, explicou: — Só não prometo que vou acompanhá-la em exames nem durante o nascimento e...

— Eu sei dos seus limites. Já o deixei desesperado com isso uma vez. Não vou fazer isso com você de novo. Não se preocupe — sorriu.

— Tem certeza de que é capaz de entender isso?

— Claro. Eu amo você.

William a beijou e abraçou com carinho, envolvendo-a com todo o seu amor.

Na espiritualidade, Desirée, revoltada, prometia vingança em meio a muito ódio. Agora encontrava-se ainda mais irritada, pelo fato de Danielle ter impedido Olívia de realizar o aborto. Estava nos planos do espírito Desirée que a irmã matasse o próprio filho indefeso. Obsediava-a, deixando-a confusa e conduzindo-a para que cometesse esse crime. Seria uma forma de se vingar da própria irmã por ela apoiar o romance de William e Danielle.

* * *

A semana foi passando e Danielle não melhorou. Retornou ao médico que somente trocou os medicamentos. Duas semanas depois, seu estado causava ainda mais preocupação.

— Já a levei a vários médicos. Fez diversos exames e nada. Não sabem o que ela tem — contava William a Edwin e Guilherme, que estavam preocupados.

— E aquelas coisas estranhas? Pararam de acontecer? — quis saber Edwin.

— Que coisas estranhas? — indagou Guilherme.

O cunhado explicou e ainda contou:

— Sabe a vidraça da minha sala?

— Aquele vidro enorme e grosso? — admirou-se Edwin, deduzindo os fatos.

— Trincou de ponta a ponta! — tornou William. — Hoje mesmo está sendo trocado. Fora isso, copos e taças se partem sozinhos. Quando não, os eletroeletrônicos começam a apresentar defeitos ou queimar. Cada dia é uma coisa. A dona Maria Cândida estava outro dia lá em casa e viu acontecer. O espelho da sala trincou sozinho.

— A Dani ficou sozinha hoje? — perguntou Guilherme apreensivo.

— A dona Maria Cândida ficou com ela. Há uma semana ela não vem trabalhar.

— O que ela sente, exatamente, Will? — tornou Edwin.

— Dores musculares, nas articulações, dor de cabeça muito forte, enjôo, tontura, indisposição... Na última semana, apareceram manchas roxas pelo corpo, febre, mãos e pés inchados.

— Isso eu não vi — disse Guilherme. — Eu não soube que ela estava com manchas roxas e febre.

— Ela não quis lhe contar para que não ficasse preocupado. Também não quer contar para a mãe de vocês. — Alguns instantes e desabafou num suspiro: — Estou desesperado. Não tenho mais a quem recorrer aqui em Paris.

— Will, já pensou em se mudar daquele apartamento? — tornou o cunhado.

— Já, sim. Estou procurando outro. Acredito já ter encontrado. Vou negociar. A Dani não quer. Mas eu não suporto mais o que está acontecendo e estou disposto a tudo.

O celular de William tocou. Antes de ele atender, Edwin avisou que levaria Guilherme para conhecer a empresa. Eles se despediram e se foram.

* * *

No início da noite, William chegou a sua residência e encontrou Maria Cândida, dona Filomena e Oscar, que pareciam aguardá-lo. Cumprimentou-os e foi em direção à esposa. Beijou-a rapidamente, entregando-lhe um único botão de rosa branca envolto em folha transparente. Sentou-se a seu lado, segurou sua mão e perguntou:

— Como se sente?

— Estou melhorando — sorriu levemente, tentando não

deixá-lo preocupado. Com delicadeza, sentiu o perfume da rosa e agradeceu: — Obrigada. É linda.

— Você está quente! — observou surpreso, tocando-lhe a testa com as costas da mão.

— Acabamos de chegar do médico — contou Maria Cândida. — A febre estava mais alta, agora abaixou. Mas o médico desconhece a origem.

— Por que não me ligaram?! — tornou ele.

— Eu não quis incomodá-lo, Will — respondeu a esposa. — Sei o quanto está tenso, não dorme, não trabalha nem come direito por isso.

— Ora! Por favor, Dani! Deveria ter me ligado!

— Agora ela está melhor, William. Não se preocupe — pediu o senhor. — No entanto, gostaríamos de falar com você sobre algo que consideramos mais importante.

— O quê?

— Sabe, filho — disse dona Filomena com jeitinho —, sei que você teve outro tipo de educação, de criação. Hoje eu vim aqui, porque estou com um pressentimento muito estranho. Talvez não acredite, mas eu acho que o que a Dani tem, os médicos não vão curar. Eu poderia falar mais coisas, porém você não vai acreditar em mim.

— Pode dizer, dona Filomena. Quem viveu o que estou vivendo e vendo, nos últimos dias, passa a acreditar em quase tudo. Não é só o que está acontecendo com a Dani ou com as nossas coisas. É algo comigo mesmo.

— O que é, Will? — quis saber a senhora.

— É desagradável. Eu não gostaria de comentar.

— Filho, vocês precisam de muita oração — afirmou

Maria Cândida sabiamente. — Se a mente, se o espírito não estiver bem, o corpo e a nossa vida não vão estar. Eu sinto uma coisa muito ruim, muito pesada quando entro neste apartamento. Não sei o que é, mas creio que está afetando a Dani.

— Eu também passei a crer nisso — tornou o rapaz. — Por essa razão vamos nos mudar.

— Acho isso um exagero — opinou a esposa.

— Não é, Dani. Estou procurando uma solução. E estou decidido. Quero sair daqui.

— William, eu não acreditava em espíritos nem no Espiritismo, mas tive grande motivo para passar a crer — contou Oscar. — Até onde eu entendo, se vocês se mudarem daqui e não se elevarem espiritualmente, tudo vai continuar do mesmo jeito.

— O senhor quer dizer que devemos ficar aqui?

— Tanto faz ficar aqui ou não. Se a energia desses efeitos físicos estiver acompanhando vocês... Se for problema com o apartamento, ótimo. Mudem-se e tudo acaba. E se não for?

— Se não for, não sei o que fazer — foi sincero, encarando-o.

— Will, lembra que, incontáveis vezes, você participou do Evangelho no Lar lá em casa? — perguntou Maria Cândida.

— Sim. Claro.

— É isso o que precisam começar a fazer. Além disso, eu conheço um grupo de estudos espíritas, uma sociedade espírita, aqui em Paris mesmo. É um grupo muito pequeno. A maioria é de brasileiros. Gostaria que concordasse em ir com a Dani lá.

— O que vou encontrar lá?

— Uma reunião de pessoas que fazem prece, lêem o Evangelho, fazem palestras sobre ele, aplicam passes, fazem vibrações, conversam e explicam sobre a atuação dos espíritos em nossas vidas e outras coisas bem simples, porém importantes. Nada mais.

— O que são passes?

Maria Cândida explicou e sua mãe recordou:

— Lembra-se de algumas passagens onde o Mestre Jesus estendia a mão e doava energia, curando os que Nele acreditavam? — Ele pendeu com a cabeça positivamente e ela prosseguiu: — Passe é doação de energia para a sua recomposição, com a ajuda da espiritualidade Maior. Ah! — recordou-se. — Lembra um dia, lá no Brasil, você estava com dor de estômago e eu peguei um copo com água, orei e dei para você beber?

— Sim. Lembro sim — sorriu. — A dor sumiu, e não havia passado nem com remédio.

— Orar naquela água, foi magnetizá-la. O passe é isso. É uma energia magnética que uma pessoa passa para a outra.

— Entendi. É só fazer o Evangelho e ir a esse grupo espírita?

— Além disso, ter fé — respondeu dona Filomena.

— Estou muito nervoso e preocupado. Não estou em posição de recusar qualquer tipo de ajuda. Tem hora que vejo que o dinheiro não resolve o meu problema. Eu vou sim.

— Puxa, Will! Você me deixa tão feliz! — Disse Maria Cândida, propondo em seguida: — Poderíamos, então, começar a realizar o Evangelho no Lar hoje? Soube pela Dani que vocês dois ainda não o fizeram.

— É... Não fizemos — admitiu sem jeito. — Gostaria que nos ajudasse sim. Claro. Vamos fazer.

Conduzindo a esposa até a mesa da sala de jantar, William sentou-se ao seu lado e todos se acomodaram também. O culto do Evangelho no Lar foi realizado. Por um momento Danielle chorou recatada, mas ninguém deu atenção, focando-se em outro objetivo que era a prece, a elevação. No final, dona Filomena ofereceu um copo com água fluidificada para Danielle, que bebeu e colocou o copo sobre a mesa.

Todos começaram a conversar calmamente e William se sentia mais tranqüilo quando, inesperadamente, o copo sobre a mesa, às vista de todos, estilhaçou-se em pequenos pedaços.

Danielle segurou no braço do marido, assustando-se.

— Calma. Talvez alguém esteja incomodado com o que fizemos — disse Oscar de modo simples.

William afagou rápido o ombro da esposa e se pôs em pé, recolhendo os cacos de vidro.

Danielle sentiu vontade de chorar, novamente, mas represou as lágrimas. Estava visivelmente pálida, muito abatida, havia até emagrecido nitidamente. Maria Cândida se levantou e a chamou para o quarto. Fez um chá e lhe serviu antes de ir embora.

A sós com a esposa, William perguntou:

— Você está bem?

— Estou. A febre passou.

— Deixe-me ver seus pés — pediu, suspendendo a coberta. — Estão bem inchados! — admirou-se e reparou nas manchas roxas que apareciam nas pernas.

— Eu vou melhorar. Você vai ver — sorriu, tentando parecer mais animada.

O marido se sentou ao seu lado, puxou-a para um abraço. Ele beijou-lhe a testa enquanto ela o envolvia pela cintura.

— Tudo vai dar certo, Dani. Tenho fé em Deus!

— Vai sim. A dona Maria Cândida disse que vem aqui amanhã.

— Fico mais tranqüilo ao saber que ela estará aqui com você. — Ao olhar sobre um móvel, viu uma caixa de remédio novo e quis saber: — O que é isso?

— É o medicamento que o médico receitou. Mas eu não vou tomar.

— Por quê?

— É um antidepressivo. Eu não vou tomar isso. Hoje em dia, para tudo o que eles não sabem o que é, dão o nome de depressão. Não tenho depressão, Will. Sei muito bem o que é isso. Quando precisei, não tomei droga alguma. Não é agora que vou tomar.

— Ótimo. Concordo com você.

* * *

No dia seguinte, uma febre muito alta em Danielle surpreendeu a todos. Levada ao hospital, antes de ser atendida, ela teve uma convulsão. Foi medicada e internada, sem que os médicos conseguissem diagnosticar o que tinha.

William entrou em desespero. Não sabia mais o que fazer.

— Não é possível! Os melhores médicos! O melhor hospital! Ninguém sabe o que ela tem! Ninguém consegue resolver o seu problema! — contava o rapaz que foi até a casa de Maria

Cândida conversar com a senhora. — Os médicos disseram que vão realizar um tipo de exame para ver se é... câncer... — lágrimas correram em sua face alva. Estava muito amargurado.

— Não vai ser nada, Will. Nós vamos orar — disse Maria Cândida, tentando conter o desespero.

— Não me casei com ela para ficarmos juntos por um ano somente. Eu a quero comigo. Pensei em envelhecermos juntos... — desabafava, secando o rosto com as mãos. — Eu daria todo o nosso dinheiro, toda a nossa fortuna para que ela ficasse bem. Cada dia que passa, descubro que o dinheiro não compra a paz nem a saúde.

— Você ligou para a Belinda, avisando sobre a Dani?

— Sim. Liguei. Eu disse que ela precisou ficar internada para exames. Não contei que o caso se arrasta há tempos nem que os médicos não sabem o que ela tem. Pedi para a Nanci e o Guilherme a pouparem um pouco também. A Dani pediu para não deixá-la desesperada. Disse que depois conta tudo para a mãe.

— Melhor assim. Não vamos incomodar a Belinda. Pode deixar. Eu cuidarei da Dani.

Estavam conversando na sala da mansão, onde foi servido um chá para que se acalmassem, quando, inesperadamente, ouvem o chamado aflito de Olívia:

— Mãe!!!

— Filha! O que foi?! — a senhora levantou-se rapidamente e foi ao seu encontro, seguida por William.

— Mãe! — disse, segurando-lhe pelos braços. — A vó, mãe! A vovó!... — chorou em desespero. — Ela está lá no jardim de inverno!

A senhora saiu às pressas e William amparou Olívia que, aflita, abraçou-o.

Os empregados ouviram os gritos e o choro e correram para ajudar, pois entenderam o que havia acontecido.

Serenamente, dona Filomena, aos noventa anos, desencarnou tranqüila, em seu local predileto, sentada em sua cadeira de balanço no jardim de inverno onde gostava de apreciar as orquídeas. O diagnóstico foi o de morte natural. Nada mais.

Todos sentiram muito. Apesar de entenderem que a senhora tinha cumprido o seu tempo, neste plano, e era chegado o momento de se aprimorar.

Não avisaram Danielle de imediato sobre o ocorrido. Esperaram receber alta para lhe dar a notícia, que a fez sofrer muito.

Para alívio de todos, os resultados dos exames, tão temidos, deram negativos. O marido ficou satisfeito, porém ainda preocupado, porque não sabiam o que ela tinha.

Maria Cândida insistiu com William para deixá-la em sua casa sob os seus cuidados. Ele concordou, entretanto quis ficar lá, morando junto. Além disso, a senhora atendia as ligações de Belinda e sempre dizia que a filha estava bem, recuperada, a fim de não preocupar a amiga.

* * *

Na espiritualidade, dona Filomena abriu os olhos e contemplou luminoso e agradável ambiente, onde havia inúmeras plantas e flores. A sua frente, observou magníficas orquídeas, incrivelmente belas que, há dias, esperava ver as flores abertas. A senhora sentiu-se estranha e o lugar um pouco diferente. Segurando nos braços da cadeira, inclinou o corpo para frente e se levantou com facilidade.

Era estranho. Onde estavam as dores nas pernas e nas costas que a incomodavam tanto e limitavam seus movimentos? Acreditou que o novo remédio fez efeito.

— Que flores lindas! Acho que a Maria Cândida ainda não viu! — sorriu com seu jeito meigo olhando para as belas orquídeas. Em seguida, falou sozinha: — Será que nunca reparei a luz neste teto de vidro? Está tão claro hoje!

Ao se virar, viu alguém caminhando em sua direção. O seu rosto se iluminava em um sorriso lindo de satisfação.

— Filó!

Nunca gostou que a chamassem daquela forma, mas, pela primeira vez, não se zangou. Levou a mãozinha trêmula frente à boca entreaberta e sorriu, incrédula, com lágrimas nos olhos, murmurando emocionada:

— Armando?! É você?!

— Sou eu sim! — Abraçou-a com força e todo o amor guardado por tantos anos. Beijou-a com carinho. Depois disse: — Como é bom ver você, Filó!

— Não me chame de Filó! — sorriu, fingindo ficar brava. Tocando-lhe o rosto com ternura, observou: — Você está mais bonito! Mais moço!

— Estou muito bem!

— O que você faz aqui, Armando?! Veio me ver?!

Ele a olhou com bondade e sorriu generoso, respondendo:

— Vim receber você, minha velha.

— Eu preciso falar com a Maria Cândida que você está aqui.

— Não vai conseguir falar com ela. Não agora — sorriu de modo maroto para que entendesse sua nova condição.

— Eu morri? Quer dizer que aqui é o plano espiritual?

— Exatamente! — continuou sorrindo.

— Não é! Aqui á a sala de inverno da Maria Cândida! Olha as plantas! As flores!

— É tudo o que seus pensamentos plasmaram, modelaram, aqui na espiritualidade. O que você via e admirava, o que mais gostava fez com que existisse aqui. A cadeira, as plantas, as paredes e o teto de vidro... Tudo. Essas coisas todas eram compatíveis com o nível espiritual desta colônia de aprimoramento. Então você construiu o lugar e as coisas que mais apreciava, o que sua mente via. Entendeu?

— Eu não fiz isso tudo aqui! É muito lindo! É perfeito! Agradável! Impossível eu ter feito isso!

— É uma pena que não acredite. Tudo foi construído, cada detalhe, com a força de seus pensamentos. Felizes daqueles que, como você, admiram a harmonia, a paz, o bem-estar e cultivam isso quando encarnados, pois é o que vão encontrar no plano espiritual. Os que vivem estressados, desesperados, em conflito, nervosos, suas mentes vão atraí-los para lugar espiritual semelhante.

— Estou feliz com uma coisa, meu velho — sorriu. — As dores nas pernas, nos joelhos e nas costas sumiram! — alegrou-se.

— É porque você entendia e sentia que esse problema era do corpo, do físico e não de você espírito. Há muita coisa para aprender aqui. Quando encarnados, apesar de sermos Espíritas, não tínhamos a noção, o conhecimento prático do que é o plano espiritual de verdade.

Abraçando-a, o espírito Armando a conduziu lentamente enquanto ela comentava:

— A Danielle, nossa neta, voltou. A Maria Cândida a encontrou. Ela reencarnou como filha da Belinda.

— Eu sei. Estou acompanhando tudo. Não pense que é só você quem tem novidades! — riu. — Sei de coisas que não imagina!

— E a nossa neta, a Desirée? Quero vê-la.

— Essa é uma notícia triste. A Desirée está na crosta.

— Não diga isso, homem! — lamentou. — Então... É ela quem tenta atrapalhar a Dani?

— A Dani está atordoada com muita coisa, Filó. Quem pode explicar melhor tudo isso é o Raul.

— O Raul está aqui?! Convivi bem pouco com esse moço, porém o adorei! Tão resignado!

— Vem comigo. Você vai ver!

Dona Filomena, por uma vida harmoniosa, resignada e de muito amor, teve um desencarne compatível com seu estado de consciência e se atraiu para lugar que construiu mentalmente, principalmente, nos últimos meses encarnada. Sua mente estava tranqüila e em paz quando desencarnou. Sua moral elevada a sustentou na luz do amor e do conhecimento.

Na biblioteca do Instituto da Educação, havia alguém de frente para vasta estante de livros, à procura de determinado volume. Os espíritos Armando e dona Filomena adentraram e o senhor se aproximou do rapaz, repousando suavemente a mão em seu ombro. Ele se virou, abriu lindo sorriso ao sussurrar:

— Dona Filomena! — abraçou-a com carinho.

— Raul! Filho!

Respeitoso, conduzindo-os para fora, a fim de não incomodarem os demais, levou-os para um salão onde havia confortáveis poltronas distribuídas em pequenos círculos espalhados. Acomodaram-se, pois o local era próprio para conversação.

— Soube que havia chegado e me programei para visitá-la, mais tarde, em sua casa.

— Casa?! Eu nem sabia que tinha uma casa! — estranhou a senhora, sempre sorrindo.

— Esta é uma colônia de aprimoramento, uma Cidade Espiritual na Esfera Superior. Lugar abençoado que nos acolhe. Os que aqui habitam são por merecimento e conquista, à custa de amor e resignação — disse Raul, gentil e amoroso.

— Pensei que, quando eu morresse, iria acordar em um hospital. É isso o que lemos nos livros — tornou ela.

— Nem sempre é assim. Por que a senhora acordaria em um hospital, aqui, se sua mente não está doente? — ele indagou, sorrindo.

— Estou me sentindo tão bem, menino! Aquela dor no joelho sumiu!

Raul riu com gosto. Aproximou-se e, segurando o seu rosto, beijou-a com carinho.

— A senhora é um doce, dona Filomena!

— Fiquei feliz por vê-lo assim tão disposto. Afinal, onde nós estamos? Você morreu nos Estados Unidos e eu, na França — ela quis saber.

— Estamos em uma colônia que fica na divisa de São Paulo com o Rio de Janeiro — explicou Raul, atencioso. — Não existe distância no plano espiritual. Nós nos atraímos para aquilo que conquistamos.

— Estou adorando! — exclamou contente, afagando a mão de Armando. — Conta, filho! Você veio direto para cá?

— Vim. Primeiro para o hospital daqui. Depois, para a escola de aprimoramento. Moro no Instituto, não em casa como o Armando. Tenho objetivo de estudar, aprimorar-me e aproveitar todas as oportunidades disponíveis para minha evolução.

— Este Instituto, de que você fala, é como se fosse uma universidade com dormitórios?

— Isso mesmo. A senhora vai conhecer. Faço questão de levá-la. A senhora e a dona Maria Cândida me ajudaram muito, antes do meu desencarne, para que eu tomasse consciência da vida espiritual, elevasse-me, tivesse fé, orasse e tudo isso me atraiu para cá. O amor e o perdão do Armando foram muito importantes para mim também.

— Pára com isso, rapaz! — pediu o outro, sem jeito. — O elogio pode ser um copo de veneno para quem não está preparado. Ele alimenta a vaidade.

— Eu estou preocupada, Raul — tornou ela. — Fiquei sabendo, pelo Armando, que a Desirée está na crosta, fazendo de tudo para atrapalhar a Danielle.

— Eu sei. Amigos espirituais sempre nos trazem notícias do plano terreno.

Timidamente, o espírito Filomena comentou:

— A Dani se casou com o Will.

Algo pareceu estremecer Raul, que permaneceu sério, imóvel. Após um instante, recompôs a expressão fisionômica e declarou:

— Todos precisavam seguir suas vidas de acordo com a lei de atração, de evolução. O tempo para eu e a Dani ficarmos terminou.

— Sim, filho. Eu sei. É que a Dani precisa viver em paz. Ao mesmo tempo, a Desirée precisa ser socorrida.

— O socorro chega somente para aqueles que realmente desejam ser socorridos. Após eu ser resgatado e despertar nessa abençoada colônia, permaneci, algum tempo, no hospital, porque demorei a me recuperar das vibrações tristes que me ligavam à Danielle. O amor, a saudade se transformaram em dor mais terrível do que o câncer, pois esse morreu no corpo físico. Eu não o trouxe para cá. Entretanto, a tristeza da separação, as lágrimas que eu recebi dela e que se juntaram às minhas... Foi difícil me desprender de seus pensamentos deprimidos, pois eles, junto com os meus, quase me atraíram de volta à crosta onde, certamente, o meu sofrimento aumentaria. Recebi ajuda, muita ajuda. Sem dúvida, esforcei-me muito para me desligar dos laços de amor e dor que me uniam a ela. Eu quis ser socorrido e me empenhei para isso. Orações, fé, trabalho, estudo... Tudo me libertou. Só que eu precisei desejar, realmente, esse socorro, essa libertação.

— Você ainda gosta da Dani — admirou-se a senhora.

— Lógico que gosto! — assumiu. — Sem dúvida que a amo e amo muito. Não vou negar isso. Ainda é difícil, para mim, entender que ela não é mais minha mulher, minha companheira, e sim minha irmã espiritual. Assim como também amo o William, de todo o meu coração. Não sei como vou reagir ao vê-los juntos, como companheiros. Sei que eles se casaram, vivem bem, apesar de enfrentarem dificuldades espirituais. Isso é só. Não quero ver nem imaginar como vivem. Pode parecer egoísmo de minha parte, mas eu estou tentando me proteger de mim mesmo. Não quero sofrer. Tenho medo, pois a amo ainda como se fosse seu marido. Desculpe-me, dona Filomena, mas não sei como posso ajudar. Ir para a crosta, agora, e tentar fazer algo, vai exigir de mim muita renúncia e eu não sei se a tenho.

— Sei que já excursionou em grupos, como aprendiz e tarefeiro, para ajudar irmãos encarnados e com dificuldades no campo da obsessão. Não poderia fazer algo nesse caso? — perguntou Armando.

— Quando em uma tarefa, os próprios sentimentos não estão envolvidos, fica mais fácil. Pedir isso para mim seria o mesmo que pedir ao melhor médico encarnado para fazer uma cirurgia de peito aberto no próprio filhinho. A emoção, o excesso de zelo, o amor transformado em dor, com certeza, iriam interferir no procedimento e levar o pequenino a óbito e derrotar, definitivamente, o pai e o médico. Danielle e William são médiuns. Sabem disso pelo que ele vê e o que ela faz. Se eu me aproximar para ajudá-los, poderão me sentir. A partir de então, o que poderá acontecer? Ela poderá despertar a saudade e o amor do passado. Ele poderá experimentar a insegurança e o ciúme. Não se sabe. Nunca se sabe. Tudo poderá ficar pior do que está. Além disso, e eu? O que vou sentir?

— É apagar incêndio com gasolina — concluiu dona Filomena.

— Já conversei com o mentor Evandro a respeito disso. Ficamos de nos reunir à procura de uma solução. Não estou abandonando ou desprezando o caso. Só que se eu principalmente, não estiver bem, serei um problema e não uma solução. Eu proponho aguardarmos um pouco mais. Porém posso dizer, no momento, que o que está atrapalhando imensamente a Danielle é a mediunidade não educada que facilita a recordação da vida passada, quando foi filha de Maria Cândida. A falta de educação mediúnica provoca desequilíbrio e a deixa sem controle dos sentimentos. Tudo se altera. Tudo aumenta. A raiva é em demasia. O ciúme fica descontrolado. Ela precisa se situar na vida presente. Viver o hoje. O passado, passou. A dona Maria Cândida é quem provoca esse tipo de lembrança. Para ela, quando a Dani recorda ou age como no passado, é como se tivesse a filha de volta. Isso é errado. Desequilibra a Dani. Vamos esperar um pouco. Certamente, surgirá uma solução.

— E o Osvaldo, pai da Danielle? Tem notícias dele? Será que ele não pode nos ajudar? — tornou ela.

— Certamente não. O senhor Osvaldo ainda se recupera em uma colônia distante daqui. Ele ainda é apegado aos bens, ao trabalho que deixou. Não compreende que, quando se desencarna, deve-se deixar que os outros terminem o que não conseguimos terminar. Se fosse para nós encerrarmos determinado assunto ou tarefa, não desencarnaríamos. Ele não seria uma boa companhia para a filha, agora. Precisamos aguardar. — Vendo-a entristecida, sugeriu alegre: — A senhora mal chegou e só veio me ver! Precisa conhecer a colônia. Tem muita coisa para ver. Sei que vai amar!

– É. Eu acordei em um jardim de vidro. O Armando disse que eu fiz aquilo, mas ainda não posso acreditar...

O espírito Filomena começou a contar tudo o que havia acontecido e Raul a ouvia com muita atenção.

16

Nova interferência de Desirée

A residência de Maria Cândida possuía considerável proteção magnética espiritual, fruto do culto do Evangelho no Lar, orações e o cultivo de harmonia por ela e pelo marido. Isso protegia Danielle de ataques espirituais inferiores, por isso ela começou a se recuperar. Mas o que, sem dúvida, ajudou muito sua melhora foi a freqüência na sociedade espírita e os passes recebidos semanalmente. William fazia questão de levá-la e começou a gostar muito do que via, sentia, aprendia e recebia lá.

Quando a esposa decidiu que estava bem para voltar ao trabalho, William acreditou ser o momento de retornarem para onde moravam. Não precisava mais dos cuidados de Maria Cândida e ele não se sentia bem morando ali.

— É aquilo que já conversamos — dizia tranquilamente para Danielle —, se analisarmos, não somos parentes nem da dona Maria Cândida nem do senhor Oscar. Sou ex-genro e é a sua irmã quem é nora deles.

— Eu sei. O George jogou isso na minha cara outro dia. É que, às vezes, tenho medo de voltar para aquele apartamento.

— Eu também. Já encontrei outro com as mesmas características. Um pouquinho maior. É uma cobertura. Tem piscina coberta e aquecida, claro. Estou quase fechando negócio. Só queria que o visse antes.

— E o nosso?

— Ele está difícil de vender. Não sei por que. Vamos deixá-lo lá. Uma hora vende.

— É um imóvel muito caro. Não é por isso?

— Não. Existe comprador para ele, só que... Não entendo. O lugar é privilegiado, a vista, magnífica. O tamanho, o conforto, tudo nele é agradável. Soube que um outro, dois andares abaixo e anunciado depois do nosso, foi vendido e não estava mobiliado como vamos deixar. — Breve instante e comentou: — A cada dia, tudo me faz crer, mais e mais, em espíritos e fantasmas — riu. Em seguida, olhou-a de modo indefinido e comentou: — Quero voltar a ter nossa vida. Viver nós dois, na nossa casa, do nosso jeito. Não gosto de ficar na casa dos outros. Não me sinto à vontade. Por estarmos aqui, fugi completamente do meu ritmo, da minha rotina... Não corro mais, não vou à academia...

— Tem uma sala de ginástica aqui. Por que não usa?

— Não me sinto à vontade. Fui lá em casa, antes de ontem e, quando entrei no quarto de ginástica, o espelho estava estilhaçado no chão.

— Aquele espelho enorme?! — surpreendeu-se a esposa.

— Aquele mesmo. Deu o maior trabalho para colocá-lo lá. Ele não subia pelas escadas nem pelos elevadores. Tiveram de içá-lo pela sacada da sala de estar.

— O que vai fazer com aquele equipamento de ginástica?

— Levá-lo para o outro apartamento. Tem lugar.

— Esse apartamento novo tem vista para o Sena?

— Não. Podemos ver só uma parte da catedral de Notre Dame. A vista é bonita, mas não dá para o Sena. Sinto muito. Você faz questão?

— Não. Só perguntei por perguntar.

Sorrindo amável, o marido falou com jeitinho:

— São três da tarde... Quer ir conhecê-lo? Podemos dar uma olhada nesse apartamento, caminharmos às margens do Sena, como você gosta, e depois vamos àquele bistrô onde jantamos quando fomos ao teatro pela última vez. Você adorou.

— Vamos, sim! — animou-se. — Eu quero. Vou me arrumar!

Danielle aceitou o convite. Alegre e bem disposta olhava o novo apartamento. William ficou satisfeito vendo a esposa apreciar o imóvel. Era só isso o que estava esperando. Então, imediatamente, fez um cheque para reservá-lo a fim de ninguém mais visitá-lo. Até cuidarem de toda negociação. Não entendia como tudo em sua vida, financeiramente falando, era incrivelmente próspero. Tudo o que queria, comprava. William ignorava sempre ter sido honesto, em vidas passadas, e continuava sendo. Além disso, o que lhe foi tirado, quando condenado no período da Inquisição, retornou ao seu poder. Bastava, então, saber como utilizar, administrar bem tudo o que tinha. Contente, virou-se para a esposa e falou:

— O resto é com você, senhora Phillies! Essa casa precisa de mobília e decoração! — disse sorrindo e abraçando-a contra si.

— Não vamos esperar a venda do outro?

— Não — afirmou, embalando-a de um lado para outro em seus braços. — Quero mudar para cá o quanto antes.

Quero de volta a minha privacidade e, principalmente, você — disse de modo amoroso.

— Eu também... Quero você — beijou-o.

Saindo dali, caminharam conforme ele propôs. Jantaram em um lugar alegre e aconchegante. Quando faziam o caminho de volta, Danielle quis ir até o apartamento onde ainda moravam e William concordou.

Ao entrar, ela passou as vistas por todo o ambiente e o achou triste, diferente de quando o viu pela primeira vez. Mas não disse nada.

— Nada melhor do que a própria casa! — exclamou William, jogando-se no sofá e fechando os olhos como se não acreditasse estar ali.

— Nossa! Parece que faz tanto tempo. — Olhando para marido, admirou o seu jeito amoroso, gentil, paciente. William tinha as melhores qualidades. Algo muito próprio de uma alma evoluída. Além disso, era inteligente, ponderado, muito bonito, nobre, distinto e tão atraente que, às vezes, sentia uma ponta de ciúme picá-la um pouco sem qualquer razão. Embora casados há pouco tempo, foi fácil perceber que ele continuaria, assim, com a mesma personalidade. Danielle acreditou ter muita sorte na vida. Apesar de haver sido casada também pouco tempo com Raul, ele foi um marido generoso, amoroso. Às vezes tinham algumas divergências, mas nada sério. Era um bom homem. Se fosse comparar, William era ainda melhor, menos possessivo. Raul era um pouco ciumento, principalmente com suas roupas, quando se arrumava bem com um modelo que lhe esculpisse o corpo. William não. Adorava vê-la sempre bem vestida e bonita. Sempre achava ser para ele. Quantas vezes, pegava em sua mão e a fazia rodar em volta de si mesma para contemplá-la melhor. Sabia que não poderia comparar. Cada um tinha uma personalidade. Raul só era um pouco diferente. E ela o amou. Amou muito. Pensava, agora, onde estaria.

William abriu os olhos, sentindo que ela o observava há muito tempo. Sorriu ao vê-la com suave sorriso congelado no rosto alvo e perguntou com graça:

— O que está fazendo aí, parada, sorrindo e olhando para mim?!

— Nada — surpreendeu-se e riu.

O marido estendeu-lhe a mão e a puxou sobre si.

— Vem cá! — Abraçando-a, quis saber com jeito amoroso. — Por onde andavam os seus pensamentos?

— Pensava em você. Estava admirando seu jeito, o homem maravilhoso que é... — sorriu e ocultou as comparações mais secretas que fez.

— Quer voltar a morar aqui até o outro apartamento ficar pronto?

— Quero. — Beijou-lhe os lábios e lembrou: — Fica mais perto para eu trabalhar e cuidar da decoração.

— Podemos contratar a mesma empresa que cuidou deste aqui. Você disse que gostou do estilo.

— Pode ser. Gostei muito.

Ele a ajeitou para que se acomodasse ao seu lado. Pegou-lhe a mão, beijou-a com carinho e perguntou:

— Quer ficar aqui hoje?

— Quero... — sussurrou rindo.

— Então... Liga para a dona Maria Cândida e avisa que ficaremos aqui.

Após telefonar decidiu contar:

— Will?

— Fala.

— Eu vi uma coisa muito estranha quando estava no hospital.

— O que viu?

— Vi a morte nos pés da minha cama.

— Como assim?! Que morte?!

— Era como uma mulher. Muito alta e curvada sobre os pés da minha cama. Ela era feia, horrorosa. Vestia-se toda de preto e usava um capuz. Era uma roupa muito comprida e esfarrapada. Horrível! — O marido ficou em silêncio e ela perguntou: — Você já teve visões de um espírito assim?

— Desse jeito, não. Não gosto de ver coisas que não posso tocar e que os outros não vêem. Já aconteceu de eu ver espíritos, mas não desse jeito.

— Eu gritei. Veio uma enfermeira e eu falei para ela. Mostrei onde estava, mas não acreditou em mim. Disse que era delírio, porque eu estava com febre.

— Não se preocupe. Pode ter sido a febre mesmo.

— Tenho medo disso. Não quero mais ver nada.

— Não vai ver — sorriu generoso, abraçando-a com carinho.

* * *

Contra a vontade de Maria Cândida e de seu marido, Danielle e William retornaram para onde moravam e à vida normal.

O marido cuidou da aquisição do outro imóvel e ela da decoração.

Os dias foram passando e Danielle aparentava estar bem melhor. Voltou a ser como antes, tranqüila, ponderada, alegre e calma. Tudo parecia perfeito. Tinham problemas corriqueiros, claro, mas os resolviam com paciência.

— Ainda bem que não vendemos este aqui! Já adiaram pela segunda vez a entrega do outro! Quando não é uma coisa, é outra! — ela ria e reclamava ao marido.

— É assim mesmo. Já ouvi dizer que o momento mais estressante na vida de uma pessoa é quando ela se muda.

— Deve ser verdade mesmo. Mudei-me para a casa da dona Maria Cândida, quando mudei de país. Depois mudei para aquele apartamento que aluguei. Em seguida, para cá e, agora, cuido da mudança para outro. É por isso que estou estressada! — riu.

— Vem aqui que eu acabo com seu estresse! — riu o marido, puxando-a de costas e massageando-lhe os ombros com as mãos.

— Ai, Raul! Está apertando muito! Pare com isso! — retribuiu, brincando descontraidamente.

O marido sentiu-se gelar. Era como acordar para um novo pesadelo. Parando com o que fazia, virou-a para si, deixando-a em pé a sua frente. Ficou sério e falou com tranqüilidade:

— Dani, eu sou o William. — Ela abaixou a cabeça e levou a mão no rosto sem saber o que dizer. Segurando em seu queixo, forçando para que o encarasse, ele falou: — Já faz mais de dois anos que o Raul se foi. Eu o conheci bem pouco, porém o suficiente para saber que era um homem bom, íntegro e que a amava muito. Não perguntei, nunca, como vocês viveram, como eram na intimidade ou fora dela, para comparar com a nossa vida hoje.

— Will, eu...

— Deixe-me terminar, por favor. — A esposa silenciou e ele prosseguiu, falando devagar: — Eu sei que você amou muito o Raul. Ainda o ama, mas de outra forma. É certo que, se ele não tivesse morrido, nós não estaríamos juntos, eu acho. Acredito que o amor que sente por ele é diferente do que sente por mim. Eu não quero comparar nem medir a intensidade desse sentimento. Apesar de você ter dito que me ama somente duas vezes até hoje. Porém eu acredito que me ama, porque senti que foi muito sincero quando disse. Se bem que é bom ouvir isso de vez em quando, sabe. — Breve pausa, olhando-a firme, prosseguiu no mesmo tom: — O pouco tempo que conheci o Raul foi o que bastou para eu respeitá-lo muito e respeitar, até hoje, seus sentimentos por ele. Mas não é justo que eu continue ouvindo você trocar o meu nome e me chamar de Raul. Acredito que é falta de controle seu. Falta de se vigiar, pois até na cama já errou o meu nome e não foi só uma vez. Estou no limite, Dani. Não agüento mais. — Alguns segundos e, mesmo vendo-a triste e preocupada, continuou: — O tempo que ficamos na casa da dona Maria Cândida você não me chamou de Raul. O pior foi que, quando começou acontecer com freqüência, aqui, todos esses efeitos físicos de terra na banheira, roupas no chão, vidros se partindo e outros, começaram juntos.

— Você acha que é o Raul?

— Sinceramente, não. Os estudos, que acompanhei, lá na sociedade espírita e o pouco que aprendi com a dona Maria Cândida, junto com o que o meu coração diz, fazem-me acreditar que não seja o Raul. Porém aprendi e entendi, muito bem, que a pessoa ou o médium é quem determina o que quer fazer, quando, onde e se quer, porque tem o livre-arbítrio. Eu chego a pensar que você, assim como eu, só que você em maior grau, sofre certa influência espiritual e acaba não controlando o que fala, principalmente. Por isso seria bom vigiar mais. Não estou me sentindo nada bem com isso.

— Desculpe-me, Will. Por favor — pediu, sinceramente humilde.

— Lógico que sim, mas não faça novamente.

— Não vou fazer.

Aquela chamada de atenção foi importante para Danielle, que não estava vigilante. O espírito Desirée começava a usá-la como instrumento, novamente, manipulando-a, através da mediunidade mal-educada e, por causa de sua falta de persistência, continuaria aproveitando todas as oportunidades para prejudicá-la. Provavelmente a bondade, a tolerância e a paciência do marido, deixavam Danielle muito à vontade.

* * *

Mais tarde a esposa saía do banho e ouvia o marido rindo e falando ao telefone. William gargalhava e fazia alguns comentários, depois ria novamente. Ao vê-lo desligar, a mulher perguntou:

— O que aconteceu de tão engraçado em Amsterdã?

Ainda achando graça, ele contou:

— Ah! Foi a Charlaine!

— Sua assistente?

— É. Liguei para pedir que arrume uma pasta com relatórios e documentos necessários para a reunião de amanhã, bem cedo. Então ela me contou que o hotel em Amsterdã fez uma confusão com as reservas para a hospedagem do Edwin e dois diretores, colocando-os no mesmo quarto e onde já haviam hóspedes — riu. — Deu uma confusão. O Edwin ficou bravo e com razão. Isso já aconteceu antes e foi nesse mesmo hotel. Precisei dividir o quarto por uma noite.

— Da outra vez foi com você?

— Foi! Era a Charlaine quem estava junto. Havia um show na cidade e estava tudo lotado — contou com simplicidade. — Não havia mais lugar naquele hotel e, por ser somente aquela noite, achei melhor dividir o quarto com ela. O pior não foi isso. A Desirée telefonou para o hotel, pediu para falar no meu quarto e foi a Charlaine quem atendeu. Expliquei o que tinha acontecido, mas não adiantou. Quando voltei, deu uma briga que você não imagina. Quase tive de demitir a secretária. Foi o senhor Oscar que não deixou. A outra ficou uma fera!

— A outra, de quem está falando, era a Desirée?

— Sim. Era.

— Se ela ficou uma fera, foi com toda razão! — expressou-se de modo irritado, saindo da sala e deixando-o sozinho.

O marido foi atrás e quis saber:

— Por que está falando assim?

— Eu não gosto muito da Charlaine, mas não sabia que ela era tão safada a ponto de dormir com você e continuar na empresa com a maior cara-de-pau! — exclamou enérgica.

— Calma, Dani! Você não sabe o que aconteceu.

— Nem preciso. Já sei o suficiente! Vocês dormiram juntos!

— Não é nada disso o que você está afirmando! — defendeu-se firme. — Nós chegamos quase de madrugada. Estávamos cansados e houve problemas com as reservas. Isso é comum. Só que eu não iria sair, aquela hora, para procurar vaga em outro hotel!

— Dormisse no saguão!!! — gritou. — Mas não dormisse com a sua secretária!!! — Riu com ironia e declarou: — Eu sou uma idiota! Sou a última a saber! Imagino o quanto aquela sem-vergonha está rindo da minha cara por já ter dormido com o meu marido!

— Não foi isso o que aconteceu!!! Se tivéssemos dormido juntos, como você afirma, não estaria ouvindo essa história de mim!!! O que pensa que eu sou?! — rebateu no mesmo tom.

Caminhou firme frente a ele e com o dedo em riste, esbravejou:

— Aos poucos estou conhecendo você melhor! Vejo-o de risinhos e beijinhos com executivas, diplomatas, sei lá mais quem! Você pensa que me engana?!

William ficou perplexo, paralisado. Com voz pausada e parecendo calmo, falou brandamente:

— É melhor pararmos por aqui.

Ao se virar, Danielle o puxou pela camisa, que rasgou, e começou agredi-lo com os punhos fechados batendo em seu peito. Segurando-a pelos pulsos, William a levou até a cama do casal e a empurrou, jogando-a de costas. Em pé a sua frente, falou veemente:

— Pare com isso, Danielle! Está indo longe demais!

— Não me trate como se você fosse a vítima! Não posso acreditar que só dividiu o quarto com uma mulher jovem, bonita e sensual, como ela! É mentira sua!!! Por que não diz a verdade?!!! Por que não diz que dormiu com ela?!!!

Em tom baixo e firme, arrematou:

— Dormi ao seu lado, no seu apartamento, e não aconteceu nada! Depois, você dormiu, aqui, junto comigo, ao meu lado, na minha cama, e não aconteceu nada! Sabe por quê?! Porque eu a respeitei nas duas ocasiões. Sendo que, da primeira vez, eu não tinha motivo para fazê-lo.

— Como assim?! Por que não teria motivo para me respeitar?!

— Da primeira vez, quando dormi na sua casa, você havia bebido o suficiente para não saber o que estava fazendo e não se lembrar de nada depois. Você bem que insistiu, e muito, dizendo que me queria. Foi muito provocante. Foi sedutora. Investiu sobre mim. Insistiu demais. Eu quase não resisti, fique sabendo! — Vendo-a paralisada e em choque, ainda falou: — Gostou de ouvir a verdade?! Está satisfeita agora?! Será que, sabendo disso, vai confiar um pouco mais em mim e acreditar no que estou contando?!

— Isso não aconteceu... — murmurou, sentando-se na cama.

— Aconteceu sim, Dani! Por isso eu perguntei tanto, naquele dia, se não se lembrava de nada mesmo — afirmou mais brando, porém firme. — Eu tive toda a oportunidade de me aproveitar daquela situação, mas eu não quis. Você havia bebido muito e bebeu porque eu levei aqueles malditos vinhos. Contou toda sua vida. Falou muito do Raul. Depois decidiu que me queria para esquecê-lo. Queria dormir comigo. Tirou parte da sua roupa e parte da minha também. Investiu sobre mim. Foi por pouco que algo mais não aconteceu. Foi difícil me conter, principalmente, porque eu já gostava muito de você.

— E depois? — perguntou constrangida. Diante do silêncio do marido, insistiu: — Tenho o direito de saber o que aconteceu. Conta. Preciso saber.

— Você... Nós nos abraçamos e nos beijamos muito, como eu sempre quis e... Ficamos muito tempo assim. Apesar de você ser provocante e dizer que me queria, só trocamos carinho. Não fui em frente, porque eu não quis. Foi só isso. Você ficou sonolenta nos meus braços e coloquei sua roupa. Fiz com que bebesse bastante água e a deixei dormir.

— Por que não me contou?

— Por amor, Dani. Por querer conquistá-la. Se eu contasse tudo, provavelmente, não iria querer mais me ver. Na segunda vez que dormimos juntos, aqui, respeitei a sua vontade. Você estava insegura e não me quis. Tive certeza de que fez aquilo, no seu apartamento, por causa do vinho.

Uma lágrima correu em sua face pálida. Ela abaixou a cabeça e pediu:

— Desculpe-me, Will. Fiquei com ciúme. Não pensei direito e...

— Ciúme?! Ciúme é uma coisa. Falta de controle emocional, reação doentia é outra, e bem diferente. Eu adoro você,

Dani. Quando a vejo linda, sexy, eu simplesmente adoro! Vejo o seu jeito alegre, risonho, carismático, extrovertido e adoro! Observo quanto os outros homens a cobiçam, olham, desejam. Tenho ciúme, sim. E é aí que eu a quero mais! É aí que me sinto orgulhoso porque você é minha e eu confio em você e em mim. Os outros podem olhar. Quero que morram de inveja! Eu sou mais eu! Não sou nenhum pouco inseguro. Ciúme doentio, como a crise que teve agora, mostra sua insegurança, falta de amor próprio e desrespeito para comigo. Não confiou em mim, quando teve todas as razões para isso. Se um dia eu pensar em sair com outra mulher, tenha certeza de que me separo de você antes.

Vendo-a pensativa, ele saiu do quarto sem falar mais nada.

Na espiritualidade, Desirée se comprazia com o abalo à Danielle. Envolvendo a esposa de William e usando da sua mediunidade, ela a induzia a chamá-lo de Raul e ter fortes manifestações de ciúme. Em vez de se concentrar no que era preciso, em se controlar e questionar a razão de determinados comportamentos e atitudes, Danielle ficava ocupando sua mente com assuntos sobre as experiências de outra vida, agindo e pensando como se fosse, atualmente, filha de Maria Cândida. Isso servia de distração e Desirée aproveitava-se de tudo o que podia.

Sem serem percebidos, os espíritos Filomena, Armando e outros amigos estavam presentes na residência do casal. Evandro, que instruía o grupo explicou:

— O acontecido nas Torres Gêmeas, em 11 de setembro, provocou um resgate coletivo de espíritos impostos, ali, por atração magnética. Houve muita dor e muita aflição naquele sítio. As energias dolorosas, tristes e densas podem durar meses ou anos para muitos. Uma grande porcentagem das almas, ali vitimadas, eram criaturas com muitos débitos de ordem geral, principalmente, na falta de caridade e excesso de vaidade. Muitos foram e ainda são cegos na perversidade completa e muito desequilíbrio tenebroso nos pensamentos desgovernados pela arrogância, principalmente. Outros ainda eram monstros habitando um corpo humano. Poucos cumpriram seus destinos equilibrados e harmoniosos, aproveitando para retornar à pátria espiritual após saldar o débito com a própria consciência. O lugar onde a tragédia aconteceu, e em larga escala em torno dele, tem, no campo espiritual, uma zona castigada de natureza doentia e hostil. O mais triste é pensar que o povo e o governo, que não deixam de ser espíritos em nível de evolução, ainda deficiente, atraíram tamanha dor e isso é um prenúncio de algo que, no futuro, pode afetar toda a humanidade.

— Desde o momento da catástrofe, houve uma terrível movimentação de sombras espessas que não cessam de cascatear em meio ao espaço sem luz, formadas dos edifícios que vieram abaixo — comentou outro companheiro. — É um triste quadro de se ver até hoje. O resgate espiritual às vítimas ainda é bem difícil, devido ao nível de entendimento e a ausência de Deus em cada coração. Os norte-americanos sofreram as catástrofes que idealizaram em suas mentes, algumas delas exibidas em filmes. Vejam como o pensamento tem força. Precisamos tomar cuidado com o que imaginamos. Mesmo quando acreditamos que é uma brincadeira, uma diversão, como fazem em suas indústrias cinematográficas. O que pensamos fazemos existir, de alguma forma, no plano espiritual ou neste mesmo.

— Eu consigo ver a dor e o desespero vivido por minha neta — contou Filomena. — É tão triste.

— Não se deixe envolver — alertou Evandro. — O estado infernal na alma vive e desaparece com a evolução de cada um. No entanto, pode atrair a mente daquele que não se precaver. Desirée não desencarnou de imediato, como podemos ver. Sua vaidade, seu orgulho, sua prepotência e descaso com os outros não a deixaram ouvir o conselho da mãe que pediu para que saísse de lá. Em vez disso, sua consciência a atraiu a um banheiro onde ficou, frente a um espelho, cuidando da aparência para, só depois, tentar sair. Quando o fez, era tarde. Ficou presa, praticamente esmagada da cintura para baixo. Muita dor foi o que sentiu e viu muito sangue pela claridade de uma fresta. Teve horas para pensar, ser humilde e orar. Mas não fez. Desperdiçou esse tempo gritando e xingando o marido, culpando-o por estar ali. Desencarnada, sofreu muito. Depois encontrou novamente a família e, quando William quis refazer sua vida, revoltou-se. Aprendeu e se empenhou em tudo o que era errado. Atraiu energias funestas da própria catástrofe onde desencarnou e, junto com mentes que se unem para o mesmo fim, conseguiu espalhar essas sombras por este lar. Aprendeu rápido a usar a mediunidade dos dois, principalmente de Danielle, desestruturada emocionalmente por tantos acontecimentos tristes em sua vida, devemos levar isso em consideração. Sem piedade, Desirée ataca a mulher de William como pode. Só não o fez mais porque Danielle foi protegida por vibrações e energias recebidas de grupos espirituais que buscam socorrer e impedir irmãos de serem abortados por suas mães. Se não fosse por eles, acredito que Danielle não resistiria aos ataques que vinha sofrendo.

— Além disso, ela se fortaleceu com a ajuda e a orientação que recebeu no grupo espírita. Mas deixou de freqüentá-lo e abandonou tudo — explicou outro.

— Realmente. Quando tudo melhora, ninguém se lembra de Deus — tornou Evandro. — Agora se expõe a um novo ataque. Apesar de ter percebido e intuído a aproximação de um abalo, William não se força para decidir o que fazer.

— Quando mudarem, tudo vai melhorar? — perguntou Filomena.

— A princípio, sim. O ambiente é novo, as energias serão novas. No entanto, se não se protegerem, se não protegerem o lar, acredito que, em pouco tempo, essas energias trevosas e densas também serão plasmadas nas paredes e em tudo mais no novo lar. Os lugares infernais surgem pelos pensamentos, lembremos disso — respondeu Evandro. — Ficaremos por aqui para observar e ajudar conforme for possível.

— O Raul tem grande influência e ligação com Danielle. Ele poderia inspirá-la e instruí-la — opinou Armando.

— Ele pode isso e muito mais. O Raul tem autoridade sobre Desirée. Além de outros atributos. Como espírito amigo, pode realizar muitas coisas. Embora Raul seja elevado, espiritualmente, ainda não se sente preparado. Se ele aceitar o desafio e não estiver bem, a situação vai ficar pior e tudo sairá do controle.

— Ele ama muito a Danielle — tornou Armando.

— Amar não é o problema e sim como ele vê esse amor. Vivi experiência assim e não fui tão forte como ele. Sofri muito. Provoquei sofrimento. Demorei a me recuperar. Sei o que é isso. Foi por essa razão que, como mentor de Raul, vi que ele estava preparado e, ainda encarnado, deixei-o tomar conhecimento do passado e ver que interferiu na união de Danielle e William. Por isso, de certa forma, foi ele que provocou o reencontro dos dois na atual encarnação. Se não estivesse doente e ela não procurasse ajudá-lo... Raul entendeu e aceitou. Até aí. Foi muito bom, pois, desencarnado, não entrou em choque ao saber que os dois estavam juntos. Sabe que se amam e se dão bem, apesar da tenebrosa obsessão de Desirée. Mas não se sente preparado para vê-los juntos, muito menos, para atuar em favor do casal. Vamos aguardar, sempre prontos para ajudar.

* * *

Ao se deitar, William percebeu que a esposa ainda estava muito triste. Não quis jantar e pouco conversaram. Arrependido, acomodou-se ao seu lado e recostou o rosto em seu ombro, abraçando-a.

— Está dormindo? — perguntou sussurrando, mesmo sabendo que não.

— Não.

— Você está bem?

— Estou.

— Desculpe-me por ter contado aquilo.

— Deve ter pensado que eu era uma sem-vergonha, uma mulher muito baixa.

— Não. Não foi isso o que pensei. Tanto que quis me casar com você. Jurei, a mim mesmo, que jamais contaria sobre aquela noite. Mas não consegui me calar, porque você começou a gritar, me acusando e agredindo. Mostrou que não confiava em mim e eu quis provar que deveria. — A mulher não disse nada e ele pediu com jeitinho: — Vem cá. Vira. Olha pra mim. — Ela se ajeitou e o marido falou em tom generoso: — Não fique assim. Foi até engraçado!

— Ora, Will! Por favor!

— Foi sim! Você ficou alegre demais — sorriu.

— Nunca fui de beber muito. Nunca bebi daquele jeito. Não sei por que fiz aquilo. Perdi o controle. Não me lembro exatamente de nada. Quando nós caminhávamos às margens do Sena, naquele dia, tive a impressão de termos nos beijado. Mas não tive certeza. Era uma imagem, uma lembrança vaga... Pensei que tivesse sonhado. Eu não poderia lhe contar isso. Você me tratava de modo tão normal. Não tentou se aproximar. Acreditei que, se tivéssemos nos beijado, trocado carinho, você iria tentar continuar depois. Mas não. — Alguns segundos e comentou: — Devo ter parecido uma vadia.

— Não diga isso. Se eu achasse que fosse, não teria me casado com você.

— Estou me sentindo tão mal.

— Isso passa — disse afagando seu rosto com carinho. — Vamos esquecer tudo.

— Não consigo. Fico tentando imaginar como eu agi, o que falei... Você me disse que eu contei toda a minha vida. O que eu falei? — interessou-se.

— No começo me contou sobre fatos da sua infância. Que brigou na escola com sua melhor amiga. Falou muito sobre se dar bem com os seus irmãos e ficar triste pelo fato dos dois terem algumas diferenças entre eles. Eu não sabia que o Guilherme não se dava bem com o Kléber. Você disse que isso foi porque seu pai deu mais apoio ao Kléber. Por isso o Guilherme foi estudar fora e não voltou mais. Depois o seu pai se arrependeu. Queria que retornasse para o Brasil e ele não quis, pois estava estabilizado e bem sucedido.

— Jura que eu contei isso? — perguntou algo decepcionada. — O que mais?

— Vamos esquecer.

— Como foi que eu tirei minha roupa?

— Ora, Dani! Por favor!... Surgiu um clima romântico entre nós e... Você não tirou toda a roupa. Quer que eu conte para depois ficar chateada?

— Eu quero saber! Devo ter agido como uma...

— Não agiu como nada. Você foi você.

— Não agi como eu. Tirei a minha roupa. Não faço isso. — Ele ficou quieto e ela pediu: — Como foi? O que eu disse?

— Bem... Você insistiu muito para saber se eu me interessei por outra. Fez mil perguntas.

— E você?

— Eu respondi que, até aquele dia, não havia me envolvido nem me interessado por ninguém. Porque, naquele dia, comecei a admitir que estava gostando muito de você. Então nos abraçamos e nos beijamos. Como eu disse, surgiu um clima romântico. Sua camisa desabotoou, a princípio, sozinha e você fez o resto. Depois tirou minha camisa e... Eu deixei. Também havia bebido e...

— Havia bebido, mas não foi em frente. Estava consciente o suficiente para... Não me lembro absolutamente de nada. Que vergonha!

— Vergonha, por quê? Sou seu marido!

— Mas não era.

— Você brincava, ria, me fez rir. Estava sedutora. Adorou ouvir eu dizer que estava gostando muito de você. Percebi que agia daquele jeito, provocante, por causa do vinho.

— Como pôde ter certeza?

— Porque, em meio a tudo o que falou e fez, eu lhe fiz muitas perguntas. Você respondeu. Sou bem experiente para saber quando uma mulher está sendo safada ou ingênua. Você nunca fez aquilo nem com o seu marido, pois contou como tudo aconteceu com vocês.

— Ah... não... — sussurrou. — O que eu contei?

— Tudo. Por isso queria uma experiência nova comigo. Para esquecê-lo. Nunca teve outro homem e queria saber como era. Ele foi seu namoradinho desde o colégio. Só oficializaram o romance bem depois, quando se descuidaram e pensou que estivesse grávida, mas foi alarme falso e as famílias nem ficaram sabendo.

— Pare, Will! Pare! Eu não posso ter lhe contado tudo isso!

— Pois contou. — Breve pausa e argumentou: — Bem que eu não queria lhe dizer nada. Foi você quem insistiu. Sabia que não ia gostar de ouvir. — Vendo-a amargurada, pediu carinhoso, enlaçando-a: — Vem cá. Esquece tudo isso e confie mais em mim.

Abraçando-o e correspondendo ao carinho, ainda perguntou:

— O que mais ou o quanto mais eu falei sobre mim e o Raul?

— O suficiente para eu saber que a nossa vida é melhor. Que posso fazê-la mais feliz do que já foi, apesar de terem vivido bem.

— Eu queria saber mais uma coisa. — Ele ficou aguardando e a esposa perguntou: — Você disse que não houve nada entre nós e nos beijamos, nos abraçamos. Quando ficou hospedado no hotel, dividindo o mesmo quarto com a Charlaine, disse que não aconteceu nada. Chegaram a se beijar?

William teve vontade de afastá-la de si, por insistir em coisa tão absurda. Mesmo insatisfeito, procurou entender e respondeu:

— Não. Não me aproximei dela. Eu nunca teria qualquer tipo de romance ou envolvimento com uma secretária, principalmente, estando casado. Depois ela continuaria trabalhando para mim e eu teria de encará-la, todos os dias, e me lembrar do que aconteceu. Eu não sou esse tipo de homem.

— O George tem uma amante.

— Ele é ele! Não nos confunda. — Alguns instantes e contou: — Quando eu era pequeno, vi o quanto minha mãe sofreu por causa das mulheres com quem meu pai se envolvia. Minha mãe podia ter os seus defeitos, mas não merecia aquilo. Ele era um homem rígido conosco, rigoroso. Eu tinha muito medo dele.

— Por quê?

— Ele me agredia. Criticava-me muito. Eu não podia tirar notas baixas, não podia chegar machucado por causa de alguma briga, não podia ir mal em um simples jogo de futebol, que ele me batia. Batia muito. Talvez por isso não goste de futebol. Estávamos muito bem de vida. Ricos. O meu pai desperdiçou muito dinheiro com mulheres. Nunca aprovei isso. Sou o caçula, você sabe. Quando eu tinha dez anos, minha mãe descobriu que ele tinha outra família. Tenho dois meios-irmãos com quase a minha idade.

— Onde eles estão?

— Não sei por onde andam.

— Você nunca me contou isso, Will.

— Não gosto de falar no assunto. Minha mãe descobriu a outra família e ele foi embora, morar com os outros filhos e com a mulher. Alguns anos depois, quando o meu pai ficou doente, a mulher não quis cuidar dele. Nem minha mãe. O meu irmão, que é dez anos mais velho do que eu, decidiu internar o nosso pai em uma clínica e eu o ajudei, ou melhor, acompanhei. E nosso pai ficou lá por um ano, até morrer. Tudo o que tínhamos foi dividido entre os seus cinco filhos. Os meios-irmãos receberam a parte que lhes cabia e sumiram. Minha irmã... Não sei o que fez com sua parte. Meu irmão empregou o que tinha no hotel. Fez o melhor para ele e a esposa. O Phillip tinha vinte e seis anos e acabado de casar. A Victória estava de casamento marcado.

— E você?

— Eu tinha dezesseis anos. Minha mãe guardou parte do que era meu por direito e a outra parte investiu nos meus estudos. Por isso estudei nos melhores lugares. Era muito dinheiro.

— Quando conheceu o Edwin? Você nunca me contou direito.

— Em Londres. Na escola — sorriu ao se lembrar. — Ele foi transferido de uma escola da França para Londres e estava muito atrasado nos estudos e eu, bem adiantado. Por ser bem mais velho que os demais, o Edwin não fazia muita amizade. Por outro lado, eu era bem reservado, principalmente, por causa de tudo o que meu pai fazia. Não tinha muitos colegas. Tornamo-nos amigos, com o tempo. Não nos largamos mais. Depois fizemos Oxford juntos. Ao terminar a faculdade, viajamos pelo mundo por um ano. Conhecemos muitos lugares. Ao retornar, fizemos uma pós-graduação, em Merton. Em seguida, Mestrado em Harvard. Voltei. Comecei a trabalhar em uma empresa de construção naval. A mesma área do meu pai. Eu já conhecia a companhia aérea e o Edwin me chamou lá para pedir minha opinião em alguns assuntos e... Nem sei direito como foi. Tudo aconteceu rápido. O senhor Oscar me convidou... Deixei a construção naval e comecei a trabalhar na companhia aérea.

— Foi então que conheceu a Desirée? Ou a conheceu antes?

— Eu a conheci quando o meu pai morreu. O Edwin, junto com seu pai, compareceram ao velório e ao enterro. Nessa ocasião, o Edwin insistiu para que eu ficasse alguns dias na casa deles, aqui em Paris. Aceitei e a conheci lá. Depois a vi algumas vezes na empresa.

— Quando começaram a namorar?

— Eu já trabalhava na companhia há um ano. Foi assim que assumi o cargo de diretor.

O assunto começou a ficar incômodo, mas ele não disse nada. A mulher continuou:

— Quanto tempo vocês namoraram?

— Quatro anos.

— Ela não gostava da Charlaine. Tinha ciúme dela, não é?

— A Desirée não gostava de nenhuma mulher. Até da própria mãe ela tinha ciúme.

Quando pensou que a esposa havia esquecido o assunto...

— Onde foi que a Charlaine dormiu, quando dividiu o quarto com ela?

— Dani! Que absurdo! — Zangado, respondeu: — Eu cedi a cama para ela e deitei no sofá da sala de estar da suíte, que era bem grande! — Encarando-a, insatisfeito, perguntou: — Aonde quer chegar com suas perguntas sem cabimento? Só está me deixando chateado!

O espírito Desirée envolvia Danielle, que aceitava as suas idéias e sugestões. Ela sabia exatamente o que irritava William.

— Eu só queria saber o que aconteceu. Eu não ia gostar de olhar para a sua secretária e saber que dormiram juntos. Fico com dó da Lisie por saber o que o George faz.

— Talvez seja conveniente para a Lisie. O casamento deles foi de interesse mútuo. Ela sabia, muito bem, o tipo de homem que ele era.

— O Edwin era mulherengo e muito! Hoje, veja como ele e minha irmã se dão bem.

— Eu o conheço bem e há muitos anos. Isso acontece porque o Edwin não encontra motivos para procurar outra mulher. Tudo o que ele quer encontra na esposa, no casamento.

— A Nanci não é tão bonita assim.

— Porque você está procurando ver a beleza física. Agora... Vamos dormir. Preciso levantar cedo.

17

O AUXÍLIO DE RAUL

Os dias que se seguiram exigiam empenho e atenção de Danielle para a equipe de decoração no novo apartamento. Todo estresse e cansaço apresentados eram atribuídos a isso. Ao chegar onde residiam, William procurou pela esposa e a encontrou no quarto, vestida com um roupão e deitada sobre a cama assistindo à televisão.

— Oi. Tudo bem? — perguntou beijando-a.

— Tudo. Recebeu o meu recado?

— Sim. A Charlaine me falou que precisou sair mais cedo.

— Fui falar com o arquiteto para tirar aquele biombo do closet. Ficou horrível. Por não conseguir vê-lo, na semana passada, precisei sair mais cedo hoje. — William havia se sentado na cama e, diante dela, só observava. Percebendo-o quieto, quis saber: — Está tudo bem?

— Sim. Quer dizer... Estou um pouco sobrecarregado e... — encarando-a, contou: — A Inglaterra fez nova convocação de reservistas para a Guerra do Iraque. Mais soldados serão enviados para lá. Depois que os Estados Unidos entraram em Bagdá... — calou-se.

— Você foi convocado? — perguntou, assustada, sentando-se rápido.

— Desta vez não. Contudo creio que não vão demorar a me chamar.

Ela aproximou-se dele e o envolveu, dizendo:

— Não vão convocá-lo. Tenho certeza. Essa guerra vai acabar logo.

Na espiritualidade, Desirée aterrorizava William com pensamentos trágicos:

— Você vai para a guerra! Enfrentará matança e destruição! Verá gente morta, ensangüentada, sem membros... Soldados estarão caídos ao seu lado. Todos rasgados e precisando de socorro e não poderá fazer nada. Vai enfrentar a morte. Ficará ferido e sozinho, sangrando até a morte. Como eu! É horrível! Horrível ver sangue e ter dor!

William sentia-se mal com as imagens que se montavam em sua mente.

— Se for pego como prisioneiro de guerra, será torturado! Vão feri-lo e sangrá-lo e não vão matá-lo rápido não! — continuava Desirée com cenas de horror e energias destrutivas que aproveitava da tragédia que experimentou.

O mentor de William se aproximou e com a ajuda do espírito Evandro e seu grupo envolveram seu pupilo com energias mais saudáveis, tentando mudar seus pensamentos, fazendo-o reagir.

Abraçando a esposa com toda a força, William escondia o rosto em seus cabelos, pretendendo fugir da realidade. Afastando-se um pouco, Danielle acariciava-lhe o rosto e dizia:

— Fique tranqüilo. Você não será chamado.

— E se eu for? Tenho que encarar os fatos. Nunca gostei de violência, nem em filme. Para ser sincero, estou com medo.

O telefone tocou. Ele a beijou e se levantou para atender. Era Nanci querendo falar com a irmã. Ele passou o aparelho para a esposa e foi tomar um banho relaxante. Quando voltou, Danielle ainda conversava com a outra de modo que não tinha como não ouvir. Curioso, ao vê-la terminar, perguntou:

— Disse a sua irmã que foi ao médico ou foi impressão minha? Falavam tão rápido.

— Disse sim. Aproveitei ter saído mais cedo e fui ao médico também.

— Aqueles sintomas estranhos voltaram, não é? Eu percebi.

— Às vezes sinto aquele cansaço. Não de forma tão intensa como antes. Mas não foi por isso que agendei a consulta.

— Foi por que, então?

— É que eu parei de tomar o contraceptivo e, até agora, nada. Queria saber se está tudo bem. — Vendo-o quieto, interrogou: — Já falamos sobre isso, não é? Ficou tudo bem para você, não?

— Eu não sabia que estava se empenhando. Não me disse nada sobre parar de tomar o remédio nem ir ao médico.

— Você falou que não me acompanharia.

— Também não é assim. Posso ir com você às consultas simples. Aliás, eu quero ir. Deveria ter me avisado. Não vou abandoná-la. — Breve instante e perguntou interessado: — O que ele disse?

— Que estou ansiosa, pois ainda é cedo. Parei de tomar o remédio há pouco tempo.

Ele sorriu e reclamou, beliscando seu nariz:

— A senhora não será mãe solteira, viu, senhora Phillies! Quero ficar sabendo de tudo! — Ela nada disse. Somente sorriu. Em seguida, comentou: — Dani, fui ligar a televisão da sala e não está funcionando.

— Esqueci de contar. Acho que queimou.

— Tudo está queimando nesta casa. Ontem foi a esteira, hoje cedo o forno. Agora a TV.

— Eu sei. O microondas também. Além da cafeteira e das lâmpadas do hall. Acho que tem algum problema com a parte elétrica. Ainda bem que vamos mudar.

— E se não for isso? Talvez esteja acontecendo o mesmo de antes. Você não acha que seria bom voltarmos a freqüentar as orações no grupo espírita?

— Quase não tenho tempo, Raul.

— William!!! O meu nome é William!!! — gritou, assustando-a. — Que droga!!! — irritou-se, indo para outro cômodo.

Sem que visse, ela chorou escondido. Não sabia o que fazer. Pouco depois, ele voltou avisando:

— O Pierre ligou e me chamou para um drinque no clube. Vou até lá.

— A essa hora?

— Não vou demorar.

Pegando uma jaqueta, saiu sem beijá-la, sem se despedir. O que foi muito estranho. Uma angústia tomou conta de Danielle, pois ficou ruminando idéias a respeito de traição. Por causa das propostas do espírito Desirée, acreditava que William estava se afastando e procurando outra mulher. Amargurada, foi se deitar, não deixando de pensar no assunto.

Era tarde quando o marido retornou. Ela não disse nada, fingindo dormir. Esperando ele pegar no sono, levantou-se, dirigiu-se ao closet do quarto do casal e remexeu seus bolsos, cheirou suas roupas, vasculhou ligações em seu celular e itinerários no GPS. Como já havia feito de outras vezes. Apesar de não encontrar nenhuma novidade, nem mesmo cheiro de perfume de mulher, não se sentia segura.

* * *

O dia de mudança estava agendado. Mesmo com tantos afazeres em sua vida particular, William era obrigado a comparecer a reuniões sociais, eventos e jantares. Ao retornar de um deles, reclamou furioso:

— Nunca mais me chute por debaixo da mesa! Muito menos me belisque!

— Você quase caiu no decote da Mary! Pensa que eu não vi?!

— Ficou louca?! Acha que eu faria um absurdo desse na sua frente e do marido dela também?!

— Você olhou! Eu vi!

— Com certeza, está vendo coisa que não existe!

— Aliás, não foi só para ela que ficou olhando! Vi rindo, todo cheio de gentilezas com as outras, principalmente, para a mulher do presidente daquela empresa lá, que nem sei o nome!

— Sempre fui educado e gentil com todos! Não me acuse de nada mais, além disso. Da próxima vez que me beliscar ou me chutar...

— O que você vai fazer?! — interrompeu-o, enfrentando-o rispidamente.

— Nunca mais a levo para jantar ou para evento algum! Você foi ridícula! Até o George percebeu o que estava fazendo!

— Ridícula coisa nenhuma!!!

— Fale baixo! — exigiu. — Só porque aqui é uma cobertura, não pense que os vizinhos de baixo não podem ouvir e saber que aqui mora alguém sem controle! Se não me respeita, respeite a si mesma!

— Você me chamou de ridícula!

— Para a sua idade, para a sua formação, por ser a esposa do vice-presidente da empresa, você foi muito ridícula e infantil sim! A sua beleza, a sua elegância, o seu charme você jogou no lixo com aquele comportamento idiota! Parecia uma criança mimada!

— Não fui criança! Sou uma mulher madura e defendo o que é meu!

— Ah! É?! Chutar é atitude de criança! Beliscar é atitude de criança! Ficar emburrada é postura infantil! Você não era assim, Danielle! O que aconteceu?! Onde está aquela mulher segura e amável que eu conheci? Aquela mulher ponderada e racional que conversava, educadamente, para resolver uma questão. Onde está?!

— Você me dá motivos para agir assim!

— Que motivos?! Se o fato de eu conversar e sorrir para outra for motivo de brigar comigo, você precisa de tratamento psiquiátrico!

— Você se engraçou com a Mary!

— Conversávamos e ela contou coisas engraçadas! Não

posso rir?! Rir a incomoda?! Por quê?! Pense, por quê?! Não lhe dou motivo! Estou sempre ao seu lado! Se fosse para alguém ter ciúme, aqui, esse alguém seria eu! Pensa que não reparo o quanto o Pierre, o Jean, o Mark e os outros ficam olhando para o seu corpo, para o jeito como fala, como sorri!...

— Você não me ama! Por isso não tem ciúme!

— Ciúme nunca foi sinônimo de amor! Ciúme demais é insegurança! É infantilidade!

Desirée envolvia Danielle que, cada vez mais insana e furiosa, indignava o marido.

— Você ficou olhando o decote de Mary! Da próxima vez vou com um igual!

Aproximando-se, falou firme, sem gritar:

— Você é muito bonita. Isso é um fato. Sei que os outros a olham por isso. Eu até me divirto com a situação. Porém você não é leviana e não vou admitir que seja, enquanto estiver comigo. Eu tenho caráter, bom senso e vou exigir isso de você, Danielle.

— Quem sabe, com um vestido daqueles, olhe mais para mim! — reclamou sem se importar com o que ele falou. — Vi o quanto gostou daquele decote! Estava bonito, não estava?!

Irritado, não suportando mais a situação, decidiu ser irônico:

— Quer saber?! Estava! Estava sim!!!

Sem que esperasse, Danielle deu-lhe forte tapa no rosto.

Incrédulo, parou e olhou fixo para a esposa que ameaçou bater-lhe novamente. Rápido, o marido segurou seu pulso e apertou-o com vigor. Ela tentou reagir. William agarrou o outro braço com a mesma intensidade. Empurrando-a com força, fez com que andasse de costas até a cama do casal, onde a jogou.

William estava transtornado. Tremia visivelmente. Com a voz grave e muito abalado, falou pausadamente, exprimindo raiva:

— Nunca dei motivo para uma mulher me agredir. Estou decepcionado com você.

Dizendo isso, virou-lhe as costas e foi para o closet. Não demorou e, quando voltou, ela percebeu que havia trocado de roupa. Sem dizer nada, procurou as chaves do carro, apanhou uma jaqueta e saiu.

Danielle sentiu o coração oprimido e uma amargura infindável. Não entendia por que tinha feito aquilo. Nada justificava tê-lo agredido. Sabia. Arrependeu-se e, ainda vestida lindamente, ficou de bruços sobre a cama. Num impulso, levantou-se, pegou o telefone e ligou para Maria Cândida.

— Dani! O que foi, filha?! — surpreendeu-se ao reconhecer o nervosismo em sua voz.

Danielle contou-lhe tudo. Estava confusa e não sabia o que fazer.

— Não sei para onde ele foi. Não disse nada.

— Você sabe que errou. Errou feio, Dani! — repreendeu-a.

— Não sei o que está acontecendo comigo — lamentou.

— Quando alguma coisa a desagradar, com referência ao ciúme, antes de agir ou falar, pergunte-se: por que e para que vai agir de tal forma ou dizer alguma coisa. Quando envolve ciúme, o primeiro impulso sempre está errado. Raciocine e veja se o que vai fazer não vai afastar o seu marido de você. Acha que ele quer ser ofendido, beliscado, chutado?

Acha que ele quer uma mulher emburrada ao lado? Se pensa isso, está muito enganada. Se reagir com palavras rudes e acusadoras, vai deixá-lo insatisfeito. Agredi-lo fisicamente, como fez... Nossa, Danielle! Isso foi o fim da picada!

— O Will nunca saiu de casa...

— Terá de reconquistá-lo. Ser humilde e pedir desculpas. Só que terá de se desculpar mesmo! Não agindo assim nunca mais. Tem idéia de onde ele possa estar?

— Não. Se eu ligar, ele vai ver que sou eu e não vai atender.

— Fique na linha. Ligarei para ele e perguntarei onde está. Ouça o que digo e vá encontrá-lo conforme for. Mas não conte o que combinamos. — Maria Cândida sentiu-se como se estivesse aconselhando Desirée. Achou estranho, mas não disse nada. Pegou o celular e ligou para William, que atendeu. E Danielle ficou ouvindo o que ela falava. — Will, tudo bem?

— Quase tudo.

— A Dani me telefonou e contou o que aconteceu.

— Ela não deveria incomodá-la.

— É que está arrependida e insegura.

— Nada justifica o que ela fez. Não vou tolerar isso.

— Onde você está, filho?

— No apartamento novo.

— Você está no apartamento novo? — repetiu para que Danielle ouvisse. Imediatamente a moça desligou e foi para lá. Enquanto isso, a senhora continuou: — Não há quase nada aí, Will! Está frio. Volte para casa.

— Não. Tem um bom sofá aqui. É melhor a Dani ficar sozinha para que reflita um pouco. Ela precisa admitir que errou e mudar o comportamento.

— Vocês precisam conversar com calma. A reforma, a mudança, está estressando os dois.

— Já falei tudo o que precisava. Estou cansado de suas crises de ciúme, de me chamar de Raul...

— Como assim? — surpreendeu-se.

William contou o que aconteceu, finalizando:

— Respeito a memória do Raul, mas não vou admitir isso. Parece que ela faz de propósito.

— Filho, com certeza isso é espiritual.

— Espiritual ou não, estou cansado. Cheguei ao meu limite — Um barulho na porta principal chamou sua atenção. Ao ver Danielle, comentou: — Ela está aqui. Preciso desligar.

Muito magoado, ficou parado olhando para a esposa que foi ao seu encontro, abraçando-o. Após um minuto, ele tirou as mãos que o envolviam e, calmamente, afastou-se, perguntando:

— O que você quer?

— Pedir desculpas — falou magoada consigo mesma, quase chorando. — Errei muito. Nunca deveria ter feito aquilo e... Eu te amo, Will! — lágrimas corriam em seu rosto ao pedir: — Volta pra casa!

Firme, inflexível, disse calmo:

— Não. Por hoje não. Volta para casa, você. Amanhã nós conversamos.

— Você não vai fazer isso comigo!

— Vou. Amanhã conversamos — tornou no mesmo tom. — Ficarei aqui. Volte para casa.

Danielle sentiu-se arrasada, envergonhada e ferida.

Estava linda naquele vestido vinho. Os cabelos ainda alinhados e adornada com jóias caras. Mesmo assim, com toda sua inegável beleza, não convenceu o marido.

A esposa aproximou-se. Tentou tocar-lhe o rosto, mas ele repeliu o contato e insistiu:

— Vá para casa, Danielle.

Vendo-se derrotada, virou-se e se foi.

* * *

Na manhã seguinte, ela acordou com um barulho vindo do closet e depois do banheiro. Logo viu William arrumado, no quarto, pronto para sair. Olhou-a por um segundo, não disse nada e se foi.

Sentando-se na cama, sentiu-se indisposta, tonta. Consultando o relógio, viu que estava perdendo a hora.

Quando pensou em chamá-lo, ouviu a porta principal bater e entendeu que já havia ido.

Ao tentar se levantar, passou muito mal. A cabeça pesada doía muito. Uma indisposição a dominava. Forçou-se a ficar em pé e, apesar do atraso, decidiu tomar um banho para se recompor. No chuveiro, notou manchas escuras na parte interna dos braços, nas pernas e na barriga.

— Meu Deus! O que é isso?!

Não havia respostas. Foi difícil encontrar forças para pegar um roupão e um torpor a dominou.

* * *

Na empresa, William procurou se concentrar no trabalho e esquecer seus problemas particulares. Após uma reunião, conversava com sua assistente e lhe dava algumas ordens, quando Charlaine perguntou:

— Você está bem?

— Um pouco cansado. Não dormi direito.

— Quer um café?

— Quero sim. Obrigado.

— Como sempre?

— Não. Com açúcar — riu. — A vida está muito amarga.

A secretária levou-lhe um café e comentou:

— Você parece nervoso.

— Essa maldita Guerra do Iraque me deixa nervoso. Posso ser convocado, você sabe. Além disso, a política no mundo, as ações despencando, a companhia aérea com menos movimento por causa dos atentados, o turismo caindo... Tudo me deixa nervoso. Como se não bastasse, a Dani... — silenciou.

— Ela está bem melhor, não está?

— Está — suspirou fundo.

— Por que ela não veio hoje? Está cuidando da mudança?

— Ela não veio hoje?! — ele se surpreendeu.

— Não. Você não sabia?

— É que... Estávamos atrasados e eu vim na frente. Pensei que ela tivesse chegado logo atrás de mim. O que será que aconteceu?

— Algum problema, de última hora, com a mudança. Ela estava bem agitada nos últimos dias. Quer que eu ligue para ela?

— Não. Daqui a pouco eu mesmo ligo.

— Antes que eu esqueça, o senhor Oscar pediu para avisá-lo que aquela rede de TV norte-americana fechou com a nossa companhia. Todas as viagens para os seus jornalistas, repórteres e outros, para a Europa e lugares mais próximos para a cobertura da Guerra, serão conosco. Disse que era para você ligar para o diretor e marcar um jantar para ver como poderão, no meio de alguma cobertura, fazerem com que nossos aviões saiam no fundo das filmagens.

— Ah, não! Estou cansado de jantares. Ontem mesmo... — deteve as palavras. — Por que ele não manda o George? Droga!

Charlaine estava ao seu lado recolhendo alguns papéis assinados e, inesperadamente, passou-lhe a mão no ombro, quase lhe massageando e, sorrindo, disse:

— Calma. Não se estresse. Sabe por que o senhor Oscar não manda o George representá-lo.

William virou-se para o lado e estranhou a atitude da secretária. Porém, ao encará-la, observou-a agindo normalmente, como se nada tivesse feito, como se aquilo fosse algo corriqueiro.

Vendo-a sair, virou-se, pegou o telefone e ligou para casa. Mas não foi atendido. Tentou o celular da esposa e nada. Quando olhou para frente, George achava-se parado, esperando sua atenção.

— Nossa! Não o vi entrar! — exclamou, franzindo o rosto.

— A Danielle faltou novamente.

— Bom dia para você também George — criticou em tom insatisfeito.

— Ela está doente de novo?

— Não. Por quê?

— Porque sua esposa não está sendo um bom exemplo para os outros funcionários. Não estou gostando disso.

— Demita-a! — falou de forma rude.

— Se ela continuar assim...

— Se ela faltou, até agora, teve justificativa médica. Hoje, excepcionalmente, não sei por que não veio. Não entendo por que a Danielle o incomoda tanto. Porém, se fará bem a você vê-la longe daqui, demita-a. Ela não precisa do emprego!

— Eu só quero que você entenda que ela não é um bom exemplo, se continuar assim. Só porque é mulher do vice-presidente, não pode...

— Por favor, George! Apesar dessa não ser sua função, vai em frente! Nem precisava falar comigo! Demita-a!

— O que deu em você?!

— Tenho muita coisa para fazer agora. Não quero perder tempo com banalidades. Preciso dar alguns telefonemas. Se não se importa... — Ao ver o outro virar as costas, lembrou: — George, preciso dos relatórios do seu departamento para a declaração da empresa. Não atrase!

— Esse não é o seu serviço! Deixe para a contabilidade.

— Quero acompanhar tudo. É só.

George o fuzilou com o olhar. Não disse mais nada e saiu. Novamente William tentou telefonar para a esposa, mas não conseguiu falar com ela. Não era atendido. Chamando sua assistente, pediu:

— Charlaine, tente localizar a Dani para mim. Talvez ela esteja com a irmã. A Nanci está em Paris, só que eu não encontro o telefone dela. Tente também a dona Maria Cândida. Ela deve saber da Dani.

Antes do almoço, a secretária retornou:

— William, ninguém viu ou falou com a Danielle. Nem mesmo na portaria do seu prédio.

— Você ligou para a portaria?

— Liguei. Não a viram sair hoje e o carro está na garagem.

— Cancele meus compromissos para esta tarde. Estou indo embora — disse, levantando-se e pegando o paletó.

* * *

Chegando preocupado ao apartamento, procurou pela esposa e a encontrou caída na suíte do casal, vestida com o roupão que usou após o banho e segurando o celular em uma das mãos, pois tentou ligar para alguém, mas não conseguiu.

— Dani?! Dani?!

Pegando-a, colocou-a sobre a cama e procurou animá-la. Ela queimava em febre. Abriu os olhos por alguns segundos e fechou-os novamente.

— Dani, reaja, vai! Vamos por uma roupa... — Indo até o closet, voltou com um vestido. — Vamos por isso. Vou levá-la ao hospital.

Danielle quase não reagia. Não tinha forças. Ao tirar seu roupão, o marido se assustou com as manchas roxas em seu corpo.

— Meu Deus! Dani, o que é isso?

Também não teve resposta. Imediatamente a levou para

o hospital. A febre era muito alta e o médico a internou para mais exames.

Uma semana depois, a mudança acontecia e William precisou cuidar de tudo sozinho. A esposa ainda estava internada. Vários exames foram feitos para diagnosticar a causa da febre e das manchas. Nenhum resultado foi satisfatório.

— Você vai visitá-la hoje? — perguntou Charlaine.

— Claro. Vou sim.

— Que estranho, William. A Danielle parece uma pessoa saudável. Pensou em mudá-la de hospital?

— Os médicos que cuidam dela são muito bons. Fizeram vários exames, entre eles de meningite e até câncer, mas, graças a Deus, não encontraram nada. Não sabem o que ela tem. A febre é diária. Todo final de noite e madrugada. Ela está muito fraca, abatida. — Ele parou, ficou pensativo, depois desabafou: — Eu só queria um pouco de paz. Descobri que o dinheiro pode comprar tudo, menos a harmonia e a tranqüilidade. Não adianta ter o que tenho, conquistar o que conquistei e não ser feliz. Pensei que me casando com ela minha vida seria melhor, mais completa. A Dani é uma mulher inteligente, ponderada. Alguma coisa deu errada e eu não sei o que foi. Quando ela não está doente, tem crises insuportáveis de ciúme.

— A Danielle, ciumenta?!

— Você nem imagina. Aliás, nem eu imaginava. Em matéria de ciúme, ela conseguiu ser pior do que a Desirée.

— Está brincando?! — alarmou-se a outra.

— Não. Não estou brincando. Estou decepcionado. No último jantar que fomos... — William contou sobre o tapa que a esposa lhe deu e a outra ficou incrédula. – Foi por isso que vim trabalhar sem ela.

– A Danielle é tão bonita, inteligente. Não precisa ser insegura.

– Não é a beleza de uma mulher que prende o homem, é sua auto-estima, seu amor próprio, a segurança em si mesma. Além disso, a calma, a tranqüilidade ao falar, ao se expor, o jeito amável e alegre são atributos indispensáveis. Tendo isso, uma mulher pode, sutilmente, conseguir tudo de um homem, principalmente, fidelidade. Estou muito surpreso por ela agir dessa forma. A Dani não era assim.

Charlaine passou por trás dele e afagou-lhe o ombro, dizendo:

– Calma. É só uma fase.

Ele não disse nada. Só a observou e achou sua atitude, novamente, estranha.

Na espiritualidade, para surpresa de Evandro e Filomena, Raul se juntou a eles e começou a observar, aproveitando todas as informações que tinha.

Foi o espírito Carina, mentora de Danielle, quem se dispôs a atualizá-lo.

– As energias com que Desirée envolve minha pupila são muito densas. Danielle não colabora. Não edifica as idéias e não dilata as próprias forças redentoras. Temo por ela. Por outro lado, Desirée não busca a paz e não esquece o mal. Sua ligação com a energia da catástrofe, onde desencarnou, é bastante forte.

– Será que consigo ajudar? – perguntou Raul.

– Se não for você, não sei quem pode conseguir. Venha comigo – pediu Carina. – Aos poucos, como pode ver,

Desirée se aproveita de todas as oportunidades para separar os dois. Agora investe em Charlaine, a fim de vê-la seduzir William. Ao mesmo tempo o deixa atordoado. Olhe aquele espírito. Sua última encarnação foi uma mulher de pouca moral. Ela foi secretária. Trabalhava em uma das Torres Gêmeas e desencarnou naqueles atentados. Perturbada, sem princípios morais, não se liberta e revive as práticas vulgares a que se propunha com seus chefes. Desirée a colocou junto de Charlaine que vem recebendo suas vibrações sensuais. O intuito é de que ele se atraia pela secretária. Enquanto isso... Venha. — Em fração de segundos, foram para o hospital onde Danielle estava internada. — Como pode ver, há dois espíritos desencarnados junto com Desirée, vampirizando a energia vital de Danielle, que se enfraquece a cada dia.

— Pai do Céu! Nem parece a Dani! — surpreendeu-se Raul. — Ela está saturada de uma substância escura, formada pelos pensamentos desesperadores desses espíritos em dificuldade, aflição e tortura.

— São prisioneiros do orgulho e da vaidade. Desencarnados, pedem a ajuda de Deus como se o Senhor tivesse a obrigação de ajudá-los. Mas não é assim que o socorro acontece. Essas criaturas se preocupam com o dinheiro, com a beleza e suas mentes se prendem nisso. A beleza e o dinheiro que eles valorizam os deixam nos escombros de sombras medonhas, por isso não se afastam dessas condições e se prendem aqui.

O espírito Raul ficou penalizado ao ver Danielle e, olhando para Carina, pediu gentilmente:

— Você me ajuda com uma prece?

— É o que eu esperava de você — respondeu, iluminando-se com um sorriso. — Será preciso que entre na mesma vibração de Danielle. Será importante que tente alcançar seus pensamentos e fazê-la reagir como se sonhasse com você e o acompanhasse nessa prece. Ela precisa se envolver conosco para ajudar sua libertação desses irmãos. Use todo o seu amor, Raul. Toda a sua gratidão. Todo o seu querer bem para tocar seu coração e sua mente. Só você pode conseguir isso, pois se conhecem bem.

Aproximando-se de Danielle, tendo Carina ao seu lado, Raul elevou o pensamento ao Alto e orou com todo o amor, com toda a humildade. Os fluidos mais densos se soltavam aos poucos da enferma como se fossem uma massa se desprendendo e caindo ao chão. Raul e Carina, comovidos, envolveram as entidades sofredoras, fazendo-as se lembrar, amorosamente, do Pai. A operação magnética durou longo tempo. Horas. Raul e Carina se transformavam a cada vibração vigorosa de súplicas. Iluminados, jorravam luz que se projetava em torno deles. Os passes aplicados acalmavam os irmãos sofridos, que acordavam do pesadelo. Queriam saber onde estavam e o que aconteceu a eles. Explicando-lhes sobre o socorro, rapidamente, os espíritos amigos os envolveram. Tomando-os nos braços, como crianças necessitadas, eles os conduziram ao socorro adequado, junto com seus mentores. Horas depois, Raul decidiu retornar e Carina o acompanhou.

Na cabeceira de Danielle, ele beijou-lhe no alto da cabeça e começou a afagá-la. Carinhoso, murmurou:

— Dani, reaja, minha querida. Não se entregue assim. Pense em Deus. Faça algo por você.

Ao trocar olhar com Carina, ela comentou:

— Eu sei que não é fácil. Nunca esquecemos um amor.

— Nunca?

— Não. Nunca.

— E seguimos sofrendo? Então o amor é dor?

— Não. O amor mesquinho nos faz sofrer muito. Isso acontece quando temos o egoísmo de querer alguém só para nós e desejamos controlar a vida dessa pessoa como se fôssemos o seu dono. Quando amamos de verdade, respeitamos e deixamos o outro livre.

— É difícil pensar que eu vim até aqui para ajudá-la e, depois, levá-la aos braços de outro.

— Levá-la aos braços de quem você tirou. Vai entender que amor é algo maior do que isso que sente. Amor é fazer tudo para que ela seja feliz ao lado de alguém com quem precise harmonizar a vida. Eles já sofreram demais e viveram como inimigos por causa de algo que você fez.

— Eu sei, Carina. Tenho consciência disso. Eu os separei. Deixei que o matassem por minha acusação injusta. Eu queria tanto ficar com Danielle que fiquei, só que doente e para ela cuidar de mim. Aprendi que não se deve forçar o destino.

— Danielle já sofreu muito, Raul. Quando William deveria lhe perdoar, ele a agrediu, tanto e tantas vezes que ela perdeu a filha que esperavam. Ele não se importou nem com ela nem com a criança. Depois, a lesionou de forma permanente e não se harmonizaram desde então. Ele já sofreu muito por isso e sofrerá. Sabe disso também.

— Sei. Só que agora é diferente. Eles se amam. Ele vive esse arrependimento em forma de uma dedicação, um devotamento impressionante! É capaz de fazer tudo por Danielle. Tudo mesmo. Eu senti. Enquanto ela, apesar de amá-lo, ainda não lhe dá todo o valor por uma mágoa inconsciente do que sofreu com ele. É insegura do amor que recebe e até o agrediu por ele tê-la agredido no passado. Se bem que foi Desirée quem usou essa sua fraqueza. Espero que Will não se decepcione tanto com ela e saiba lhe perdoar.

— Como reparou, ele faz tudo por ela, devido a culpa que viveu. Acredito que vai entendê-la mais uma vez. Eles se amam de verdade, Raul. Cabe lembrar que nem todo marido ou companheiro é bom para sua mulher porque a maltratou em outra época. Ele pode ser bom, compreensivo, afetuoso e amigo por sua elevação, por sua evolução moral natural. Conquistou dignidade, respeito, amor próprio, por isso dignifica, respeita e sabe amar.

— Entendi. Ele não a trata assim só pelo que fez no passado. Ele é evoluído e a ama. Dá para sentir.

— Sempre se amaram, Raul. Assim como nós.

Ele a olhou de modo indefinido. Sem entender.

— O que você quer dizer com isso?

Carina ofereceu-lhe generoso e enigmático sorriso e propôs:

— Precisamos ir. Se quiser ajudar Danielle, deve socorrer Desirée.

18

A chegada de Meg

Após dois dias, Danielle melhorou e recebeu alta do hospital. William a levou para o apartamento novo e contou:

— Sua irmã me ajudou a contratar uma equipe que presta serviço de arrumação e limpeza. A Nanci ficou aqui e coordenou para que colocassem tudo no lugar. Depois você vê se ficou do seu gosto.

— É tão bom estar em casa. Pensei que nunca mais fosse sair daquele hospital — dizia sentada na cama, abraçando no peito o ursinho que ele havia lhe dado.

— Acredito que tudo vai melhorar agora — considerou ele em tom brando, sem qualquer empolgação.

Quando ia saindo do quarto, a esposa o chamou:

— Will! — Ele se virou e ela pediu: — Por favor, sente-se aqui. Quero muito conversar com você. — Acomodando-se ao seu lado, ficou aguardando sério, olhando-a firme. — Preciso que me desculpe pelo que fiz. Eu não tenho paz desde aquele dia que o agredi.

Apesar de prestar-lhe todos os cuidados, o marido ainda se exibia magoado com o que ela fez. Ficando pensativo, não sabia como iria reagir.

Vendo-o sob o efeito das energias do espírito Desirée, que o deixava atordoado, o espírito Raul se aproximou, sem ser visto por ela, e envolveu William. Aplicando-lhe energias salutares, percebeu-o ainda resistente. Usando de seu conhecimento, começou a passar-lhe idéias de arrependimento por tê-la agredido muito em outra existência. Imediatamente, William se comoveu ao erguer o olhar e observá-la apreensiva, com lágrimas quase rolando de seus olhos brilhantes, estreitando o bichinho ao peito.

Diante da demora, ela perguntou aflita:

— O que me diz, Will? Você me perdoa?

Ele se aproximou, tirou o ursinho de suas mãos, envolveu-a com forte abraço e lhe respondeu ao ouvido:

— Eu amo você, mas não me teste novamente.

— Eu te amo, Will. Nunca mais! Nunca mais! Me perdoa! — implorava apertando-o ao peito.

— Calma — sorriu afastando-a de si e acariciando-lhe o rosto com ternura. — Não fique assim — beijou-a com carinho. — Vamos recomeçar nossa vida. Faremos tudo novo.

— Como quiser — concordou emocionada.

— Gostaria que voltássemos a freqüentar o grupo espírita como antes e também fazer o Evangelho no Lar. Quando fazíamos isso, tudo havia melhorado. Você não estava desse jeito. Levei um susto dessa vez, sabia?

— Também acho que estávamos bem melhor. Faremos diferente — aceitou sorrindo. — Quero estudar mais sobre a mediunidade para ver se me controlo.

— Isso será ótimo.

A campainha tocou. William beijou-a novamente,

levantou-se e foi atender. Era Edwin e Nanci que foram visitá-los. Conversaram muito e, ao ficar sozinha com sua irmã, Danielle agradeceu:

— Obrigada por cuidar de tudo aqui para mim.

— Não me agradeça. Vai ter de retribuir quando este nenê nascer — disse bem humorada, acariciando a própria barriga.

— Nanci, você está linda! — sorriu. — Ai, que inveja! — exclamou brincando, esfregando a palma da mão na barriga da irmã, beijando-a em seguida. — Já escolheram o nome?

— Será Twiller. O Edwin escolheu.

— É um bonito nome. Gostei.

Ao ver a outra pensativa, considerou:

— Em breve será você. Acredite.

— Estou tão ansiosa que chego a ficar triste por não engravidar.

— Não engravidou, até agora, justamente por isso. Tente relaxar, não dar importância nem lembrar disso.

— Seria muito bom uma gravidez agora. O clima entre mim e o Will ficou pesado alguns dias atrás.

— O que aconteceu?

Danielle contou sobre a briga e o tapa que deu no marido. Mostrou-se arrependida e disse terem se reconciliado minutos antes de a irmã chegar.

— Eu não acredito que você fez isso! — exclamou horrorizada.

— Fiz. Se eu pudesse voltar atrás... Fiquei doente, acho que foi por isso.

— Dani, você não tem motivos para desconfiar do seu marido. Toda mulher que deseja acabar com o casamento deve começar a ter ciúme incontrolado.

— Não sei por que estou assim. Não tenho razão. Nunca fui desse jeito. Eu nunca havia sentido ciúme na minha vida. Até comentei isso com ele, há muito tempo, aquela vez, em Long Island, quando você foi nos visitar. Nós andávamos na praia e eu disse que não era ciumenta. Hoje eu sei que não tenho razão para fazer isso, mas...

— Não tem razão mesmo. Esse homem te ama. Faz tudo por você!

— O simples fato de ele olhar para outra mulher me faz perder o controle. Às vezes, nem precisa olhar. Preocupo-me com os pensamentos dele.

— Seja racional. É lógico que ele vai olhar para outra sim. Isso é normal. É você quem está exagerando.

— Como você consegue, Nanci? Como mantém o Edwin assim tão à vontade e tão perto?

— Eu nunca tentei controlá-lo. Por amá-lo muito, não me canso de ser gentil, deixar que tenha o seu espaço e não desisto de conquistá-lo em tudo, em todos os sentidos.

— Explique-se melhor.

A irmã sorriu um tanto sem jeito e contou:

— Bem... Em princípio eu gosto de ser gentil com o meu marido. Não fico pegando no pé nem sou exigente. Nunca perguntei como ele se dava com as outras. Se elas eram melhores do que eu ou coisa assim. No dia-a-dia, ouço sempre o que ele tem para contar e quando acho que devo dar uma opinião, procuro fazer isso com tranqüilidade. Sempre falo o que é melhor para ele, numa boa. Outra coisa é deixá-lo ter o seu espaço. O Edwin vai ao clube. Adora jogar *Squash*, conversar com amigos no clube e eu nunca reclamo disso. Sei que é direito dele, desde que não extrapole, não se esqueça de seus deveres como casado. Sei que ele precisa ficar longe de mim um pouco. E, quando ele viaja, nunca faço aquelas perguntas estúpidas do tipo: você olhou para outra? Havia muita mulher nessa viagem? Sentiu minha falta? Sou a mulher ideal para você? Pensou em me trocar por outra?

— E quando você acha que ele olhou para outra?

— Esqueço o fato, pois quero que ele também esqueça. Eu o conquisto para que não se lembre mais do que viu. — Nanci riu engraçado e contou constrangida: — Sabe, antes de engravidar, eu comecei a fazer aulas de dança do ventre.

— O quê?!!

— É verdade! — riu. — Na academia, a professora perguntou para todas por que queriam fazer essa dança e eu respondi: para seduzir o meu marido. Assim iríamos nos divertir e brincar!

— Nanci, você fez isso?! — riu admirada.

— Lógico! Era esse o meu objetivo. O Edwin adorou. Eu fiz vários shows para ele — gargalhou com gosto.

— Você é louca?!

— Não. Sou esperta! Só parei por causa da gravidez, quando a barriga começou a pesar muito. — Rindo novamente, revelou de um jeito engraçado: — Assim que eu tiver o nenê, quero fazer aulas de dança indiana. Já pensou nisso?

— Nisso, o quê?

— Em fazer algo para melhorar a relação entre você e

seu marido, em vez de ficar enchendo a paciência do coitado e acusá-lo de olhar ou falar com outra mulher. — Vendo-a pensativa e séria, comentou sem brincar: — Sabe, Dani, se agredi-lo verbal ou fisicamente, vai afastar o Will de você. Ele não vai te contar mais nada. Não a levará aos lugares onde precisa ir só para não vê-la intolerante, irritada, pegando no pé dele. Você tem que agir como se quisesse conquistá-lo a cada dia, como se ele ainda não fosse seu marido.

— Às vezes não digo nada. Fico emburrada e não converso com ele.

— Ótimo! Parabéns! Você está deixando o seu marido pronto para ir para os primeiros braços abertos e carinhosos que ele encontrar! Muito bem! — expressou-se com ironia. Em seguida, repreendeu-a: — Você é idiota ou o quê?! Abrace esse homem! Ame-o com toda a paixão! Dê a maior canseira nele. Eu duvido que ele vá atrás de outra. Olhar ele pode olhar, porém é com você que ele vai dormir!

— Nanci!

— É verdade. Acorda, Dani! Seja esperta! Você é uma mulher bonita, inteligente, mas não usa isso a seu favor. Os casamentos terminam por falta de carinho, de atenção, de amizade, de tempero na relação e, principalmente, por falta de paz. Quando um homem não encontra isso, ele vai embora. Qual é?! Se liga, tá! Não faz isso, não, maninha! Dê um tempo. Não pegue no pé do cara! Segura a onda!

A aproximação de William e Edwin as interrompeu. As irmãs conversavam em português e William brincou:

— Elas falam tão rápido e tão enrolado que não dá para entender quase nada. Isso, definitivamente, não é português

— riu. — Parece um dialeto! Palavras pela metade, som de uma vogal no lugar de outra e gírias. É um absurdo.

— É deliberado — disse Edwin. — É, justamente, para não entendermos direito.

— Esse era o propósito, meus amores. Falávamos muito mal de vocês — brincou Nanci.

Edwin a abraçou com carinho. Danielle os observava. Por um instante, ela sentiu inveja da irmã. Apesar de ter uma vida harmoniosa com o marido, Danielle jogava a felicidade fora com suas crises de ciúme que aumentavam de freqüência.

— Ah! Quase ia me esquecendo... — tornou Nanci. — Falei com a mamãe ontem. Hoje ela deve ligar para você. Ela disse que vem pra cá na próxima semana.

— Para o casamento do Guilherme, lógico! — disse a irmã.

— Sim, claro. A mamãe ficará aqui. Vai acompanhar o nascimento do nenê da Olívia e do Guilherme e depois do meu — sorriu satisfeita.

— Do nosso — interferiu o marido.

— Acho que ela vai ficar até minha dieta terminar. Ai, que legal! — alegrou-se Nanci.

— A Olívia e o Guilherme estão em Berlim — lembrou a irmã.

— Sim. Estão arrumando tudo por lá. Acabaram de mobiliar o apartamento onde vão morar. Antes do nenê nascer, a Olívia disse que vem para cá e depois vão para Londres, onde quer que ele nasça. Aí a mamãe vai para lá.

— Onde o Twiller vai nascer? Decidiram? — perguntou William.

— Como moramos em Londres e todo o meu pré-natal foi feito com um médico de lá, que é de muita confiança, ele vai nascer em Londres. Olha só... Eu já disse para o Edwin que depois que o nenê nascer, antes de ele fazer um aninho, quero passar, pelo menos, um mês no Brasil. Estou morrendo de saudade da minha terra!

— Eu também — confessou Danielle com mimos.

— Mas não antes de ter o nosso nenê na Inglaterra também! — brincou William, abraçando-a. — Só vai para o Brasil depois de ele nascer! Vou fazer como o Edwin. Você está de castigo, aqui na Europa, até isso acontecer!

Eles riram e conversaram mais um pouco. Depois a visita se foi.

Mais tarde, William saiu e voltou com um presente para a esposa. Ela estava sentada, encolhida no sofá assistindo à televisão.

— Adivinhe o que é?! — perguntou com largo sorriso, entregando-lhe uma caixa com delicado laço. Danielle não tinha idéia do que poderia ser. Ao pegar, teve o intuito de agitála e ele pediu rápido: — Não sacode não!

— Ai! O que é?! — sorriu. — Dá uma dica!

— É algo de que você gosta. Quando saímos, você admira ao ver alguém com uma ou um. Em Paris, há milhares dessas coisinhas só que... de diversas... marcas. Vamos dizer assim — explicava tão empolgado quanto ela. — Só espero que não demore muito para adivinhar! — sorriu preocupado.

Danielle escutou um barulhinho vindo de dentro da caixa e gritou alegre:

— Um cachorrinho!!! — Tirando o laço, abriu-a depressa e admirou com dengo: — Que coisinha linda! Ai, meu Deus! Que coisinha bonitinha!

— É uma menininha! — brincou. — Espero que goste!

A cachorrinha brincava e lambia as mãos de Danielle, que a segurava com carinho e a acariciava em meio à alegria que o animalzinho demonstrava.

— Adorei, Will!!! — beijou-o com carinho. — Adorei! É da raça *Yorkshire*! É tão miudinha! Será que vai crescer mais?

— Disseram-me que não. Ela tem dez meses. Aqui estão os documentos que me deram lá na loja. Já está vacinada e...

— Precisamos providenciar uma caminha, roupinhas... Ah! Eu quero que ela use lacinhos! É tão bonitinho!

— Já tem uma caminha — riu. — Está no quarto ao lado da sala de ginástica. Escondi lá para você não ver. Enquanto a trazia para casa, deixei a caixa aberta. Ela correu por todo o carro e os lacinhos caíram. Eu não soube colocar novamente e a fechei na caixa sem os lacinhos mesmo.

— Obrigada, Will!!! — beijou-o novamente. — Adorei!!!

— Eu a via sempre abraçando aquele ursinho que lhe dei e achei que ia gostar de ter algo com vida — sorriu. — Precisamos de um nome. Não vai fazer como o ursinho que lhe dei e até hoje não deu um nome para o coitado — riu.

Pegando-a com delicadeza, levantou a cachorrinha frente ao rosto, para examiná-la, e perguntou ao marido:

— Você tem alguma idéia, amor?

— Sinceramente não.

— Meg! — ela exclamou de repente.

— Meg?!

— Sim. Ela tem carinha de Meg! É um nome alegre e delicado como ela.

— É bonito — Acariciando a cachorrinha, ele perguntou: — Você gostou, Meg?!

— Veja! Ela olhou para você. Atendeu pelo nome.

A presença do animalzinho em casa fez Danielle se animar e se recuperar mais rapidamente.

Com o passar dos dias, antes de ela retornar ao serviço, o marido contou sobre o fato de George procurá-lo e reclamar da sua ausência no trabalho, afirmando que isso era um mal exemplo por ser a esposa do vice-presidente.

— E você mandou que ele me demitisse?!

— O que eu poderia dizer? — Rindo, dramatizou: — Oh! Não! Não a demita! Minha esposa precisa desse emprego!

— E se ele me demitir?

— Ótimo. Apesar de termos conseguido o milagre de uma empregada fixa, agora, este apartamento é bem grande e você terá mais tempo para administrá-lo do seu jeito. E... — Abraçando-a com carinho, balançou-a de um lado para outro, disse com mimos ao beijá-la: — Se um nenê resolver aparecer, quero que se dedique totalmente a ele. Você não precisa se irritar com o George nem com mais nada.

— Will...

— Fala.

— Está querendo que eu deixe de trabalhar para ficar longe de você?

— Como assim? — fez que não entendeu e afastou-se do abraço.

— Se eu não estiver lá, não verei mais com quem se reúne, almoça...

— Se quiser, pode ir almoçar todos os dias comigo, tá! — disse sorrindo, porém com uma grande dose de insatisfação.

— Eu não gostaria de deixar de trabalhar.

— Se esse é o problema, podemos falar com o Edwin. Você pode desenvolver a mesma função na rede de hotéis.

— Mas a matriz fica em Londres!

Ele riu com jeito espirituoso e brincou:

— E isso não é bom?! Quando estiver cansada de mim, pode ir trabalhar lá. Mas... Por enquanto — tornou no mesmo tom alegre —, seria bom ficar pertinho de mim. Trabalhe na filial de Paris. Não existe distância com a internet. Ainda mais para o que você faz. Sabe, Dani, eu ficaria bem satisfeito em não ver mais o George implicando com você.

— Sinto-me incompetente, vendo-o falar assim.

— Você não é incompetente. Pelo contrário. É bem capacitada e acredito que deveria ser supervisora da área. Mas não quero interferir. O George é incapacitado para a função que exerce, contudo é o filho do dono.

— Até o pai sabe disso. Tanto que deu a você o cargo na vice-presidência, depois que o irmão dele morreu.

— Você não conheceu o senhor Robert, irmão do senhor Oscar, conheceu?

— Não.

— Ah! É verdade. Ele faleceu em janeiro de 2002. Até hoje não entendo como o senhor Oscar foi me entregar a vice-presidência. Não tínhamos mais qualquer vínculo de parentesco.

— Ele não lhe deu o cargo porque foi genro dele. O senhor Oscar fez isso pela sua competência. Como fez com o Edwin, que é competente, para dirigir a rede de hotéis. Aliás, é o que ele adora fazer. Quanto ao George... Limitou-o a um cargo de diretoria para não deixá-lo muito abaixo.

— Quando o tio morreu, o George tinha certeza de que assumiria a vice-presidência. Se você visse como ele ficou! Naquela época, eu estava muito para baixo. Queria me demitir, mas a Olívia não deixou. Aconselhou-me bastante. Como eu estava muito inseguro e não sabia o que fazer, fiquei. Foi uma surpresa enorme quando o senhor Oscar praticamente intimou-me para o cargo. Foi um susto. Não só para mim, como também para o George. Nem sei por que aceitei. Até hoje penso nisso.

— Você tem capacidade.

— Então... — animou-se. — Vou falar com o Edwin a seu respeito. Tenho certeza de que você será bem útil lá. O Edwin é um cara bacana e sabe reconhecer as qualidades das pessoas.

Eles não podiam ver, no entanto o espírito Desirée se irritava e tentava contaminar os pensamentos de Danielle com idéias que pudessem provocar ciúme. Ela sabia que aquela energia negativa e pesada que condensava na outra, certamente, explodiria em algum momento e Danielle não conseguiria reprimir a fúria destrutiva desse inútil sentimento.

Com os dias, William providenciou uma nova colocação para a esposa junto à rede de hotéis. Ela ficou satisfeita. Teria mais tempo, por causa da menor carga horária de trabalho e por ser mais perto de onde moravam.

Após uma semana, saiu mais cedo do trabalho e decidiu ir até o serviço do marido. A secretária avisou que William estava na sala de reuniões, mas que já havia terminado. Danielle dirigiu-se até lá e presenciou uma cena de que não gostou. Retirando-se apressadamente, foi para casa sem ao menos falar com o marido.

— Você esteve lá?! Por que não falou comigo? Não me esperou? — perguntou ele ao chegar a sua casa.

— Você pensa que eu sou idiota?!

— Aaaah... Não! O que foi dessa vez?!

— Eu o vi na sala de reunião com aquela mulher bem arrumada. Ela estava sentada em cima da mesa!

— Ah! Não! — reagiu. — Isso você não viu porque não aconteceu! Ela pode ter se encostado à mesa! É diferente!

— Que seja! Depois ficou esfregando a mão no seu braço e rindo! Ainda fez um carinho no seu rosto! Explique isso! — exigiu.

O marido, exausto, suspirou fundo e expressou-se com voz pausada, grave e baixa, parecia exaurido de forças.

— Dani, você sabe que não é difícil um homem sofrer assédio. Isso acontece com certa freqüência, devo admitir. Apesar do que assistiu, você me viu fazer o quê?

— Eu não fiquei para ver!

— Então perdeu uma ótima oportunidade para me conhecer e confiar mais em mim. — Vendo-a irritada, disse: — Não vou discutir com você. Se quiser, pode brigar sozinha — virando-se foi para o quarto.

— Will!!! Não me ignore!!!

Meg, que pulava em seus pés, chamou-lhe a atenção e Danielle se abaixou para pegá-la no colo. Em seguida, foi para o sofá, sentou-se e acariciou a cachorrinha enquanto refletia.

Bem mais tarde, William ainda estava chateado com a esposa. A discussão o fez perder o apetite e ele ficou na sala de televisão assistindo a um filme ao qual não prestava atenção.

Mais calma e até envergonhada de si mesma, Danielle se aproximou perguntando:

— Vamos jantar?

— Não. Obrigado.

— Você não comeu nada. — Ele não respondeu e ela insistiu com jeitinho: — Tem peixe grelhado, ervilhas, alface e arroz. Sei que gosta. Quer que eu faça o seu prato e o traga aqui?

— Não. Não quero comer nada.

William estava com as pernas dobradas sobre o sofá e a cachorrinha dormia em seus pés. Danielle se sentou ao lado e começou a acariciar Meg. Após um instante, falou:

— Sabe o que reparei? — Ele não disse nada, só a olhou e a esposa contou: — Pouco antes de você chegar aqui a nossa casa a Meg sabe. Ela fica perto da porta, toda feliz.

— Talvez seu relógio biológico a avise.

— Não. Não é. Às vezes você chega mais cedo ou mais tarde, e ela sabe. Age da mesma forma poucos minutos antes de entrar. Outro dia, quando foi ao clube, voltou antes do almoço e eu sabia que havia chegado porque ela ficou na porta do mesmo jeito. Quando saiu para correr, ao voltar ela avisou da mesma forma. É tão curioso! — sorriu um pouco triste. Queria puxar conversa. Diante do longo silêncio, desabafou: — Will... Não sei o que está acontecendo. Não consigo me controlar. Fico irritada, não agüento e acabo brigando com você.

— Não só briga comigo, como me ofende e me agride com palavras. Isso é bem pior.

— É que quando vi aquela mulher fazer aquilo...

— O que me viu fazer?

— Nada.

— E então?

— Não sei. Você poderia tê-la afastado.

— Eu estava sentado, assinando os documentos. Fazer nada foi a melhor opção que encontrei naquele momento. Não poderia ofendê-la, brigar. Não teria cabimento. Só sorri e me afastei. Foi o suficiente para ela entender. Não acha? Se você tivesse entrado, seria muito melhor. Eu a teria apresentado como minha esposa. Agora não tem cabimento que brigue comigo por causa do que a outra fez. Que culpa eu tenho?! — Vendo-a em silêncio e arrependida, William se sentou direito, tirou a cachorrinha que estava entre eles e puxou a esposa para um abraço. Beijando-a com carinho, encostou-a em seu ombro e perguntou: — Você brigaria comigo se eu propusesse uma terapia de casal para nós?

— Acha que precisamos?

— Se você continuar dessa forma sim. Eu acho.

Ela o envolveu com força e prometeu com jeito humilde:

— Dê-me mais um tempo. Se não conseguir, eu aceito.

— Que bom! — beijou-a no alto da cabeça e sorriu. — Amo muito você e quero fazer de tudo para vivermos bem.

— Eu também te amo, Raul. — William tirou o braço que a envolvia e, lentamente, afastou-a de si. Seu semblante estava sério, sisudo. Respirou fundo, insatisfeito. Imediatamente, ela perguntou ao vê-lo assim: — O que foi?

— Raul! Você me chamou novamente de Raul!

— Não! Eu não chamei! — defendeu-se.

— Tenho certeza — afirmou em tom ponderado. Levantando-se foi para o quarto e não conversaram mais.

Na espiritualidade, Desirée se satisfazia com o que conseguia provocar. Sem que esperasse, pouco a pouco foi percebendo o espírito Raul que lhe aparecia cada vez mais nítido.

— Você?! Aqui?!

— Olá, Desirée!

— Como você está bonito e diferente. Quase não o reconheci!

— É que faz muito tempo — sorriu generoso.

— Você viu?! Esses dois nos traíram! Mas eu vou conseguir dar um jeito nisso. Principalmente, agora, com a sua ajuda — riu. — Vou avisando. É bem fácil envolver a sua esposa. Ela me ouve e eu espero sempre por um momento importante para fazer com que chame o meu marido de Raul. No começo ele entendia, mas não está suportando mais.

— Danielle não é mais minha esposa. Nem o William seu marido.

— Como não?! Se você pensa dessa forma, o que veio fazer aqui?

— Só uma visita. Sempre queremos notícias daqueles que amamos.

— Se a ama, como consegue aceitar vê-la nos braços de outro?

— Porque ela não me pertence. Somos espíritos livres. Quando nos prendemos a alguém e achamos que isso será por toda a eternidade, nós nos escravizamos. Deixamos de viver e sufocamos a pessoa. O amor verdadeiro liberta.

— Se você consegue pensar assim, eu não.

— Diga-me uma coisa, Desirée, desde quando despertou, na espiritualidade, não saiu de perto dos encarnados?

— Não tenho outro lugar para ir. Além do mais, não suporto a idéia de eles me esquecerem. O Will não podia fazer isso comigo.

— Acho que ele nunca iria esquecê-la. Só acredito que tenha coisas mais importantes para realizar.

— Isso é esquecer. Afinal, o que você pretende, Raul?

— Sabe, a princípio vim para cá a fim de saber como a Dani estava. Se precisava de alguma ajuda e... Fiquei surpreso ao ver você assim.

— Por quê?

— Acreditei que você tivesse muito conhecimento sobre o plano espiritual pelo fato de sua mãe ter bastante bagagem no assunto. Eu a conheci bem pouco, só nos últimos meses de vida. No entanto, tudo o que conversamos me ajudou imensamente. Você nem imagina. Nos últimos minutos de vida terrena, fiquei com medo, assustado e em prece. A movimentação de enfermeiros e médicos, junto a mim, era grande e, de repente, vi somente dois enfermeiros. Depois um que, ao meu lado, sorriu e perguntou se eu estava bem. Eu disse que me sentia bem melhor. Respirava sem ficar sufocado — riu. — Pelo menos era o que sentia. Não experimentava nenhuma dor. Bem... era essa a sensação que eu tinha. Acreditei que os remédios que me deram foram ótimos, pois não sentia mais nada. Então ele sorriu e pediu que descansasse. Acordei quase um mês depois. Daí soube que havia desencarnado sem perceber nem a passagem para o plano espiritual. Descobri que aquele enfermeiro, que vi por último, era o meu mentor. Tudo foi tão fácil e tão tranqüilo.

— Pois esse não foi o meu caso. Ninguém me socorreu.

— Você orou? Pediu, de todo coração, ao Pai que a socorresse?

— Deus sabe o que eu preciso.

— Sem dúvida. Só que é importante mostrar para Ele que você é humilde e tem fé.

— Como você conseguiu ficar com essa aparência bonita, limpa, iluminada?

— Com desejos no bem, humildade, paciência e amor.

Desirée olhou para si mesma e falou:

— Estou longe de ficar como você.

De repente, Raul decidiu:

— Preciso ir. Foi bom te ver.

— Aonde você vai?

— Para um abrigo de melhor acomodação. Ficarei algum tempo na crosta terrestre antes de retornar à colônia de onde vim.

— Vou vê-lo novamente? — perguntou em tom melancólico.

— Talvez. Procure orar. Rogo que Jesus a abençoe.

Dizendo isso, o espírito Raul se foi.

* * *

O tempo foi passando e, em pequenos acontecimentos, Danielle exibia falta de controle emocional e brigava com o marido. William, por sua vez, passou a evitar eventos e compromissos em que precisasse levar a esposa.

Belinda chegou a Paris para o casamento do filho Guilherme e ficou hospedada na casa de Maria Cândida. Aproveitando-se disso, o espírito Raul e demais amigos do plano espiritual entenderam que uma das coisas que enfraquecia Danielle era o fato de ela viver, mentalmente, a idéia de acreditar ser filha de Maria Cândida e se comportar como tal, achando-se no direito de se envolver tanto com aquela família. O seu tempo como filha daquela senhora havia acabado. Deveria encarar a atual existência e novas responsabilidades. Para isso acontecer, precisavam de alguém que a alertasse e conseguiram.

Danielle ficou feliz e visitava a mãe todos os dias.

— Ah! Estou tão feliz, Dani! A Nanci está bem. Fez um casamento maravilhoso. Tem um marido incrível. O Guilherme... Nossa! Nem preciso falar. O seu irmão está realizado. Nunca pensei em ver esse meu filho assim. E você também. Só falta o nenê.

— Ah... mamãe... Esse nenê não quer vir de jeito nenhum.

— Foi ao médico?

— Fui. Fiz todos os tipos de exames. Cheguei a pensar que fosse por causa do primeiro parto que tive e... Mas ele garantiu que está tudo bem e aquilo não afetou o meu físico.

— E o William? Também fez exames?

— Fez sim. Está tudo bem com nós dois.

— Isso é porque você está ansiosa, Dani.

— A Nanci me disse isso. Eu queria muito um filho agora. Quem sabe daria um pouco de sossego ao Will.

— Sossego? Por quê? — estranhou a mãe.

— Por causa do meu jeito, mamãe. Do meu ciúme.

Danielle contou para a mãe o que estava acontecendo.

— Filha, você nunca foi assim! Por que isso?

— Não sei explicar. Já pensei que pode ser espiritual. Às vezes, eu me lembro da Desirée e de como ela era ciumenta.

— Quando uma pessoa não se controla, fica fácil culpar os espíritos, não acha? Ora, Dani! Por favor! O William lhe quer muito bem. Eu o admiro tanto. Até onde sei, é um ótimo marido.

— É mesmo. Porém acho que a Desirée não descansou. Provavelmente, está com ciúme dele, da Maria Cândida, do senhor Oscar...

— Por que ciúme da Maria Cândida e do Oscar?

— Sabe aquela filha que a eles tiveram e que se chamava Danielle?

— O que tem?

— Temos certeza de que sou eu.

— Do que você está falando?! — quis saber assustada.

Danielle contou tudo.

— Há momentos que eu recordo de cenas que nunca vivi nesta existência. Principalmente quando estou perto do George.

— Meu Deus! O que eu perdi nessa história toda?! O que estão colocando na sua cabeça?! — assombrou-se a mãe.

Não demorou e Belinda procurou pela amiga que lhe confirmou a história, detalhando explicações.

— Maria Cândida isso é um absurdo! Não posso deixar que vocês convençam a minha Dani de algo assim! A minha filha não está preparada para isso! Quer que ela enlouqueça?!

— Não a estou convencendo de nada. As coisas foram acontecendo. Minha mãe também acreditou que ela fosse minha filha!

— Por Deus! Não vou deixar uma insanidade dessas afetar a minha filha! Talvez seja isso que esteja mexendo tanto com ela! A Danielle está diferente. Tenho percebido isso quando nos falamos por telefone. Sua personalidade está alterada. Tem brigado com o marido por besteira. Coisa que não acontecia. E ela não tem motivos para isso.

— Ela é minha filha, Belinda! Eu estou feliz e satisfeita por ela ter voltado!

— Você enlouqueceu?!!

A discussão das duas chamou a atenção de todos que foram até a sala saber o que ocorria. Ao entenderem o que acontecia, George opinou:

— Também acho que isso é insanidade da minha mãe!

O senhor Oscar, Edwin e Nanci ouviam calados. William ficou atento e Danielle pedia:

— Por favor, pare com isso mamãe! As coisas não são assim!

Contrariada, Belinda apelou para o genro:

— William, creio que você tem bom senso tanto quanto eu. Não podemos deixar que essa história continue. Acredito que uma coisa absurda dessas possa alterar a personalidade da minha filha. Vejo que a Dani está apresentando um comportamento alterado e bem estranho. Ela não era assim. E você mesmo pode confirmar isso.

— Belinda, calma — pedia a amiga. — Não faça uma tempestade com um copo d'água.

— Um copo de água não faz tempestade, mas deixa alguém bem molhado! Não vou admitir que diga que a minha Danielle é sua filha! Vamos desmentir isso agora! A Dani talvez esteja passando por algum tipo de transtorno psicológico por causa dessa história! Já pensou nisso, William?!

— Não sei o que pensar. — Inquieto, decidiu: — Só sei que quero ir embora. Vamos, Dani.

— Estou indo com vocês. Deixem-me em um hotel no centro de Paris — resolveu Belinda insatisfeita.

— Não faça isso, Belinda. Vamos resolver tudo.

— Agradeço sua gentileza, Oscar. Mas não vou admitir que desarmonizem a vida e a personalidade da minha filha. Vou para um hotel e refletirei sobre tudo isso que não me agradou em nada.

A caminho do centro da cidade, Danielle pedia:

— Mamãe, fique lá em casa. Tem muito espaço.

Enquanto Belinda não decidia e ainda chamava a atenção da filha pelo ocorrido, William fez o caminho de seu apartamento. Quando as duas perceberam, estavam na garagem do prédio e ele disse:

— Fique conosco. Será muito bom. Vamos conversar melhor a respeito de tudo. A senhora falou uma coisa que eu não havia pensado.

A sogra aceitou e eles subiram com as malas.

Belinda, na sala de estar, conhecia a pequena Meg e, enquanto a acariciava, dizia:

— Fiquei inconformada com o que ouvi. Vocês dois não podem aceitar uma coisa dessas!

— Quando a senhora falou sobre essa história poder

afetar a Dani, emocional ou psicologicamente, fiquei em choque. Acredito que encontrou a razão de tudo. Quando nos casamos, ela não era assim. Isso começou depois que ela lhe deu aquele bracelete e o anel que foi dado à filha dela ao completar quinze anos.

— Ora, Will! Isso não é verdade! — protestou a esposa.

A senhora só ficou ouvindo e o genro continuou:

— Como não?! Você era meiga, atenciosa, ponderada, racional, sabia ouvir... Parece que perdeu sua personalidade, mas não encontrou nenhuma outra. Em certo momento me ouve, entende, raciocina e aceita que errou. Em outro, age impulsivamente, é irracional, agressiva. — Virando-se para Belinda, contou: — A senhora sabia que a Dani me agrediu fisicamente?

— O quê?!

A filha abaixou a cabeça e não se defendeu. E ele revelou o acontecido. Depois, envolvido por Raul, William relatou ainda:

— Quando ela conversa com o George e se altera, parece que não é a Dani quem fala. Ela assume outra personalidade. Sempre se irrita e até chama a dona Maria Cândida de mamãe!

— Mamãe?! A Maria Cândida?! — Belinda não suportou e se levantou inconformada. — Isso já foi longe demais!

— Dani, você não falou para sua mãe o que aconteceu no outro apartamento?

— Não. Não quis assustá-la. Ela estava longe.

A sogra ficou no aguardo e William detalhou tudo o que se passou e explicou o motivo de se mudarem. No final, resumiu:

— Tudo começou com os mantimentos, coisas do armário e as roupas dela no chão. Depois os vidros, espelhos, copos e tudo mais não parava de quebrar. E na nossa frente! A senhora acredita em espíritos? Acredita que espíritos possam fazer isso?

— Sou católica, mas acredito sim. Não entendo muito sobre Espiritismo, apesar de saber que a Doutrina Espírita tem claras explicações sobre isso. Acredito na interferência e na influência dos espíritos em nossas vidas. No entanto, penso que somos nós quem oferece oportunidade deles atuarem. — Olhando para a filha, repreendeu: — Você deveria ter me contado o que estava acontecendo.

— O que a senhora poderia fazer?

— Sou sua mãe. Poderia orientá-la para, pelo menos, não se influenciar com essa história de ser a filha da outra que morreu daquele jeito.

Em seguida, William comentou sobre terem freqüentado a sociedade espírita. Belinda opinou:

— Pelo que entendi, o assunto tratado lá foi sobre o que aconteceu no antigo apartamento. Não comentaram sobre as idéias da Dani ser filha da Maria Cândida.

— Não. Não falamos sobre isso. Mas como eu consigo ter lembranças de situações que não vivi nesta vida? Expliquem!

Acomodando-se ao seu lado, Belinda segurou sua mão e disse com jeitinho:

— Dani, suponhamos que você foi a Danielle, filha da Maria Cândida, que morreu em 1963, ano em que me casei. Caso fosse necessário que você continuasse sendo filha dela, aquele acidente não teria acontecido ou não teria morrido.

Talvez se salvasse de alguma forma, como foi o caso do senhor Armando. Outra forma de continuar ligada àquela família, seria renascer como filha dela novamente. Oportunidade teve, mas Deus não quis assim. Agora pense: sendo a filha dela que morreu ou não, no momento em que acreditou ser aquela adolescente, você alterou tudo em que acreditava. Alterou sua personalidade, sua identidade, seu jeito. Você ficou perdida, pois não tinha mais a mesma base, o mesmo alicerce. Veja... — refletiu e comentou em seguida: — Você disse que tem algumas lembranças, algumas recordações, mas não todas. Não se lembra de toda a infância, de Maria Cândida se casando, de morar com dona Filomena e o senhor Armando. Quando acredita e quer viver uma outra vida, pode alterar esta. E é o que está fazendo. — Breve pausa e reclamou: — Sá agora soube que ficou doente daquele jeito! Que absurdo! Por que não me contou?! — A filha não respondeu, e ela prosseguiu: — A tontura, as dores de cabeça, dores pelo corpo, febre, manchas roxas!... Pense! Foi tudo isso o que aquela menina, filha da Maria Cândida, experimentou antes de morrer, filha! Você somatizou, em seu corpo, o sofrimento que, inconscientemente, acreditou ter sofrido. Talvez, até para ter a atenção da Maria Cândida. Se foi capaz de alterar o seu corpo, foi capaz de alterar sua opinião, suas atitudes, seu jeito, sua personalidade!

— Concordo com a senhora! — reagiu William de imediato. — Ela não está sendo a mesma Danielle que conheci em Nova Iorque, tempos atrás, nem a mesma com quem me casei.

Envolvida por Desirée, a esposa rebateu:

— Você está com ciúme do Raul!

— Danielle! — repreendeu a mãe, muito firme.

— A senhora viu? — ele perguntou calmo. Sem resposta, prosseguiu: — É isso o que tenho de escutar. Além de ter minhas roupas cheiradas, assim que chego a nossa casa, o meu celular vasculhado, como também o GPS, a agenda eletrônica, e-mails, computador... Tudo o que encontra, mexe, revira. Ela pensa que eu não sei. A Dani não me abraça alegre e saudosa quando me recebe. Ela me cheira para sentir se tenho um outro perfume. Outra coisa que faz é me chamar de Raul. Como quer que eu agüente? — Após dizer isso, calmamente, William se levantou, pediu licença e se retirou.

Belinda, perplexa, encarou a filha e perguntou brandamente:

— Você tem certeza de que gosta desse homem?

— Lógico! Adoro o Will!

— Então escuta o que vou te dizer: você está fazendo de tudo para perder o seu marido. Eu tenho o dom de conhecer as pessoas, Danielle. Posso afirmar, com toda a certeza, que o William é um homem muito bom. Só não sei se ele é tão bom assim para aturar que você continue com esse comportamento. Ou ele vai abandoná-la ou vai procurar outra mulher. Se não fizer as duas coisas. Homem assim, como ele, não fica sozinho por muito tempo. — Ao vê-la reflexiva, reafirmou: — Pense bem nisso. Você está perdendo o seu marido por causa do seu comportamento. Voltaremos a conversar. Ficarei aqui em sua casa por alguns dias somente. Depois vou para Londres.

19

Orientações sábias de Belinda

Paris estava úmida e fria naquela manhã, final de outono, quando Maria Cândida decidiu procurar por sua amiga no apartamento de Danielle. A empregada a recebeu e informou que o casal dormia, mas não Belinda, que fazia o desjejum.

— Bom dia.

— Que surpresa! Bom dia, Maria Cândida — respondeu um pouco insatisfeita pelo fato da outra não ter avisado sobre a visita. — Eu não sabia que viria. Você não telefonou.

— Decidi agora cedo.

Virando-se para a empregada, Belinda pediu educada:

— Providencie um lugar à mesa para minha amiga, por favor. — Voltando-se para a outra, solicitou: — Sente-se, por favor.

— Desculpe-me por não ter ligado. Realmente foi muito indelicado da minha parte. Não se deve fazer visitas sem antes avisar. Mas não quis telefonar para não acordá-los. Sei que, nos finais de semanas e feriados, dormem até mais tarde. — Servindo-se de café, falou: — Queria conversar com você. Deve estar chateada comigo e até com ciúme.

— Sempre fomos amigas e muito sinceras uma com a outra. Não vou omitir a minha insatisfação com essa história.

Tem muita coisa acontecendo aqui que eu não fui informada. Só que esses acontecimentos, eu creio, estão interferindo na vida da minha filha e podendo atrapalhar até a felicidade dela. Estou muito preocupada.

— Belinda, tudo leva a crer que a Danielle é a minha Danielle que morreu.

— Primeiro: ela não é! Se ela foi, não é mais a sua Danielle. Segundo: se, por acaso ela foi a sua filha, novamente repito: não é mais! Se fosse para continuar sendo, ela não teria morrido naquele acidente ou teria nascido como sua filha de novo. Será que fui bem clara?

Maria Cândida ficou pensativa e abaixou a cabeça admitindo:

— Você tem razão. Talvez eu tenha ido longe demais. Sinceramente, não havia pensado dessa forma. É muito difícil para uma mãe ver, reconhecer uma filha que partiu e não querê-la como antes, não se emocionar, não se envolver. Eu...

— Espera — tornou firme, no mesmo tom calmo. — Sei de tudo isso. Coloquei-me no seu lugar.

— A Dani tem recordações que nem eu ou os irmãos nunca contamos.

— Por favor, não cometa mais o erro de dizer que os seus filhos são irmãos dela! A minha filha tem uma família. Tem uma vida nesta vida! Não a confunda com história desnecessária e que não podemos provar. Qual a serventia em confirmar que a Dani foi sua filha? Que utilidade isso tem? Nenhuma! A minha filha sempre foi uma menina doce, amável, educada... Estava sempre sorrindo, bem humorada, alegre, extrovertida. O único período que a vi triste foi durante a doença do Raul.

Com toda razão. Mesmo assim, ela vivia bem disposta e animada, fazendo tudo para ajudá-lo. Agora, de uns tempos para cá, eu a senti diferente. Quando chego aqui, encontro-a transtornada, desequilibrada pelo ciúme excessivo, irritada com o George supondo ele ser irmão dela! Ora! Que absurdo! Pense, Maria Cândida! O que essa história agregou de positivo para a minha filha?! Ao contrário. Acredito que a Danielle perdeu o chão! Entende? Ela parece ter perdido o contato com o passado desta vida. Por isso não tem confiança em si, não tem amor próprio, mecanismos emocionais de defesa para ser racional e distinguir o certo do errado. Pelo que o William me contou, a Dani age como outra pessoa. Estou muito preocupada com a minha filha. Faz uma semana que estou aqui e tenho conversado muito com ela. Minha filha me disse que não sabe por que age assim. Implica com o marido, briga, revira suas roupas, e-mail, computador, celular, e sei lá mais o quê. Além de cheirar suas roupas e os bancos do carro para sentir se está ou não com cheiro de perfume!

— Eu não sabia disso!

— Minha filha está doente, Maria Cândida. Isso é doença! Quando uma pessoa não tem estrutura emocional, não tem alicerce, confiança em si, ela não sabe como reagir diante dos fatos normais. Fica desequilibrada e vive períodos de transtornos psicológicos que podem acabar com sua vida, se não for tratada a tempo. — Alguns instantes e prosseguiu: — Essa história de ela ser sua filha pode ser legal, bacana, curiosa, mas não é boa para ela. Acreditando nisso, a Dani fica sem referência, sem passado, sem infância, sem idéia de suporte e sustentação de uma mãe e de um pai que a amaram, educaram, cuidaram! — Quase em lágrimas, Belinda exclamou emocionada: — Minha filha está vazia! Perdida dentro dela mesma! Eu acredito em vida após a morte, em reencarnação. Mas creio também que Deus é tão sábio que nos fez renascer esquecendo o passado, porque isso é importante para nós. Se não fosse, todo o mundo nasceria lembrando todas as burradas que cometeu nas outras existências!!!

A mulher estava nervosa. Emocionada, secou as lágrimas com o guardanapo em seu colo.

Apesar de nenhum conhecimento profundo sobre a Doutrina Espírita, Belinda tinha toda a razão. Em O Livro dos Espíritos, aprendemos claramente que com o esquecimento do passado o homem é mais senhor de si. Desencarnado nem todos tem lembranças de suas experiências de vidas anteriores, só obtendo recordações das falhas e acertos da última ou mais recentes experiências terrenas. De acordo com sua evolução, ele pode recordar tudo, se assim preferir.

— Desculpe-me, Belinda. Eu não sabia...

— Deveria saber! — disse firme e recomposta, encarando-a. — Com todo o seu estudo espírita, com toda a sua filosofia, deveria saber. Eu não entendo nada, contudo posso afirmar que os espíritos influenciam e interferem em nossas vidas quando nós deixamos, quando nos desviamos do bem ou quando nos desequilibramos. Foi essa história que desequilibrou a minha filha para que acontecesse a influência espiritual que aconteceu. O abalo que mexeu muito com os dois. Não sei como o Will suportou tudo isso até agora. A Dani nunca ficou doente. O mal-estar, dor de cabeça, as marcas roxas, febre só se explica com essa lembrança do passado, por acreditar que foi a sua filha. O acidente provocou o que, se não manchas roxas, mal-estar? A tontura e as dores de cabeça pela pancada, pelo traumatismo. A febre com a infecção ou inflamação ou sei lá mais!... — expressou-se nervosa.

— Eu não pensei nisso.

— Como não pensou nisso?! — zangou-se. — Estou aqui há poucos dias e pensei! — reagiu. — Talvez só tenha se preocupado com você mesma, em se satisfazer. Eu percebi porque é minha filha! — bateu de leve no próprio peito. — A Dani enfiou essa história na cabeça porque ficou conversando com você sobre isso. De repente resolveu, inconscientemente, assumir a vida passada. Isso, com a negatividade espiritual que precisou enfrentar ao lado do Will, não teve estrutura nem equilíbrio.

— Negatividade espiritual ao lado do Will?!

— É sim! E você sabe do que estou falando! — tornou Belinda firme.

— Da Desirée?!

— Da Desirée sim! O William me contou que, muitas vezes, viu a imagem da ex-esposa morta junto da Dani ou sobreposta a dela.

— Ele nunca me contou.

— Não queria magoá-la. Lógico! Para mim disse que a viu diversas vezes. Chegou a ouvir alguma coisa também. Por isso, Maria Cândida, em vez de tentar cuidar da minha filha, cuide da sua! Ore por ela! A prece de uma mãe é muito importante! E deixe a minha viver em paz! Eu agradeço tudo o que fez por ela e pela Nanci. As orientações de mãe, a atenção e o carinho. Mas isso tem limite, você sabe. Graças a Deus a Dani tem um bom marido, um homem que admiro, respeito e gosto como se fosse meu filho. Se não fosse por ele, acho que ela não teria estrutura nenhuma por causa dessa história.

Fez-se um longo silêncio. Até que...

— Bom dia! — William cumprimentou alegre. Elas corresponderam e ele perguntou sorrindo: — Por que não nos chamou? Ou não queriam a nossa companhia? — brincou.

— Vou até a cozinha pedir para trazerem o seu café. Com licença — disse Belinda, levantando-se escondendo os olhos vermelhos.

Na espiritualidade, Raul e Desirée os observavam e ela comentou:

— Aprendi que toda pessoa que sofre obsessão precisa ter um desequilíbrio emocional, um abalo. Essa história veio a calhar. Foi o que mexeu com a Danielle. Ela não ficou concentrada na vida atual. Agora, essa velha veio atrapalhar a distração da filha. A Dani ficou sem referência, perdeu tempo dando atenção a outras coisas, a essa história idiota.

— Essa história é verdadeira. A Dani foi a sua irmã Danielle, que morreu com quase dezesseis anos — afirmou Raul.

— Não é verdade.

— É sim. Os seus avós, dona Filomena e o senhor Armando, confirmaram-me isso.

— Minha avó?! Como?!

— Sua avó faleceu! Você não sabia disso?

— Não... A minha avó?...

— Vejo que perdeu tanto tempo implicando com os dois que não observou coisas importantes.

— Quando ela morreu?

— A Danielle estava internada. Você deve ter ficado ao lado dela no hospital e não soube o que aconteceu. Também não sentiu falta da sua avó quando não a viu junto aos outros, não é? Estava tão concentrada em fazer coisa errada que...

— Não fale assim comigo! Onde ela está? Por que não a vi?

— A dona Filomena está em outro nível, bem melhor do que esse. O seu desencarne foi maravilhoso! — sorriu feliz. — Ela me contou em detalhes. Assim que acordou, no plano espiritual, estava no meio de uma espécie de estufa de belas plantas e suas orquídeas prediletas. Ficou emocionada porque, uma em especial, havia aberto as flores que ela aguardava há dias. Disse que se levantou rápido da cadeira, pensando em avisar sua mãe e ficou feliz por não sentir as pernas doerem. Achou que fosse o remédio novo que um médico receitou. Então viu o seu avô. Primeiro pensou que estivesse sonhando, depois entendeu o que tinha acontecido. Sabe por que o seu desencarne foi assim?

— Não.

— Porque dona Filomena fixava sua mente em amor, vida, flores... Todas as coisas boas. Ela sempre elevava o pensamento ao Pai e pedia bênção para Ele e para os outros todos. Nunca desejou o mal nem prejudicou alguém.

— Ela está bonita assim como você?

— Está muito melhor! — riu. — Ela gosta de parecer bonita, sabia? Dona Filomena plasma, como vestimenta, uma roupa bela, elegante, um costume azul clarinho e colar semelhante a pérolas. Um pequeno casquete com delicada rendinha quase cobrindo um dos olhos. Algo que fica muito bonito em seus cabelos pretos. Digamos que... seja um pouco antigo — sorriu. — Contudo muito bonito, devo admitir.

— Minha avó tem cabelos grisalhos.

— Agora não tem mais — falou com graça. — Alguns espíritos têm o atributo de se modificar conforme o seu bom coração, o seu desejo e a utilidade no bem, principalmente.

— Estou tão feia... Tenho dores... Muito fortes, às vezes... Quando fiquei com a Danielle no hospital, fiquei muito ruim por ter de passar aquelas energias para ela... Acho que tive uma espécie de desmaio. Acordei dias depois, e ela tinha ido embora. Foi por isso que arrumei dois infelizes para ficarem ligados a ela. Mas não sei o que aconteceu. Eles sumiram.

— Não tive dor alguma depois que desencarnei. Foi tão suave. Isso aconteceu por causa da prece, do nível de pensamento.

— Quando minha mãe ora por mim, eu tenho alívio.

— Isso é amor, Desirée. O amor é remédio. Se você orasse, iria se sentir muito bem.

— Eu rezei, mas não fui ouvida.

— Oração da boca para fora não tem efeito. Tem de haver concentração, desejo e fé em cada uma das palavras. — Vendo-a pensativa, propôs: — Quer orar comigo?

— Você quer me tirar daqui, não é? Por isso quer que eu ore.

— Não necessariamente. Eu oro e estou aqui.

— O seu intuito aqui é outro. Eu quero separar esses dois. Ou então... Quero que um deles morra! Ou até os dois!

— Esse tipo de pensamento vai deixá-la cada vez mais feia. Reparou que encarnados que têm idéias de separar alguém, pensamentos em fazer o mal, tirar a paz do outro de qualquer forma começam a ficar feios, escuros, com aparência espiritual degradante?

— O que você quer com esse tipo de assunto, Raul? — perguntou agressiva.

— Nada. Só estou conversando. Já estou indo. Adeus — respondeu com simpatia e simplicidade.

Raul sabia que precisaria tratar Desirée tal qual uma criança: com muita paciência e persuasão. Levá-la a crer, vagarosamente, no que era certo.

* * *

Era uma manhã gostosamente fria. O sol brilhava e Belinda chamou a filha para um passeio pela cidade. Ela não quis ir de carro, pegaram o metrô e desceram na estação Monceau. Já no parque, andavam calmamente enquanto a mãe dizia:

— Eu adorava caminhar aqui com o seu pai enquanto vocês brincavam e corriam por esse gramado — sorriu saudosa. — Era tão bom! Você se lembra?

— Nossa! Tinha me esquecido daqui. Porém... Estou me lembrando sim — sorriu Danielle. — Olha! Aquela árvore. Lembro-me dela. Tão linda!

— A "árvore dos lenços". Não dá para não notá-la. Linda mesmo! O difícil era impedir o Guilherme ou o Kléber de subir nela — riu. — Os guardas poderiam estar de olho.

— Adoro esse parque e as mansões do bairro de Monceau. Sabia que esse nome significa pequeno monte?

— O seu pai me falou. Era uma terra que foi dividida. Em uma metade foi feito o parque e a outra foi dividida em lotes, onde ergueram essas magníficas mansões.

— Sabia que os museus, existentes neste bairro, foram mansões doadas pelos ricos ao governo?

— Seu pai também me contou isso — riu. — Nós passeávamos por Paris e ele parecia um guia turístico. Eu adorava. Nunca me cansei de ouvi-lo, mesmo quando repetia a história.

— Igual ao Will. Ele é inglês, mas parece parisiense. Sabe tudo daqui.

Caminhavam de braços dados observando as crianças e suas amas-secas repletas de cuidados. Belinda, em tom agradável, comentou:

— O seu marido é um homem muito bom, filha. Merece ser tratado com respeito e amor.

— Eu sei, mamãe.

— Então faça algo por você e por ele.

— Certa vez, quando o Raul ainda era vivo, eu e o Will estávamos andando na praia em Long Island e ele reclamava do ciúme da mulher dele. Eu achei graça e ainda disse que não tinha ciúme. Nunca tinha sentido isso. Não sei o que aconteceu comigo. Se nós tivéssemos um filho, talvez eu ficasse mais ocupada e...

— Um filho só vai deixá-la mais irritada agora. Não pense também que um filho vai segurar o seu marido, porque não vai. — Breve pausa e prosseguiu: — Eu quero lhe pedir uma coisa.

— O quê?

— Afaste-se um pouco da família da Maria Cândida e dela também. Por um tempo.

— Mas, mamãe...

— Filha, você não é nada dela. Nem o William é. É só por um tempo. Eu sei que ela tem idade para ser sua mãe e age como tal. Não duvido de que goste muito de você. Contudo peço que esqueça essa história de ser filha dela. — Alguns instantes e contou: — Certa vez, vocês eram bem pequenos, acho que não se lembra disso. Eu vi que o meu casamento não ia bem. O seu pai estava estranho e eu irritada. Na época eu tinha uma amiga, não era como a Maria Cândida, porém vivíamos ao telefone. Ela não saía da nossa casa e eu não fazia nada sem antes consultá-la.

— Já sei. O papai começou a ficar de olho nela!

— Não. Nada disso. Se bem que esse é o risco que se corre quando se coloca uma amiga para dentro de casa. Mas... ela tomava muito o meu tempo. Com isso eu me dedicava menos ao seu pai e a vocês. O seu pai estava insatisfeito, porém nem ele sabia ser essa amizade que me deixava ausente e o incomodava. O Osvaldo só sabia dizer que eu não era a mesma. Então sua avó me alertou disso. Diminuí a dedicação àquela amiga e salvei o meu casamento com calma e atenção ao seu pai. Foi tão simples. Antes eu discutia com ele para saber o motivo de estar sério, de cara feia... Depois, mais perto dele, ouvindo-o, participando das coisas do jeito que ele queria, tudo mudou.

— A dona Maria Cândida gosta de mim.

— Eu acredito nisso. Só que você tem sua vida que deve ser vivida com o seu marido e não dividida com os outros. Diminua as visitas a ela. Não fale mais sobre ser sua filha ou sobre recordar algo que não viveu. Não a deixe ir tanto a sua casa. Só isso. Ocupe o seu tempo com o seu marido. Viva para vocês dois. Faça planos, passeios, jantares a dois, cinemas, teatros, museus, parques... Tem tantas coisas para fazerem juntos! Saiam sozinhos. Divirta-se sem prestar atenção em outra ou nos outros. Se achar que ele olhou para alguém, desvie a atenção dele para você, usando sua alegria, seu carinho, sua delicadeza e tudo o que tiver de bom. Lembre-se do que fez ou do que aconteceu para conquistá-lo e é isso o que vai prendê-lo. Seu casamento será outro. Bem melhor. Garanto.

— O Will é um homem muito bom, carinhoso, gentil...

— Então você está perdendo tempo, Dani. Seja feliz, filha!

— Eu não era ciumenta com o Raul. Se eu comparar meus casamentos, sou mais feliz com o Will.

— Esquece o Raul. O seu tempo com ele acabou. Deve viver o hoje, o aqui e o agora. Deus quis assim. O que me ajudou muito a deixar de chorar pelo seu pai foi o que um padre me falou.

— O quê?

— Que nós não nascemos juntos. Então não vamos embora, deste mundo, juntos. Se eu fiquei sem ele, é para seguir minha vida, minha missão por menor que ela fosse. Comece a pensar que a sua vida, agora, é ao lado do William. Não o compare com ninguém. Você não poderia ter alguém melhor do seu lado, Dani. Acredite em mim. Gosto muito dele, como se fosse meu filho! O Will não merece o que faz com ele. Pelo que entendi, você tem todos os motivos do mundo para acreditar nele. Pense. Reflita antes de falar. Confie no seu marido. Ocupe sua mente com meios e maneiras de serem felizes. É isso o que ele espera de uma esposa. É por essa razão que vai amá-la cada vez mais. Deixe a amizade dos outros um pouquinho de lado. Faça o seu marido ser o seu amigo. Viva sua vida. Ocupe-se com o seu trabalho, com sua casa e com o seu marido. Esquece a Maria Cândida.

— Está com ciúme, mamãe? — brincou.

— Acho que estou! — falou em tom engraçado e riu depois. — No entanto, o meu conselho não é de mãe ciumenta, é de mulher experiente. Quero que viva bem com o seu marido. Não o traia nem em pensamento. Muito menos trocando o seu nome.

Abraçou-a com carinho e a beijou. Em seguida, continuaram a caminhada.

* * *

A permanência de Belinda na casa da filha trouxe equilíbrio, tranqüilidade e paz. William ficava sempre alerta, esperando nova crise de ciúme da esposa, mas não acontecia. Mesmo depois que a sogra viajou para Londres.

Conforme a mãe pediu, Danielle diminuiu as visitas à Maria Cândida. Apesar de telefonar sempre, não falou mais sobre recordações que tinha ou sobre ser sua filha. Concentrava-se em sua vida com o marido e passaram a viver melhor. Preparava jantares românticos. Chamava-o para passeios, caminhadas e outras atividades. Sempre juntos. Quando ele não estava muito animado para saírem, permaneciam em casa e ela sempre calma, bem humorada oferecia-lhe espaço e não o pressionava mais. Com os dias, William sentia-se cada vez mais feliz, confiante e apaixonado. Não via a hora de estar ao seu lado.

O espírito Desirée pareceu perder força sobre Danielle e se desesperava. Sem saber o que fazer, decidiu atacar William.

A cada dia Charlaine se aproximava mais com sutilezas e quase imperceptíveis gestos sedutores. A verdade é que ela sempre se interessou por ele só que não tinha coragem de fazer antes o que fazia agora.

— Estou cansado! — disse William jogando-se para trás, em sua cadeira, frente à mesa de sua sala. — Eu ia até o clube hoje, mas estou exausto! Só que prometi ao senhor Oscar que estaria lá, junto com os outros...

— Quer que eu dê um jeito? — perguntou Charlaine.

— O que pode dizer?

— Ligo para o senhor Oscar e aviso que não vai porque está com uma terrível dor de cabeça. Que tal? — falou de um jeito alegre e também sedutor.

— Obrigado, Charlaine. Ótima idéia. Assim chego mais cedo a minha casa.

A secretária saiu. Não demorou e entrou novamente na sala da vice-presidência. Entregou um copo com uísque e gelo nas mãos de William.

— É só para relaxar. Você disse que está cansado.

— Estou mesmo. Sinto-me tão tenso.

Após algum tempo e inesperadamente ela foi para trás da cadeira e começou a massagear seus ombros. Não demorou e, largando-o, disse, parecendo brincar:

— Os seus ombros estão bem tensos. Precisa pedir para a Danielle fazer uma massagem.

— É... Preciso — respondeu sem jeito. Não ingeriu o

resto da bebida e decidiu: — Não vejo a hora de chegar à minha casa e relaxar. Por hoje, chega.

A princípio William estranhou o comportamento da secretária, que conhecia há anos. Porém lembrou-se de que ela sempre falava em Danielle, elogiando-a ou fazendo comentários positivos. Não poderia haver mal nisso.

Com o tempo, o toque de sua mão, o massagear no ombro, passaram a ser algo quase corriqueiro. Ele não tinha coragem de repreendê-la ou de se afastar. Estava atordoado. Charlaine, inspirada por Desirée, era tão ardilosa que agia lentamente, fazendo como se tudo fosse muito natural.

O espírito Raul inspirava William a se distanciar, mas ele não reagia.

* * *

Com o passar dos dias, o senhor Oscar, sentindo a ausência de Danielle e William em sua casa, convidou-os para um final de semana prolongado na praia.

Danielle ficou indecisa, entretanto o marido não. Estava bem animado para o passeio. Insegura, ela chegou a ligar para sua mãe, pedindo opinião.

— Filha, eu não disse para você sumir, desaparecer da vida deles. Só aconselhei a não viver sempre com eles. Um final de semana na praia será ótimo para vocês.

Com isso, Danielle se tranqüilizou. Ela começou a reparar que sua vida havia mudado. Pensou muito em tudo o que sua mãe falou. Sua vida, ao lado do marido, achava-se mais harmoniosa, divertida, calma e bem alegre. Até procurou o curso de dança, como a irmã sugeriu, só não contou para ninguém. Não tinha mais ciúme de William, como antes, e nunca foram tão felizes. Percebeu que o resultado do sentimento de ciúme era, incrivelmente, devastador e só trazia desarmonia entre ela e o marido.

O casal havia voltado a freqüentar a sociedade espírita e fazia o Evangelho no Lar. Ela passou a estudar sobre mediunidade. Isso os ajudou muito.

Era final de tarde e William estava bem animado para ir viajar, quando Charlaine entrou em sua sala e avisou:

— Telegrama para você. Não abri, porque... — Não disse. Entregou-lhe a correspondência em suas mãos.

Ele a abriu e empalideceu.

— William? Tudo bem?

Com voz pausada, contou:

— Eu tenho quinze dias para me apresentar na Inglaterra. Fui convocado para a Guerra do Iraque. Vão mandar mais tropas.

Ela contornou a mesa e, ao seu lado, tomou-lhe a correspondência de suas mãos. Leu-a e mesmo assim ficou incrédula.

— Meu Deus! Isso não é possível!

— Sempre tive medo disso — murmurou transtornado.

— Não posso acreditar! — Sem conter as lágrimas, ela afagou-lhe o rosto ternamente e depois o abraçou com força.

Ele ficou parado, petrificado e passou levemente as mãos em suas costas. Depois tentou afastá-la de si, ao pedir:

— Não fique assim.

Charlaine começou a chorar e não se conformava. Ela passou a tocá-lo como se não acreditasse no que acontecia ou como se fosse à última vez que o via. Logo segurou seu rosto e o beijou.

Pelo impacto da notícia e o envolvimento de Desirée, ele correspondeu. Após um momento, repeliu-a. Olhou-a de modo estranho e perguntou contrariado, nervoso:

— O que é isso?! O que você está fazendo?!

— Eu... Fiquei desesperada e...

Enérgico, exigiu:

— Charlaine, vá embora!

— William, eu...

— Vá embora! Por favor! Estou mandando!

Ela obedeceu e se foi.

Voltando para sua mesa, puxou a cadeira e se sentou. Ficou por algum tempo com a cabeça baixa, refletindo e tentando se acalmar.

Em seguida, foi para casa. Não sabia como encarar a esposa por dois motivos: o beijo de Charlaine e a convocação para a guerra.

Danielle estava com as malas prontas, alegre e cheia de novidades. Ao ouvi-lo chegar, sem vê-lo e de onde se encontrava, não parava de falar enquanto arrumava alguma coisa. Exibia-se muito feliz.

Quando pôde, aproximando-se do marido e percebendo-o quieto, quis saber:

— O que foi, Will? Está estranho!

— Preocupações com o serviço. Não quero incomodá-la com isso.

Abraçou-a com muita força. Diferente do que costumava fazer. Beijou-a e a apertou novamente contra o peito.

Escondendo o rosto em seus cabelos, permanecendo assim por longo tempo.

Foi nesse momento que a esposa sentiu o cheiro de um perfume muito forte. Era perfume de mulher. Tinha certeza. E não era o seu.

Sem dizer nada, ao se afastar do abraço, disfarçou, com um sorriso, o sentimento amargo que a invadiu.

Olhando-o firme, viu em seu rosto, perto da boca, uma vermelhidão de batom.

Então teve certeza. Não sabia o que fazer. Ao vê-la imóvel, observando-o de um modo estranho e indefinido, indagou:

— O que foi, Dani? — falou angustiado, temendo que ela percebesse algo.

— Nada — respondeu séria, com voz abafada. — Você ainda quer viajar?

— Por quê? Acha que não deveríamos?

— Não sei... — falou confusa, atordoada. — É que você está estranho.

— Vamos sim. Não quero estragar os nossos planos. Precisamos dessa viagem.

Distanciando-se dele, sem conseguir disfarçar o sentimento horrível de angústia que a dominou, disse, fugindo-lhe ao olhar:

— Então tome um banho. Vamos hoje mesmo.

Sem dizer nada, o marido concordou com a sugestão e foi para o banho.

Danielle não suportou e aproveitou sua ausência para cheirar melhor suas roupas.

Mais uma vez teve certeza: a roupa de William exalava

o aroma de um perfume feminino e ela era capaz de jurar que sabia de quem era.

Nesse momento sentiu-se mal. Seu rosto esfriou e decidiu ligar para sua mãe, contando tudo.

— Danielle, escuta! — dizia Belinda firme. — Você não pode afirmar nada!

— Ele está muito estranho, mamãe. Está triste, amargurado, parece até arrependido.

— Se está arrependido, ótimo! Caso tenha acontecido alguma coisa.

— O pior é que eu sei de quem é esse perfume. É da Charlaine, a secretária dele. Tenho certeza! Ela toma banho com esse perfume!

— Você não tem certeza, filha. Não viu nada nem ele te contou.

— O que eu faço? Falo com ele?

— Se não estivessem prontos para irem viajar, eu diria para falar, conversar com jeitinho. Do contrário não. Viaje, brinque, descanse, aproveite. Quando voltar, converse com ele sem se alterar.

— Não sei se vou agüentar.

— Vai sim! — Pensando um pouco, opinou: — Dani, será que essa secretária, propositadamente, passou perfume na roupa dele para estragar a sua viagem?

— A senhora acha?

— Filha, tudo pode acontecer. O que não deve é brigar com ele até esclarecer tudo. Agora não é um bom momento.

Ouvindo o conselho de sua mãe, Danielle decidiu não fazer nada.

Viajaram e ele quase não conversou.

O marido estava extremamente diferente. Quieto, muito preocupado. William não era assim, definitivamente.

Na praia, só ficou deitado sob o sol morno, enquanto ouvia o senhor Oscar conversar.

— Aqui, na costa do Mediterrâneo, é maravilhoso. Sei que vai me dizer que não se compara às praias brasileiras. A Côte Vermeille — Costa Avermelhada — tem várias praias e recebe esse nome por causa da cor das pedras que formam os portos. Elas variam entre o vermelho e laranja.

— Gostei! É um lugar muito bonito — admirou Danielle. Virando-se para o marido, perguntou: — Já esteve aqui, Will?

— Já — respondeu simplesmente.

Maria Cândida trocou olhar com Danielle e indagou em voz baixa:

— O que ele tem?

A moça encolheu os ombros e gesticulou que não sabia.

Após algum tempo, ela pediu para o marido acompanhá-la a uma caminhada pela praia e ele concordou.

Percorreram longa distância de mãos dadas e em total silêncio.

William lembrou-se de quando andaram na praia em Long Island, quando começou a conhecê-la melhor e a admirou tanto. Desejou um momento como aquele: calmo em que os dois se achassem em harmonia, intimamente satisfeitos. Danielle estava tão bem, tão diferente. Havia mudado tanto e se encontravam bem mais felizes nos últimos dias. Mas ele não conseguia ter paz pelo que lhe ocorreu no dia anterior. Seus pensamentos fervilhavam e estava triste demais. Por que não poderiam viver juntos e felizes, com ela grávida ao seu lado como da outra vez? Só que agora seria diferente, pois o filho seria seu. Queria que a ocasião fosse outra, mas não era e não conseguia falar.

Após algum tempo, a esposa comentou com tranqüilidade.

— Se eu soubesse que você iria ficar desse jeito, não teríamos vindo.

— É verdade. Estou arrependido de estar aqui — disse, suspirando fundo e engolindo seco.

A esposa parou, ficou frente a ele e perguntou com jeitinho:

— Estamos longe de todos. Quer conversar?

— Não, Dani. Aconteceu uma coisa e... Vou lhe contar, mas não aqui. Não quero estragar a nossa viagem.

— Tenho certeza de que esta viagem já está estragada — falou com o coração apertado.

William abaixou o olhar, pegou em suas mãos, olhou em seus olhos e pediu em tom triste, deprimido:

— Eu gostaria que me compreendesse e... Por favor, não me pressione. Vou contar, mas não aqui, não agora. Preciso de um tempo para me acostumar com a idéia.

— Que idéia? — perguntou temerosa.

— É algo desagradável para nós dois. Por favor, Dani...

Uma sensação de medo a invadiu. Acreditou que o marido tivesse outra mulher e havia decidido deixá-la. Um torpor a dominou e sentiu-se mal. Com leve discrição, segurando-se nele por um instante, recostou a testa em seu peito.

— O que foi, Dani? — preocupou-se.

— Nada — murmurou. — Vamos voltar.

Ela o enlaçou pela cintura e o marido sobrepôs o braço em seus ombros e retornaram.

Praticamente não conversaram mais.

Ao longo da tarde, o senhor Oscar, que o viu bastante quieto, insistiu muito para William aceitar fazer um passeio de lancha. Queria apostar uma corrida e ele concordou.

— Vamos, Dani? Vai! — insistiu o marido.

— Não.

— Ainda não está bem? Acha que comeu algo que não estava bom?

— Não sei.

A mulher sabia o que era, mas não quis falar. Sua mente se corroia com a idéia de ele abandoná-la e não sabia o que fazer.

Ele ficou preocupado, parado ao seu lado, até que o senhor o chamou novamente:

— Vamos, William! Essa é a melhor hora do dia! Vamos até a casa de barcos para pegar as lanchas!

George, Oscar e William se foram e as mulheres continuaram na praia com o filhinho de George que brincava na areia.

De onde estavam podiam ver as lanchas cortando o mar em alta velocidade. William pilotava sozinho. George a outra, com seu pai ao lado. Era nítido que apostavam corrida.

Danielle olhava-os ao longe e tinha os pensamentos distantes. Por isso demorou alguns segundos para entender quando uma das lanchas empinou e capotou várias vezes.

— Will... — murmurou, levantando-se. — Era a lancha do Will!!! Não era?!!!

De fato era.

William foi levado ao hospital gravemente ferido.

20

A VIDA SE ENCARREGA DE TUDO

Socorrido no hospital da região, William permaneceu em estado de coma por dez dias. Sofreu traumatismo craniano. Fraturou duas costelas, o braço e a perna em três lugares.

Danielle ficou desesperada e ao seu lado o quanto pôde. Não parou de orar.

Em conversa com sua mãe, contava:

— Somente agora ele poderá ser transferido para Paris, mas ainda não está muito bem. Dorme muito, tem dores. Ele conversa, mas se esquece depois... Quando saio do quarto e retorno, não se lembra de ter me visto antes. Pensa que me viu ontem e diz: que bom que veio me ver hoje — chorou. — Às vezes, não fala coisa com coisa. Estou muito preocupada, mamãe. O médico disse que é normal, mas... Ah... Disse também que vai precisar ficar internado por mais alguns dias para continuar monitorado.

— Filha, fique tranqüila. Ele vai ficar bom. Tenha fé.

— Mamãe...

— O que, Dani?

— Estou grávida. Não contei para o Will.

— Dani!... Deus te abençoe, filha! — emocionou-se. — Por que não disse para ele?

— Estou arrependida por não ter contado. Agora ele não parece bem, está confuso. Não se lembra direito das coisas nem das pessoas. Não quero contar com ele assim.

— E antes? Por que não disse?

— O Will estava estranho, como falei e... Acho que queria me dizer algo sobre nos separarmos e... Não quero que fique comigo por causa do filho — chorou.

— Ele não vai te deixar, meu bem. Talvez ele estivesse chateado com alguma outra coisa. Não crie fantasmas onde não existe. Ah... se eu pudesse estar aí com você... É que a Olívia tem a cesárea marcada para amanhã, você sabe.

— Eu sei. Não se incomode nem se preocupe. Vou ficar bem. Amanhã o Will será transferido e vou com ele. Ficaremos mais perto.

— Você vai ficar sozinha, filha?

— Vou. Não se preocupe. Ficarei com ele.

Com o coração partido, Belinda, disse:

— Fique com Deus, meu bem.

— Mamãe, só uma coisa...

— Fala, filha.

— Não conte para ninguém sobre eu estar grávida. Por favor. Quero que ele seja o próximo a saber.

— Não vou contar. Fique tranqüila. Deus te abençoe.

— Amém, mamãe. Obrigada.

Danielle sentiu o peito apertar como nunca. Voltando ao lado do marido, socorreu-se na prece.

* * *

Ao retornar a Paris, Oscar descobriu, pela assistente, a convocação de William para a Guerra do Iraque.

Danielle estava se refazendo da viagem, na mansão de Maria Cândida, apesar de a senhora ter ido para Londres, onde Olívia deu à luz um lindo menino.

Procurando por Danielle, Oscar contou e ela assustou-se:

— Ai, meu Deus!!! Eu não acredito! Ele não me contou! Por isso é que estava daquele jeito! Disse que era algo desagradável para nós dois! Era isso! E agora?!

— Lógico que ele não vai mais! Todo quebrado daquele jeito! Nem se for para o William ficar engessado enquanto durar essa guerra. Ele não vai! Vou falar com os médicos e resolver essa situação. Ele pode morrer, mas não vai ser nessa guerra estúpida!

— Então o mantenha longe do George! — exclamou ela firme, olhando-o de modo estranho, parecendo em transe.

— O que está dizendo, Danielle?! — perguntou George, levando um susto.

— Foi você quem sabotou aquela lancha para matar o meu marido e a mim. Era para eu estar junto. Você quer a vice-presidência e quer que eu suma da sua vida. Quis nos matar assim como fez com o seu tio! Era isso o que tinha medo que eu descobrisse!

— Ficou louca?!! Como pode dizer um absurdo desses?!!

— Mande investigar!!! — gritou. — A lancha foi mexida!!! — tornou ela, perdendo o controle. — Você tentou matar o Will!!!

— Sua louca!!! — George foi à direção de Danielle, mas Oscar o impediu, entrando no meio.

— O que ela está dizendo, George?! Explique-se!!! — exigiu o pai.

Danielle saiu correndo. Com medo, pegou o carro e foi para seu apartamento. Sentia-se confusa e não tinha idéia do que fazer.

Oscar decidiu pedir uma inspeção técnica na lancha para conhecer as causas do acidente ou seria a palavra de seu filho contra a de Danielle.

William se recuperava lentamente permanecendo muitos dias internado em um hospital em Paris. Na maioria das vezes, sonolento, sob efeito de medicamentos muito fortes.

Danielle resolveu esperar que o marido se recuperasse bem para lhe contar a novidade. Sua mãe era a única pessoa que sabia e guardava segredo.

O tempo foi passando.

Naquele dia, ela estava muito animada para ver o marido. Apesar de todo engessado, ele receberia alta.

Ao chegar à porta do quarto, Danielle ouviu a voz de Charlaine e, pela fresta, pôde vê-la na cabeceira da cama de William.

— Sei que ficou muito perturbado no dia em que recebeu o telegrama da sua convocação. Eu fiquei em pânico e desesperada por sua causa. Depois que nos beijamos, eu não soube me explicar e...

— Vá embora! — pediu ele.

Danielle, incrédula, foi se aproximando sem ser vista.

Charlaine afagou o rosto de William e, olhando-o com ar provocante, falou com ousadia:

— Então me dê um beijo.

Curvando-se o beijou inesperadamente.

Com dificuldade William levantou a mão para empurrá-la. Nesse instante Danielle perguntou com voz abafada e pausada:

— O que é isso?

— Dani! — assustou-se o marido. — Dani, vem aqui! Espera!

Ela virou as costas e saiu.

Em seu apartamento, fez as malas. Foi para o aeroporto, pegando o primeiro avião para Londres.

* * *

Em desespero e choro compulsivo, jogou-se nos braços da mãe contando tudo o que aconteceu. Edwin e Nanci ouviam atentos, mas o cunhado duvidou:

— O William não. De jeito nenhum. Eu o conheço bem!

— Eu vi, Edwin! Quando ele chegou ao apartamento com o perfume dela e sujo de batom, eu vi. Contei para a minha mãe... No hospital, eu mesma vi e ouvi a Charlaine falando sobre o dia em que foi convocado. O mesmo dia em que ele chegou a nossa casa daquele jeito.

— Filha, não temos muito que fazer agora. Precisamos aguardar. É melhor você ficar calma e pensar... — Breve pausa e perguntou: — Você contou para ele?

— Não.

— Contou o quê? — interessou-se a irmã.

— Nada, Nanci. É coisa dela e do marido. Agora vamos, Dani. O melhor é descansar e se acalmar um pouco.

— Edwin, eu preciso de um favor seu.

— Fala, Dani. O que é?

— Eu falei para a empregada cuidar da Meg. Não sei como se faz para viajar com cachorro e queria sair de lá o mais rápido possível.

— Quer que eu mande trazê-la?

— Quero. Pode ser?

— Claro. Vou providenciar isso o quanto antes.

* * *

Ao telefonar para o apartamento da cunhada para falar com a empregada, Edwin foi atendido por William.

— Ela está aí?! — William quis confirmar em desespero.

— Está. Parece muito nervosa. Chorou bastante. Contou o que viu no hospital.

— Não tenho nada com a Charlaine! Nunca tive! Não sei o que deu nela para agir daquele jeito. Foi de repente! Eu não esperava!

— Eu acredito em você. Agora a situação está muito acalorada. O melhor é esperar alguns dias para conversarem.

— Será difícil para eu ir até aí. Preciso conversar com a Dani. Tente convencê-la a vir aqui conversar comigo.

— Ela quer a Meg.

— Não! De jeito nenhum!

— Will, não vão fazer como crianças!

— Não vou entregar a Meg. Ela tem de vir buscar.

— Não faça isso. A situação vai ficar pior, Will. Entregue a cachorrinha. Confie em mim.

— Coloque a Dani ao telefone — pediu.

Danielle recusou-se, terminantemente, a falar com o marido por telefone. Em hipótese alguma, aceitava a idéia da voltar a Paris. Enquanto ele, imobilizado e se recuperando, não poderia viajar. Depois de conversar muito com o amigo, William concordou em entregar a cachorrinha.

Na espiritualidade, Desirée se comprazia com a separação dos dois.

— E agora? — perguntou Raul com simplicidade.

— O que tem agora?

— Pelo jeito você os separou. Conseguiu o que queria. Qual é o próximo passo?

— Como assim, Raul? Não entendi.

— Tudo o que fazemos precisa ter um objetivo para nós e para os outros. Além disso, quando alcançamos um objetivo, obtemos um resultado e assumimos a conseqüência dele. Se você conseguiu o seu objetivo, tem um resultado. Qual é o proveito de tudo isso?

— Você está me deixando confusa. O William é meu! É meu marido! Quero vê-lo sozinho. Não vou deixá-lo para outra. Quando eu estava viva, avisei que seria muito difícil ele se livrar de mim.

— Há séculos, eu acompanhei um acontecimento interessante. Tive uma irmã muito querida. Ela era apaixonada pelo marido. Seria capaz de morrer por ele. Viviam muito bem e ele era um bom homem. Então aconteceu que surgiu a outra.

A minha irmã fez de tudo para salvar o casamento, mas não conseguiu. O marido a abandonou. Sem recursos, sozinha e com dois filhinhos ela foi morar comigo. Eu não pude fazer muito mais do que lhe dar abrigo e ouvido. Fiquei bastante impressionado por ela sofrer tanto. Ao desencarnar, minha irmã fez da própria vida um inferno. Hoje eu entendo que o que ela fazia para separar os dois, unia-os cada vez mais. Eles ficaram juntos e somente após algumas reencarnações sofreram a conseqüência do que fizeram. Ele se arrependeu por tê-la abandonado e a outra sofreu muito por ter desfeito um lar. Nossa! Coloque sofrimento nisso.

— E a sua irmã?

— Ela nunca mais se permitiu ser feliz. Passou a ser possessiva com todo companheiro que encontrou nas experiências seguintes. Entendi que isso foi por uma espécie de trauma daquela encarnação. Mas ela não vê que a possessividade é um veneno muito destrutivo que deteriora os sentimentos dos dois e...

— Pare, Raul. Eu vi isso! Acabei de me lembrar dessa história. — Breve pausa em que refletia e perguntou: — Era eu? Eu fui sua irmã?!

Ele sorriu e confirmou:

— Foi sim. Era você mesma.

O espírito Desirée viu-se envolvida por um sentimento confuso.

— Por isso eu simpatizei com você! Gostava tanto das nossas conversas! Nunca reclamava por eu falar e falar! — Imediatamente deteve-se e se revoltou: — Então, definitivamente, os homens não prestam. Eles traem, abandonam, maltratam...

— Não. Não é assim. Lógico que os espíritos sem evolução têm essas práticas sim. Mas não todos.

— O que aconteceu comigo? Nunca mais fui feliz! — chorou.

— Você não se permitiu ser feliz.

— O Will queria se separar. Hoje está com outra e não se lembra de mim.

— O Will foi mais um espírito amigo que tentou ajudá-la a gastar a energia do ciúme, do controle, da possessão. Ele acompanhou de perto o seu drama naquela época, e lhe queria muito bem. Hoje deveriam viver juntos um determinado período para depois, cada um, seguir sua vida evolutiva. Ele não iria se separar de você. Era a vida que iria se encarregar disso. Assim como foi a vida que se encarregou de unir os dois. As pessoas ciumentas pensam ter o controle de todos os que a rodeiam, porque dizem amá-los e não é bem assim. Amor e ciúme são opostos.

— Quando termina o ciúme e começa o amor?

— Quando existe o perdão, a paciência, a confiança e a fé.

Aproximando-se dele, abraçou-o com força. Chorou e desabafou:

— O que eu faço, Raul?

— Comece desfazendo tudo o que fez de mal a eles. É isso o que fazemos quando queremos evoluir. Precisamos harmonizar tudo o que desarmonizamos ou não teremos paz. Não encontraremos felicidade. Não teremos amor nem quem nos ame.

— Por que eu fui desencarnar naquela tragédia, Raul? Sempre me pergunto isso.

— Você estava entre um grupo de encarnados com aquele tipo de necessidade ou algo semelhante. Cada um com o seu motivo. Alguns pertenciam a um grupo seletivo.

— Pode me explicar melhor?

— Desirée, pense. Grupos de pessoas decidiram apedrejar uma outra ou outras até a morte. Essa era uma prática muito comum em tempos antigos e durou séculos. Por não aprenderem que isso era errado, esse grupo de pessoas pode se reunir em um lugar onde tem todas as chances de morrerem em escombros, como o que aconteceu nas Torres Gêmeas ou, então, terremotos, desabamentos ou catástrofes semelhantes. Esse é um tipo de resgate coletivo. Assim como um grupo de pessoas que queimou alguém vivo ou se comprazia ou denunciava alguém para que morresse na fogueira, pode enfrentar um incêndio em um edifício. Pessoas vitimadas por todos os tipos de tragédias naturais, como furacões, tornados, tsunamis, vendavais, enchentes, desmoronamentos, desabamentos que destroem casas, residências, vilas ou cidades inteiras estão juntas nesses acontecimentos catastróficos para algum tipo de resgate coletivo. Elas passam por isso porque, de alguma forma, estiveram reunidas em ações em que destruíram casas e apedrejaram vidas. Podem ter atirado pedras, como podem ter atirado bombas. Em batalhas e guerras, por exemplo. Saquearam, destruíram, torturaram e cometeram práticas de vandalismo, ferindo e matando. Hoje alguns perdem tudo, alguns se ferem, outros sucumbem e isso acontece, com certeza, por conseqüência de seus atos passados, pois Deus não erra.

— Todos que perdem tudo ou morrem nesses tipos de tragédias, fazem parte de um resgate coletivo por que praticaram juntos, como um grupo, atos para matar ou destruir?

— Não necessariamente. Pode ser um grupo, podem ser vários grupos ou um espírito que pede para estar junto a fim de aproveitar o ocorrido. No caso, será um espírito disposto a evoluir mais rápido, geralmente. A maioria dos resgatados ou desencarnados em grupo não estão tão preparados e até pode-se dizer que se trata de um resgate em massa compulsório. Por isso a energia do local é tão densa, tão ruim, pesada, escura, trevosa. As mentes dessas pessoas, normalmente, cultivam a vaidade excessiva. São criaturas que menosprezam as outras e se acham superiores, de alguma forma. O orgulho, a arrogância e tantos outros sentimentos inferiores vivem, continuamente, em seus corações. Esse tipo de acontecimento vai provar a esses espíritos que eles são frágeis, simples e ignorantes como todas as outras criaturas de Deus. Não existe ser superior. Esse tipo de tragédia pode continuar a acontecer com o mesmo espírito enquanto ele não for mais simples, menos possessivo, mais humilde. Tenha certeza de que, quando você se acha superior a alguém, não trata o semelhante com educação e respeito, você se atrai para grandes tragédias, como essas, ou para pequenas tragédias do dia-a-dia.

— Foi minha vaidade, meu orgulho que me atraiu para aquele lugar e não as opiniões do Will para eu me ocupar?

— É lógico! O Will não teve nada a ver com isso. O próprio William poderia estar lá, mas não estava. Repare que ele nunca ficou doente, mas precisou contrair aquela gripe para não deixar o apartamento. Quando melhorou e ia embora, a Danielle teve febre e ele precisou socorrê-la, exatamente na hora dos atentados. Tudo foi providencial. O nosso inconsciente nos atrai ou nos afasta de uma situação para nos harmonizarmos, para nos equilibrarmos. — Brincando, Raul falou: — Se o Will soubesse dos atentados de 11 de setembro e a tivesse amarrado lá e não deixado chance para que fugisse, aí sim ele seria culpado — riu. — Não foi isso o que aconteceu e você sabe.

— Estou sentindo uma coisa tão ruim... Estou arrependida.

— Esse é o começo da elevação. Isso é bom.

— O que eu faço, Raul?

— Desfaça o que estiver ao seu alcance, enquanto é tempo. — Alguns instantes de pausa e revelou: — Em determinada encarnação, eu interferi na vida do William. Acusei-o injustamente ao Tribunal da Inquisição e ele foi torturado imensamente e depois morto na fogueira. Em uma vida passada eu morri queimado em um incêndio. A minha consciência cobrou-me tanto tudo o que fiz a ele que as torturas que eu o deixei sofrer, experimentei na última encarnação com a prova do câncer. Tudo, exatamente tudo o que fazemos a alguém, nossa consciência cobra. Por isso eu aconselho a desfazer o que fez de errado desde já.

— Como? Como eu posso desfazer algo do que fiz?

— Tenho uma idéia. Vem comigo!

* * *

Como passar do tempo, William se recuperava ainda lentamente.

O nascimento de Twiller, filho de Nanci e Edwin, trouxe muita alegria a todos, principalmente para Danielle que estava sempre com o sobrinho.

— Dani, eu e o Edwin queremos que você seja madrinha dele.

— Eu?! — expressou-se alegre e emocionada.

— Você e o William — completou o cunhado.

Danielle fechou o sorriso e argumentou:

— Nós nos separamos, Edwin. Isso não será possível.

— Dani, conheço o Will há anos e posso dizer que o conheço muito bem. Desde menino, na escola. Depois estudamos juntos em Oxford. Fizemos universidade e pós juntos. Viajamos por esse mudo afora e... Não posso crer que a traiu. Quando conversamos, ele me disse que a Charlaine agiu sem que esperasse. Ela foi ousada, sem-vergonha. Chame-a do que quiser, mas não foi ele quem agiu.

— E o perfume? E o batom?

— Converse com o Will. Ele poderá explicar — pediu a irmã. — Sabe que ele não tem condições de viajar ainda. Sua recuperação não está sendo muito boa.

— Como assim?! Ele não está andando direito, não está bem?! — quis saber Danielle preocupada.

— Não. Provavelmente não ande tão normalmente como antes. Parece que está com seqüelas do acidente — contou o cunhado, sabendo que iria sensibilizá-la.

— Fora isso, está com problemas que nem os médicos sabem exatamente explicar. Dores de cabeça que o deixam louco... — contou Nanci. — Além disso, parece que alguma coisa está afetando sua visão. Vai precisar sofrer uma cirurgia na perna para correção e... Ele está largado! Não tem ninguém cuidando dele. Não quer que a dona Maria Cândida vá lá. Está se isolando de todo o mundo. Não sei mais, além disso. Por causa do nascimento do Twiller, quase não conversamos. O melhor seria falar com ele pessoalmente e...

— Por que não me contaram?! — perguntou em desespero.

— Primeiro você disse que não queria mais que falássemos sobre ele. Depois a mamãe pediu que não contássemos nada. Ela não queria vê-la abalada e... Dani, se você fosse visitá-lo, seria diferente.

Danielle se levantou. Sentia-se atordoada. Caminhou alguns passos vacilantes pelo quarto e parou. Levando as mãos no rosto, esfregou-o lentamente de modo aflitivo e alinhou os cabelos bem compridos agora. Virou-se para o casal que a observava e contou de súbito:

— Estou grávida. O Will não sabe.

— Como não?!! — reagiu o cunhado surpreso, inconformado.

— Fale baixo! Vai acordar o Twiller! — repreendeu Nanci. Voltou-se para a irmã e quis saber: — Por que não contou a ele?!

— Ia contar quando viajamos. Eu estava tão feliz e... O Will, repentinamente, pareceu estranho, cheirando a perfume e sujo de batom. Não falei nada. Depois, por causa do acidente... Fiquei desesperada. Pensei que ele fosse morrer! Essa idéia não me saía da cabeça! — lágrimas correram em sua face e ela as secou. Firme, desabafou: — Ele acordou do coma e ficou confuso. Se eu o deixava sozinho por cinco minutos, e retornava, esquecia que tinha me visto antes, pensava que tinha sido no dia anterior. Eu estava sozinha. Não sabia o que fazer. Então achei melhor esperar. Pensei que ficaria mais feliz e participaria mais da minha alegria se estivesse recomposto. Quando recebeu alta e cheguei ao hospital para levá-lo para casa, onde eu decidi que contaria, vi a Charlaine falando aquilo e o beijando... — Breve pausa e murmurou: — Só a mamãe ficou sabendo e pedi que não dissesse nada...

— Você não poderia ter feito isso com ele, Dani! — protestou o cunhado, contrariado. — O Will a ama! Ele é o pai! Tem o direito de saber! — Vendo-a triste, arrependida, perguntou mais brando: — De quanto tempo você está?

— Dez semanas.

Eles ficaram surpresos. Não sabiam o que dizer. Entenderam que a outra sofria e se arrependia pelo que havia feito. Nanci, estendendo-lhe a mão, puxou-a para que se sentasse ao seu lado. Danielle aceitou e a irmã a abraçou, afagando-lhe com carinho.

Observando-a confusa, Edwin sugeriu:

— Dani, pode dizer que estou me intrometendo demais, porém... Vejo que precisam conversar. Mesmo que não seja para voltar a morarem juntos, mesmo que não façam as pazes... Há muita coisa a ser dita, explicada, principalmente agora. O William não está bem e precisa de você. Quem sabe a notícia desse filho o ajude. Pense nisso.

— Acho que vou a Paris. Vocês ficam com a Meg para mim?

— Claro. Fique tranqüila — disse o cunhado satisfeito.

Na tarde daquele dia, Danielle desceu no aeroporto Charles de Gaulle e foi direto para o seu apartamento.

Estava apreensiva, ansiosa e muito preocupada.

Ao abrir a porta, viu a sala de estar na penumbra, as

cortinas fechadas. Foi até a cozinha e também nos outros cômodos e nada.

William, na sacada da sala de televisão, sentado em um sofá de vime e almofadado, tinha a perna direita imobilizada e estendida sobre um apoio reto. O olhar perdido ao longe, assim como seus pensamentos. De que lhe adiantava sua colocação social, sua fortuna, sua estabilidade em tudo se o que queria o dinheiro não poderia comprar? Onde estaria sua esposa? Viu-a tão delicada e amorosa com Raul, enquanto ele permanecia ali, largado e sofrendo física e emocionalmente.

Um barulho chamou sua atenção para a larga porta de vidro e se virou, ficando surpreso e incrédulo ao ver Danielle, ali, parada.

Ela reparou o quanto o marido havia emagrecido e se achava abatido. A barba por fazer. Seu olhar era de súplica e dor.

— Dani?!... — murmurou apreensivo.

— Oi... — disse, aproximando-se. — Vim ver como você está. Só hoje eu soube que não está se sentindo bem e... Ninguém me contou antes.

— Vem. Sente-se aqui — pediu espalmando a mão no assento ao seu lado.

— Não acha que está frio aqui fora?

— Quer conversar lá dentro? — perguntou e foi se levantando. Ao vê-lo com dificuldade, num impulso ela o ajudou.

Na sala, que tinha a temperatura mais agradável, Danielle o auxiliou a se sentar e arrumou uma mesinha, junto ao marido, para que apoiasse a perna.

— Onde está a empregada? — ela indagou.

— Saiu mais cedo.

— Você tem ficado sozinho?! Não contratou uma enfermeira nem nada?! — quis saber angustiada, arrependida por tê-lo deixado abandonado daquele jeito.

— Contratei uma enfermeira por um mês. Depois que tirei o gesso do braço me senti mais independente e... Ver duas mulheres aqui dentro, sendo que a enfermeira ficava só parada me olhando... Nossa! Foi muito para mim. Então a dispensei. Antes que me pergunte, também não quero muita visita nem da dona Maria Cândida. Precisei de um tempo. Porém... É tão bom vê-la aqui. Como você está?

— Preocupada com você. Está com fome? Quer que eu lhe prepare alguma coisa?

— Se puder fazer um chá para nós, fico satisfeito. Não quero fazê-la de empregada, é que tomei um comprimido, há pouco, e parece entalado na garganta, até agora. Minha movimentação é difícil porque a perna ainda dói muito. Se puder fazer esse favor...

— Eu já volto.

William não acreditava que a esposa estava ali. Ficou ansioso e feliz, mas não sabia o que dizer nem por onde começar. O que a teria trazido até ali? Quem a convenceu?

Ao retornar, Danielle entregou-lhe uma caneca nas mãos. Acomodou-se em outro sofá e o observava bebericar o chá fumegante.

— Não vai beber?

— Depois. Os biscoitos que encontrei no armário estavam murchos, por isso não trouxe. Não tem nada em casa.

— Você conhece a empregada, ela é péssima para cozinhar e fazer compras.

— Como você está, Will?

— Estou me recuperando aos poucos. O braço ficou ótimo. Só estou com a mão um pouquinho inchada e dormente, mas não é nada. Vai melhorar. Quanto à perna... A fratura foi exposta e não ficou totalmente boa. Terei de fazer outra cirurgia para colocar mais pinos. Nem sei direito como será o procedimento, não quis saber detalhes. Depois de tirarem e colocarem o gesso várias vezes, colocaram essa imobilização. Só que a perna dói muito.

— O Edwin me contou das dores de cabeça e falou sobre sua visão alterada. Como é isso? — quis saber apreensiva.

— É verdade. São dores muito fortes. Fico louco e vivo à custa de medicamentos. Já fui parar no hospital incontáveis vezes. — Riu, depois contou: — Sabe... Tenho tomado tanta injeção que até perdi o medo delas! — riu novamente. — Também as dores são tão insuportáveis que as picadas de agulhas não são nada. — A esposa achou graça e esboçou um sorriso leve e tímido. — Há momentos que minha visão escurece. Fico tonto e já cheguei a cair, várias vezes. Realizei inúmeros exames e os médicos estão estudando uma possível cirurgia.

— Cirurgia?!

— Não é certeza! Calma. Se eu me recuperar, não será necessário. Vamos aguardar.

Após alguns minutos em silêncio, ambos sentiam seus corações apertados.

— Will, vim aqui para saber de você e... Também tenho

algo para contar. — Encarando-o firme, revelou sem trégua: — Estou esperando um filho seu.

Demorou segundos para o marido concatenar as idéias, até sorrir largamente e tentar se levantar para alcançá-la.

— Não! Fique aí! — pediu preocupada com o que ele ia fazer. Levantando-se rápido, foi ao seu encontro.

William segurou em seu braço e sentou-se novamente, puxando-a para que se acomodasse ao seu lado. Num impulso a abraçou com força, segurou seu rosto e beijou-lhe a face. Mas não pôde continuar. Quando ia ao encontro de seus lábios, ela virou o rosto lentamente, abaixando a cabeça.

— Dani! Por favor... Você não está feliz?! — perguntou baixinho e querendo ver seus olhos.

— Estou. Fiquei muito feliz quando soube. Foi no dia em que íamos viajar. A princípio você estava tão animado que pensei em lhe contar de uma forma romântica, à beira do mar Mediterrâneo.

— Por que não me contou?! — perguntou, acariciando seu braço.

— Porque vi o seu rosto sujo de batom perto da boca. Além disso, estava impregnado de perfume — contava séria e calmamente. — Eu reconheci o cheiro. Aliás, todos naquela empresa conhecem o perfume que a Charlaine usa. Naquela noite você agiu de modo muito estranho quando me abraçou. Sei que pode me chamar de doente pelo que decidi fazer. Naquele dia, quando estava no banho, não resisti e, para ter certeza, cheirei sua camisa e seu paletó novamente. Foi inegável. Suas roupas cheiravam o perfume da Charlaine. — O marido abaixou o olhar e ela continuou tranqüila, no mesmo tom:

— Lá em Côte Vermeille, você não falava, não conversava comigo, não participava de nada. Eu só podia pensar que queria me deixar, pois tinha outra mulher.

— Não! Nunca! — defendeu-se rápido.

— Ainda disse que tinha algo para me contar e que seria desagradável para nós dois.

— Eu me referia à convocação para a guerra.

— Mas eu não sabia. Depois fiquei desesperada com o seu acidente. Só me acalmei quando saiu do coma e se recuperava. Só então soube da sua convocação. Então decidi esperar um momento mais propício. Pensei que, internado e em um hospital, não seria a melhor ocasião para receber uma notícia dessa. Porém, quando fui buscá-lo... Você sabe o resto.

Quando ela ia se levantando, William a segurou e pediu generoso:

— Dani, espere. Por favor, fique aqui. — A esposa aceitou e permaneceu ao seu lado. Em seguida ele explicou: — Errei em não comentar sobre o telegrama de convocação para a guerra. Fiquei em choque quando o recebi. Odeio violência, sangue e... Você sabe disso muito bem. Foi por essa razão que eu estava deprimido e quieto daquele jeito. Aconteceu uma coisa quando recebi aquela maldita correspondência. Eu estava na minha sala e... — William contou exatamente como tudo se passou. Danielle permaneceu firme, fria e atenta. — Foi isso! Eu juro! Posso ter errado de alguma forma, mas não tenho toda a culpa como você julga. Também não tenho como provar o que digo. Não sei como me justificar. Dependo somente de você acreditar em mim. Sempre fui sincero e nunca lhe dei motivos. Naquela noite, quando cheguei aqui, eu ia lhe contar, porém teria de falar sobre o fato de eu ir para uma guerra e não queria. Meus planos eram de viajar e passear com você porque pensei que ia morrer e, pelo menos, você teria uma lembrança agradável minha, de nossa última viagem. — Os olhos de ambos se encheram de lágrimas e ela desviou o olhar. — Eu ia mandar a Charlaine embora, com toda a certeza. Mas não tive tempo. Fui pego de surpresa no hospital, quando ela foi me visitar. Só me lembrei do que ela fez depois de alguns minutos que a vi ali no quarto. Tinha me esquecido, completamente, do que aconteceu. Naquele dia eu estava sentindo muita tontura, do tipo que vem ocorrendo ultimamente. Não conseguia pensar direito. Acreditei que fossem os remédios. — Um momento e comentou: — Não sei explicar porque ela fez aquilo. Eu a empurrei e a mandei embora, mesmo confuso. Você deve ter visto isso. — Ela permanecia quieta. Diante do longo silêncio, ele pediu aflito: — Dani, diga alguma coisa, por favor!

Tirando as mãos que seguravam as suas, ela respirou fundo e respondeu muito séria:

— No hospital eu vi e ouvi o que ela disse e o que aconteceu. Contudo, lá na empresa, mesmo sendo uma atitude que partiu dela, não consigo entender por que correspondeu ao beijo e só depois a empurrou.

— Nem eu entendo. Só tenho uma defesa: eu estava atordoado por causa da convocação. Não sei o que me deu. Perdoe-me, Dani. Estou sendo sincero, não lhe escondi nada.

— Para ela chegar ao ponto de ter tamanha liberdade de se achegar a você, abraçá-lo e beijá-lo, foi porque, algum tipo de aproximação, mesmo que sutil, você permitiu antes.

— Serei sincero, mais uma vez. — Respirou fundo e contou: — A Charlaine comportou-se diferente nos últimos tempos. Começou a ter pequenas liberdades, mas... Eu não tinha certeza e nunca imaginei que tomaria uma atitude dessas. Apesar de eu ter notado isso e não ter feito nada... Perdoe-me, Dani, se acha que eu errei.

— A cada momento que conversamos, aparece mais um pedaço de história que eu não conheço. Agora tem mais essa. Não posso acreditar que foi só isso.

— Não estou escondendo mais nada. Veja...

— Espere, Will. Vim aqui com uma decisão tomada. Eu vou voltar para cá. Precisa de ajuda e vou cuidar de você. Só que vou ficar no quarto de hóspedes. Quando se recuperar, vou embora.

— Não, Dani. Por favor...

— Se não quiser assim, volto para Londres.

A esposa se levantou. William, com lágrimas correndo em sua face, olhou profundamente em seus olhos e disse, parecendo ressentido:

— Desculpe-me. Eu a amo muito.

Danielle sentiu-se estremecer, teve intensa vontade de chorar. Mas suspirou fundo e dissimulou:

— Vou arrumar as coisas por aqui. A casa está uma bagunça. Depois preparo um banho para você. Está horrível com essa barba. Mais tarde vou ligar para o Edwin e pedir para me mandar a Meg.

Dizendo isso, saiu e foi cuidar do que precisava.

* * *

As semanas passaram rapidamente e Belinda foi visitar o genro antes de retornar ao Brasil.

— A cirurgia é semana que vem e... Se a senhora não se importar, eu gostaria de não falar a respeito.

— Vai dar tudo certo, Will. Você ficará ótimo.

— Espero.

Alguns instantes e perguntou:

— E você e a Dani, como estão?

— Ela quase não fala comigo. Somente o necessário. Parece calma, tranqüila, preocupada comigo. Mais nada, além disso.

— Já conversei com ela. Não sei mais o que posso fazer.

— Estou perdendo as esperanças. Nunca pensei que a Dani fosse assim tão fria. Não me deixa tocá-la, não se aproxima de mim. Quero sentir nosso filho e ela não permite.

A chegada de Danielle interrompeu-os.

— Oi, filha! Você demorou!

— Resolvi comprar umas coisinhas.

Ao olhar as sacolas e reconhecer que se tratava de roupas infantis, William perguntou:

— São roupinhas para o nenê?

— São — respondeu friamente, sem lhe dar importância e indo em direção ao corredor que a levaria para os quartos.

— Dani! — chamou a mãe, mas ela não se voltou.

— A senhora viu? É assim quando estamos sozinhos.

Levantando-se, Belinda foi atrás da filha. Encontrando-a no quarto, quis saber:

— Por que está fazendo isso, Danielle?

— Fazendo o quê?

— Tratando o seu marido dessa forma! — Ela não respondeu e tirava as roupas da sacola, quando a mãe continuou: — Filha, não seja assim. O Will é um bom homem e...

— Um bom homem não beija a secretária — interrompeu-a. — Não sei o que mais pode ter acontecido. Não acredito nele.

— Dani, ele contou como foi tudo. Estava atordoado. Leve isso em consideração. Se houve alguém muito sem-vergonha nessa história foi ela. Pense nisso.

— Não está sendo fácil para mim, mamãe. Não há um dia, um momento que me esqueça do que ele me contou. Como vou abraçar e beijar um homem que ficou com outra, mesmo estando casado comigo?

— O Will contou como foi. Ele é sincero, honesto. Só demorou para acordar e perceber o que estava acontecendo. Perdoe, Danielle, se acha que ele errou. Assim como ele lhe perdoou.

— Perdoou-me do quê?!

— De suas cenas de ciúmes! De suas agressões! De tê-lo chamado tanto de Raul! Isso, para ele, poderia ser considerado um tipo de traição. Não acha?! Você não estava pensando no Will quando pronunciou Raul. — Vendo-a pensativa, ainda disse: — Ele tem direito sobre o filho. Lembre-se disso. O fato de carregar essa criança, não tira o direito de pai que ele tem. O que está fazendo é cruel e pode, com o tempo, distanciá-lo do próprio filho. Se não o deixar participar, desde já, não terá como exigir nada dele mais tarde. — Vendo-a calada, reflexiva e de cabeça baixa decidiu: — Volto mais tarde. Agora preciso sair. Liguei para a Maria Cândida e marquei um encontro com ela.

Danielle ficou em total silêncio. Aquelas palavras calaram fundo em seu peito. Mas não fez nada.

* * *

Bem depois, Belinda esperava a amiga conforme combinaram.

Encontraram-se em uma livraria-café, um lugar bem tranqüilo, onde podiam conversar à vontade.

— Olá, Belinda! Desculpe-me se eu demorei.

— Não tem problema — sorriu. Após beijá-la, pediu: — Sente-se, por favor. — A amiga se acomodou e contou: — Vim da casa da Dani. Cheguei hoje de Londres e devo embarcar amanhã para o Brasil.

— Já?! Deveria ficar mais um pouco.

— Não. Quero voltar.

— E a Dani, como está?

— Bem, a barriga está crescendo. Porém anda estremecida com o Will.

— Tentei falar com ela, mas não me atende. Nunca está em casa. Percebi que ela está me evitando.

— Eu pedi isso a minha filha, Maria Cândida.

— Por quê? — indagou de modo triste, lamentando.

— Para a Dani se recompor um pouco e esquecer essa história de outra vida, de ser sua filha. Isso só trouxe prejuízo a ela. Veja a encrenca que arrumou com o George.

— Sinto muito, Belinda. Estou arrasada com o que o meu filho possa ter feito para eles. Não quero acreditar nisso. Estamos aguardando o laudo da perícia e... Não imagina como estou me sentindo. — Alguns instantes e comentou: — Nós duas sempre fomos amigas e muito sinceras.

— Foi por isso que eu pedi para conversar com você. Antigamente, por mais que ficássemos tristes, irritadas ou insatisfeitas uma com a outra, sempre dizíamos a verdade, sempre conversávamos sobre o que não gostávamos que a outra fizesse. Acho que agora não pode ser diferente. Eu não fiquei nada, nada satisfeita com tudo o que disse para a minha filha e acredito que isso interferiu muito na vida dela.

— Somente depois que falou comigo sobre o passado interferir na vida atual que eu me dei conta do que estava acontecendo. Você tem toda a razão. Se fosse para sabermos o passado, nasceríamos recordando-o. Sei que, em alguns casos raros, existe a necessidade de se saber o que aconteceu em outra vida. — Nesse momento lembrou-se de Raul que, por meio de um sonho, soube o que fez no passado. Mas não disse nada. Respeitou o pedido que ele lhe fez antes de desencarnar. Não sabia qual foi a necessidade que a espiritualidade encontrou para fazer-lhe tal revelação. Com um travo de arrependimento, prosseguiu: — Realmente a Dani dava muita atenção ao que eu lhe falava, principalmente, quando contava sobre algum assunto que vivi com minha filha... Era difícil, para mim, enxergar que vê-la recordar o passado e assumir a postura que antes tinha era errado e lhe fazia mal. Apesar de não ser espírita, Belinda, inspirada ou não por algum amigo espiritual, você conseguiu ver o desequilíbrio da Dani e também o meu. Provavelmente eu não a deixava se concentrar no que precisava fazer para não sofrer os abalos espirituais que vinha experimentando. Quando me dei conta disso, orei por ela e por Desirée. — emocionou-se.

— Era o que eu esperava de você, minha amiga — sorriu generosa.

— Só preciso de uma coisa.

— O quê?

— Que me perdoe. Quero a sua amizade.

Pegando-lhe as mãos por sobre a mesa, sorriu largamente, afirmando:

— A minha amizade você sempre terá. Quanto a lhe perdoar... Amigas de verdade não se perdoam, porque não se ofendem, não guardam mágoa nem rancor. Amigas de verdade se entendem, sem a intromissão de ninguém.

Lágrimas se empoçaram em seus olhos e foi difícil não deixá-las cair em meio ao riso.

— Só espero que a Dani não tenha raiva de mim — disse Maria Cândida mais descontraída.

— Eu conheço bem minhas filhas. A princípio elas se reservam, não falam muito. Depois não agüentam a voz do coração e se derretem.

— Então ela vai me evitar um pouco?

— Com certeza. Mas não se incomode. Espere. Ela voltará a ser tão amorosa, gentil e amiga como antes.

— Será, Belinda?

— Com certeza! — sorriu largamente. — Vai por mim. Agora ela está com problemas com o marido. Acho até que está assim por causa da gravidez. Vamos aguardar.

— Estou ansiosa. Não sabe como amo suas filhas!

— Gostei de ouvir isso!

— A única coisa que me preocupa, Belinda, é vê-la desse jeito com o Will.

— A mim também. Contudo, sinto uma esperança muito grande.

— Posso tentar falar com ela?

— Vá em frente! Só não sei como a Dani vai reagir, a princípio. Lembre-se do que lhe falei.

— Em todo caso, vou tentar.

— Mudando de assunto... Viu o que nossa amizade rendeu?! — exclamou Belinda empolgada.

— Três netos! — exclamou a outra, dando um gritinho engraçado.

— Dois, Maria Cândida! — riu.

— Ah! Considero o Will e a Dani como filhos! Deixa o nenê deles ser meu netinho também?! Deixa, vai?! — pediu brincando, com jeito mimado.

A outra fez uma expressão graciosa, como criança dengosa, e respondeu:

— Deixo, vai. Só um pouquinho!

Riram e continuaram conversando.

A verdadeira amizade é sincera. Não omite, considera, respeita e entende.

21

A CHEGADA DE TIFANIE

Na espiritualidade, Carina envolvia sua pupila com ternura a fim de Danielle compreender tudo o que acontecia. A mentora se deixava ver por Desirée para que a outra entendesse.

— Eu nunca acreditei muito em anjos da guarda, porém vocês existem.

Carina sorriu com generosidade e explicou:

— O nome anjo dá a impressão de falarmos a respeito de uma criatura perfeita, nobre, superior. Pensar que o Pai da Vida criou um ser superior, sem erros, não é correto. Toda criatura de Deus nasce simples e ignorante. Através das diversas experiências vamos evoluindo, compreendendo, amando e chegamos a um ponto que podemos ajudar pessoas queridas a se melhorarem.

— Você deve amá-la muito — tornou a outra. — Deixei-a tão abalada e doente... Foi você e o Raul quem recolheram aqueles espíritos doentes e infelizes que estavam ao lado dela, não foi?

— Sim. Fomos nós.

— Você e a Danielle foram parentes? — quis saber Desirée.

— Não. Nunca. Somos grandes amigas. Quando eu soube que a Danielle viveria junto com o querido Raul, para se harmonizarem, pedi para ampará-la, inspirá-la para que ele fosse bem cuidado. Amo o Raul.

— Espere! Como assim?! Você cuida da mulher que se casou com o seu homem?!

— Não. Eu cuido de uma alma muito querida, que tratou com amor e carinho uma alma que eu amo muito e que me ama também. Por querer bem ao Raul, eu inspirei Danielle para que tivesse delicados e generosos cuidados com ele, mesmo que por pouco tempo. Por isso, hoje, o Raul está bem, recomposto, equilibrado e realizado. Livre dos martírios dolorosos da própria consciência. Se o meu propósito era ficar ao lado dele como amiga, parceira, companheira fiel eu consegui com muito sucesso. Agora, o Raul está liberto de pesadas experiências de vida e, juntos, viveremos bem melhor, mais felizes com certeza.

— Vocês já foram casados?

— Por várias vezes! — expressou-se sorridente. — Somos almas afins. Deus não cria almas gêmeas, mas nos permite e ensina viver aos pares. Se observar a natureza, verá pares em tudo: branco e preto, dia e noite, macho e fêmea... Somos espíritos libertos sim, mas quando encontramos um complemento, vivemos com o nosso par, entendendo-nos, amando-nos, colaborando um com o outro, ajudando em diversas etapas evolutivas. Isso é amor incondicional.

— Será que eu também tenho um complemento?

— Lógico! Todos temos. Creio que, no momento que abandonar essa possessividade que sente pelo William, tudo vai mudar para você.

— Eu queria que ele fosse a minha outra metade.

— Quando conhecer sua outra metade, mudará de idéia — sorriu Carina de modo enigmático.

— Acho que estou longe disso — tornou Desirée desalentada.

— Você é que pensa! Permita-se viver de novo. Faça o bem e não desista. Agora venha. Quero que converse com aquele espírito perturbado que colocou ao lado de Charlaine para ela assediar William. Depois voltaremos para orientar Danielle.

— Diga-me uma coisa — pediu Desirée. — Aquela criancinha, filha da Danielle, que nasceu morta nos braços do Will, quem é? E por que aconteceu aquilo?

— Ela foi filha do William e da Danielle. Morreu no ventre da mãe, em tempos remotos, por causa das agressões que ela sofreu do marido, que era William. Hoje ele teve a oportunidade de ter em seus braços a filha morta por sua culpa naquela época. Aprendeu a ser muito mais sensível, a enfrentar situações ao lado de Danielle. O propósito de a criancinha nascer morta era para ele se chocar como não fez quando pai. Agora ela está de volta. É a filha que Danielle espera e ele só vai poder acompanhar de longe, apesar de estar bem perto, tudo o que desprezou no passado.

— Só mais uma coisa. — Carina ficou aguardando e Desirée comentou: — Fui eu quem inspirou o George a sabotar a lancha para que William e Danielle morressem. E agora?

— O George será responsável pelo que fez e você também. É algo que já está feito, não podemos mudar. Quero que saiba o seguinte: o William não iria para a infeliz guerra.

De qualquer modo, um acidente iria impedi-lo. Ele bateria o carro na semana que voltasse de viagem e ficaria exatamente como está. O William precisava experimentar os efeitos do que fez Danielle sofrer quando a agrediu. Seu caso não foi pior, por ele ter mudado muito, ter se transformado bastante intimamente e tratado a esposa extremamente bem. Se não fosse por isso, ele ficaria com seqüelas maiores do que o leve andar manco que vai lhe restar. Por outro lado, ele não precisava ir para essa guerra. Contudo necessitava acostumar-se com hospital, sangue, enfermidades para poder encarar normalmente a vida. Não podemos ser omissos e fugir das situações. O que aconteceu foi que você e o George, simplesmente, anteciparam os fatos.

– Se o Will precisava sofrer um acidente, então eu e meu irmão não temos débitos!

– Está muito enganada pensando assim, Desirée. Um acontecimento natural, espontâneo implica a vontade de Deus. Quando uma tragédia é provocada por um ser humano ou por um grupo, significa muito ajuste e reparação. Veja o seu caso. Se o grupo terrorista não tivesse provocado o atentado de 11 de setembro, você não teria desencarnado ali, porém estaria em alguma outra tragédia natural, como um terremoto ou um furacão... Algum lugar onde uma destruição ceifaria a sua vida sob escombros. Aqueles que provocaram os ataques às Torres Gêmeas são responsáveis e vão harmonizar o que fizeram. Deus não criou um ser humano para tirar qualquer vida. Agora vamos.

* * *

A perícia solicitada por Oscar para a lancha acidentada acusou danos criminosos que provocaram o desastre. Investigando mais a fundo, encontrou um mecânico de barcos o qual confessou ter recebido grande valor de George para fazer aquele serviço.

Indignado, o senhor investia contra o filho.

— Eu sabia o quanto era invejoso, traiçoeiro, mas nunca imaginei que chegasse a tanto!!! Não sabia que tinha um monstro como filho!!!

— Calma, pai! — pedia Edwin, tentando amenizar os ânimos. — Não fique nervoso!

— Estou desgostoso!!! Decepcionado!!! Arrasado!!! Ele matou o próprio tio!!! O meu irmão!!! Como eu não desconfiei?!!! Agora tentou a mesma coisa contra o Will!!! Tudo por causa de um cargo!!! Quem seria o próximo?!!! Eu?!!! O seu irmão?!!!

— Oscar, calma! — implorava a esposa muito nervosa, chorando algumas vezes. — Vamos resolver isso. Tenho certeza de que o George...

— Você não tem certeza de nada!!! Soube só proteger o George e a Desirée!!! Por isso eles se tornaram monstros!!! O Edwin e a Olívia são melhores porque você não os mimou! Repreendia-os! Dava limites! Exigia! Quanto aos outros dois!...

— Pai, calma — tornou Edwin ao vê-lo inconformado.

— O que eu faço agora?! Chamo a polícia para o meu próprio filho?!!!

— Pense um pouco, pai — dizia novamente o filho.

— Se eu parar para pensar e me distrair, ele é capaz de me matar para ficar com a presidência!!!

— Pode chamar a polícia! Faça o que o senhor quiser! Estou indo para minha casa!

— Não!!! — berrou o pai enfurecido. — Vou decidir agora o que fazer!

— Calma, Oscar — implorava a esposa.

Sem lhe dar importância, o homem exigiu:

— Edwin, chame os advogados aqui, agora! O George não faz mais parte do quadro da empresa. Não tem qualquer poder sobre a companhia aérea nem na rede de hotéis. Ele só terá os imóveis que estão em seu nome, que é a mansão onde mora e a casa em Côte Vermeille. Nada mais! Estou deserdando-o hoje! Ele não tem direito sobre mais nada. Tudo o que eu tenho, tudo o que meu pai e o seu tio conquistaram, será dividido entre você, sua irmã e o William, que considero meu filho. Agora, mais ainda! A partir de hoje, George, você não é mais o meu filho! E faço isso para não chamar a polícia! Para não mandá-lo para a cadeia por homicídio e tentativa de homicídio!

Maria Cândida ficou transtornada, mas o marido fez exatamente o prometido.

* * *

Ao procurar por William, que acabava de retornar para casa após a cirurgia na perna, Oscar contou-lhe tudo e pediu:

— Desculpe-me, William. Considero você como meu filho, mas não posso chamar a polícia para o George. Apesar de tudo o que falei e fiz, ele é o meu filho.

— Eu sei. Não vou pedir que o senhor faça nada contra ele, porém não posso aceitar o que me oferece. Não é justo.

— William, estou velho. Já passei dos oitenta, sabia? — riu. — Sei que não parece, entretanto não sou tão jovem quanto aparento. — Falou de um jeito engraçado e ambos riram gostoso. — Tenho muito dinheiro. É muita fortuna para os meus dois outros filhos. Acredito que tenho algum débito com você de outra encarnação, pois gosto muito de você, rapaz! Se não quiser, administre bem esse dinheiro. Faça uma fundação filantrópica, sei lá... Ou continue ajudando as instituições que eu sei que ajuda.

— Cada dia que passa, entendo que o dinheiro não é tudo. Nunca fui ganancioso, no entanto o dinheiro vem de forma fácil para mim. Porém o que mais quero na vida, não posso comprar...

— O que está faltando para você?

— Quem eu amo.

— A Danielle voltou. Está aí.

— Não. Não como o senhor pensa. Ela só cuida de mim. Sempre atenta a tudo o que preciso. No entanto... — Alguns segundos e perguntou: — O senhor se lembra daquele carinho, daquela dedicação amorosa e constante que ela tinha com o Raul? — O homem acenou positivamente com a cabeça e ele prosseguiu: — Não é assim comigo. Ela age como se fosse minha enfermeira. Apesar de carregar, todo o tempo, o meu filho. Quase não fala, não conversa. Sabe... Hoje, aqui como estou, nesta cama, posso afirmar, com certeza, que tenho inveja do Raul. Eu gostaria que ela cuidasse de mim e me tratasse como fez com ele, pelo menos, por um dia.

Comovido, o senhor comentou:

— Danielle largou o emprego para cuidar de você. Precisa levar em consideração que, se ela fez isso, tem um grande sentimento e preocupação por você. Acredito que, se está assim, provavelmente, é por causa da gravidez. Ela está sensível. Toda mulher fica desse jeito nessa fase. Você não pergunta como está o nenê?

— Lógico! Todos os dias. Preocupo-me tanto com ela. O senhor não imagina. Tenho muito medo que fique hipertensa como aconteceu na outra gravidez. Fico apavorado com a idéia. Ela diz que está bem, mais nada. Antes da cirurgia na minha perna, quando estava só imobilizado, quis ir ao médico com ela, mas não deixou. Não me ajudou a me arrumar e se foi antes que eu conseguisse. — Muito sentido, desabafou: — Sabia que nunca me deixou tocar sua barriga?

— Não sei o que dizer, Will. Não sei como posso ajudá-lo. Só se... E se eu falasse com a Charlaine? Posso mandar procurá-la e pedir que converse com a Dani.

— Não! Não confio nela. Poderá não dizer a verdade sobre o que aconteceu. Poderá dizer que fui eu quem a assediou e não foi verdade. Tenho medo de arriscar. Não posso confiar em uma mulher que foi capaz de fazer o que fez.

Desde quando o marido começou a falar que ela agia como se fosse sua enfermeira, Danielle ouviu atrás da porta, sem querer, pois chegava ao quarto levando uma bandeja com xícaras de café.

Ela parou e ficou pensativa por algum tempo. Da forma como William falou de Charlaine, ele só poderia ter dito a verdade. Porém, no minuto seguinte, acreditou que ele deveria ter agido diferente e lhe contado tudo assim que ocorreu.

Em seguida, entrou no quarto e ofereceu-lhes o café como se nada tivesse escutado.

* * *

O tempo foi passando lentamente e William se recuperava. As tonturas diminuíram consideravelmente, sua visão não ficava mais turva e os exames eram considerados normais. Danielle observava o esforço de o marido insistir em andar, com dificuldade, apesar da dor.

Foram feitas longas seções de fisioterapia e, além disso, William ainda se exercitava com equipamentos de ginástica que tinha em casa.

As dores de cabeça reduziram de freqüência e intensidade. Quase não as tinha mais.

Certo dia, à distância, observava-a atento e emocionado. O ventre da esposa era bem visível e ela estava ainda mais linda.

Não resistindo, foi até a sacada onde Danielle se encontrava encostada de lado no guarda-corpo e com o olhar perdido na bela vista. E ele ficou a sua frente.

Ela o olhou surpresa e perguntou:

— O que foi? Você está bem?

— Estou. Fiquei reparando em você. Está tão bonita! — sorriu generoso. Os lindos olhos azuis de William brilharam por sua emoção. Com o coração aos saltos, levou a palma da mão em sua barriga e perguntou com ternura: — Posso?

Danielle pareceu perder o fôlego e não disse nada. Lembrou-se de quando, na outra gravidez, andavam na praia e, como amigo, lhe fez o mesmo pedido. Ao vê-la paralisada, sem saber o que dizer, ele acariciou-lhe o ventre e sorriu. Emocionado, cedeu às lágrimas. Em seguida falou, sorrindo:

— O que será que é?

— É uma menina — respondeu Danielle, olhando-o firme.

— Menina! — iluminou-se no mesmo instante. — Quando soube?

— Há um mês — respondeu séria.

— Por que não me contou? — quis saber com um tom triste na voz.

— Não sei.

Ela ia se retirar quando William pediu com ternura:

— Deixe-me acariciar, por mais tempo, a minha filha. Você me disse, certa vez, que barriga de grávida não tem dono. Posso não significar mais nada para você, mas sou o pai dela. Ela merece o meu carinho e eu o dela.

Danielle ficou paralisada por alguns segundos. Estava quase chorando e não queria que ele percebesse. Virando-se rápido, não disse nada. Deixou-o sozinho na sacada e foi para o quarto.

* * *

William perdia as esperanças a respeito de a esposa compreender tudo o que aconteceu e desculpá-lo. A cada dia ficava mais triste, calado. Não sabia o que fazer. Só poderia se dedicar aos exercícios físicos, que o ajudariam a andar melhor. Recolhia-se sempre em prece, pedindo pela filha, por Danielle e por sua saúde. Em uma dessas ocasiões, sentiu algo estranho. Erguendo o olhar para o ambiente na penumbra, teve a nítida impressão de ver Raul no canto de seu quarto. Ele estava em pé e sorrindo e o envolveu em pensamento. Surpreso, assustou-se e chamou:

— Dani!!! Vem cá!!!

Ela estava no outro quarto. Ao ouvi-lo, levantou-se apressada e foi até a outra suíte.

— O que foi?! Você está bem?!

— Dani! Dani!

— O que aconteceu?! — perguntou, sentando-se ao seu lado, passando-lhe a mão na testa. Ele, ofegante, não conseguia dizer nada. — Fala, Will!

— Dani... Estou bem. É que...

— Fala! Não me deixe assim!

Ao vê-la nervosa, contou:

— Eu vi o Raul. Ele estava ali — apontou. — Em pé e sorrindo.

— Pare, Will! Não diga isso! — pediu, aproximando-se do marido e agarrando-o pela camiseta.

— Calma — pediu, envolvendo-a com carinho. — Levei um susto. Mas... Não é nada ruim. — Ela recostou-se em seu peito e o abraçou. William podia senti-la trêmula e começou a afagá-la com ternura.

— O que mais você viu? — perguntou murmurando.

— Só o Raul. Ele estava diferente de quando o conheci. Seu cabelo estava comprido, preto, liso como o meu. Estava mais forte. Bem saudável, com uma aparência ótima. Sorria e parecia me dizer...

— O quê? — indagou, afastando-se um pouco e encarando-o firme.

— Para eu ter fé. Que é só uma fase. Que iria passar.

Desejou-me bênçãos e sorte. — Ela sentou-se direito e ficou quieta. Cabisbaixa, parecia reflexiva. Preocupado, perguntou:

— Você está bem?

— Estou — sussurrou.

— E o nenê? — tornou ele, colocando a mão sobre a barriga.

— Está bem — respondeu, colocando a mão sobre a dele e olhando-o de modo indefinido.

— O que o médico tem dito? Como está sua pressão?

— Está controlada. Ele disse que está tudo bem. Não estou hipertensa.

— Fico muito preocupado com você. Não quero que aconteça de novo — falou de modo carinhoso.

— Não vai acontecer. Estou bem e estou atenta — respondeu no mesmo tom.

— Você conversa com ela? — quis saber com lindo sorriso no rosto.

— Converso — respondeu com ternura e retribuiu o sorriso.

William a acariciou por longo tempo e ficaram ali, parados, em silêncio.

Após alguns minutos, Danielle se levantou e decidiu fazer um chá para o marido. Ao retornar com duas canecas, entregou-lhe uma e pediu:

— Posso ficar aqui com você? Estou com medo. Não quero ver o que viu.

— Vem cá! Deita aqui — convidou, levantando a coberta. — Desculpe-me se a assustei. Não deveria ter lhe dito nada. — Tendo-a perto, afagou-lhe o ventre e começou a conversar com a filha. Emocionava-se ao senti-la mexer levemente.

Quieta, calada, a esposa passou a noite ao seu lado. Só aquela. Nas seguintes, voltou para a outra suíte.

Contudo, após esse ocorrido, Danielle parecia mais flexível com William em alguns momentos, dividindo assuntos e comentários sobre a gravidez.

Certo dia a mulher estava sentada no sofá com as pernas esticadas. William acomodava-se em uma poltrona e assistiam à televisão. Inesperadamente, ela sobressaltou-se, sorriu e deu um pulo. Sentando-se direito, quase gritou:

— Vem ver!!! Vem ver!!! Olha!!!

— O que foi?! — perguntou assustado, indo ao seu lado.

O marido abriu largo sorriso, quando Danielle pegou sua mão e colocou sobre sua barriga, falando emocionada:

— Ela nunca mexeu assim! Sente só!

Com as duas mãos em seu ventre, o pai percebeu o movimento muito abrupto que não parava. Ele começou a sorrir sem parar, enquanto seus olhos se enchiam de lágrimas. Não teve palavras. Sentando-se ao lado dela, curvou-se e beijou-lhe demoradamente a barriga que acariciava. Depois encostou o rosto com carinho e falou com voz meiga:

— O papai está aqui, viu?! Bagunceira!

A esposa se emocionou e secou as lágrimas antes de ele ver. Esperou William se erguer e perguntou:

— Você tem algum nome de sua preferência?

— Para ser sincero, tenho. — Ela ficou no aguardo e, em alguns instantes, contou: — Uma vez eu estava correndo no Jardim de Luxemburgo e encontrei uma garotinha chorando.

Ela havia machucado os joelhos. Estava bem arrumadinha, com lacinhos nos cabelos e tinha lindos olhos azuis. Havia se perdido do pai. Eu a peguei no colo e brinquei com ela para que parasse de chorar. Depois perguntei o seu nome e ela respondeu. Era uma menina muito esperta. Tinha três anos. Enquanto eu procurava os guardas, encontrei o pai, desesperado, com dois guardas procurando-a. O homem agradeceu muito e disse que ela brincava de esconde-esconde, atrás de umas árvores gigantescas que tem lá. Ele contou que foi atender o celular por um instante. Distraiu-se e, quando desligou, não encontrou mais a filha. Não sei por que, mas isso foi muito marcante para mim e... — sorriu. — Eu me imaginei no lugar dele, ali, brincando com minha filha. Pensei que, quando isso acontecesse, nunca iria atender o celular. Sempre me recordo disso e não esqueci o nome da menininha.

— Qual era? — perguntou sorrindo. Parecendo contente por ouvir a história.

— Tifanie. O nome dela era Tifanie.

— É um nome lindo! — disse incrédula e emocionada, sorrindo largamente.

— Você gosta mesmo?!

— Adorei. É lindo! — sorriu. Mas não contou que sempre quis esse nome para sua filha. Quando ele pegou sua mão e a encarou, Danielle se afastou. Levantou-se e disse: — Vejo que você está bem melhor e...

Diante da demora, ele perguntou:

— E?...

— Eu conversei com o Edwin e pedi meu emprego de volta, pois desde o acidente não fui mais trabalhar. Ele me disse que precisaria de alguém para substituir a encarregada do setor de *designer*, em Londres, cerca de dois ou três meses. Eu aceitei.

— Em Londres?!

— É. Viajo na próxima semana para arrumar uma casa e conhecer o serviço. Só que... Se não se importar, vou levar a Meg junto.

— E o pré-natal?

— Eu estou bem. Penso em mudar e consultar o mesmo médico que cuidou da Nanci. Não posso viajar para Paris sempre e... Apesar de não estarmos juntos, eu sei que quer que sua filha nasça em Londres. Vou respeitar seu desejo, até porque, eu também quero que ela nasça lá.

— Dani, você vai deixar tudo terminar entre nós?

— Quando eu estiver instalada, podemos cuidar do divórcio.

William a olhou incrédulo. Como ela podia ser tão fria? Por que não acreditava nele? Mesmo que não acreditasse, poderia perdoar-lhe, por algo que ele fez.

Levantando-se, parou frente a ela e tentou falar com tranqüilidade, mas não conseguiu. Emocionou-se até a alma e, com lágrimas, disse:

— Eu poderia dificultar o divórcio, você sabe. Faria isso pelo simples fato de amá-la demais. Só para atrasar nossa separação. Mas não vou fazer isso. Seria um desgaste muito triste para nós três. Eu lamento muito. Não imagina quanto. Não acreditava que você pudesse ser tão dura, tão fria e tão cruel. Faça como quiser. Na partilha dos bens, leve tudo, pois o principal, que é o seu amor e a minha filha, você está levando de mim. Então o resto não tem importância.

Retirando-se da sala, deixou-a sozinha.

De alguma forma, William conseguiu comovê-la.

Na espiritualidade, Raul o inspirava e Carina envolvia Danielle.

O mais difícil, no entanto, seria fazer Danielle romper os laços com o orgulho, voltando atrás em sua decisão.

* * *

Naquele início de noite, Maria Cândida foi visitá-los como quem ignorasse a decisão de Danielle sobre voltar a trabalhar.

William a recebeu com satisfação. Avisou que a esposa estava na sala de televisão e havia dormido no sofá.

— Eu a cobri agora pouco. Nem desliguei a televisão, pois sempre que fazem isso comigo, acordo.

— Deixe-a descansar. Depois converso com ela. — Após um momento, comentou: — Você está bem melhor. Sua aparência está ótima.

— Devo concordar — expressou-se animado. — Quando cheguei do hospital, assustei-me comigo mesmo — riu.

— A Dani está cuidando bem de você.

— Realmente está.

— Pelo visto a gravidez está bem tranqüila, não é? Tudo corre normalmente.

— Sim. Elas estão ótimas. E a Dani está muito linda também.

— Vocês dois formam um casal muito atraente, simpático, bonito! Quero ver como essa menina vai ser! Não importa a quem puxar. Já escolheram o nome?

— Tifanie — respondeu com sorriso luminoso.

— Que lindo! Adorei! E... Já decidiram onde ela vai nascer?

— A Dani resolveu voltar a trabalhar até o nenê nascer. Conversou com o Edwin e ele encontrou uma colocação temporária para ela. Em Londres — desfechou em tom amargo.

— Em Londres?! — tentou parecer surpresa. — Você vai junto?

— Não. Talvez em menos de um mês, eu volte a trabalhar. Espero. Preciso retomar minha vida. Não será fácil, para mim, após o divórcio.

— Divórcio?!! Que divórcio?!! — assustou-se de verdade.

— A Dani me pediu o divórcio. Disse ser o que quer, após se instalar em Londres — revelou com um travo de angústia na voz grave.

— Ela não pode fazer isso! — Ele a olhava de modo fixo, sem expressão no rosto pálido. Maria Cândida, após minutos de perplexidade, perguntou: — Will, você acha que a Dani alterou tanto, como a Belinda disse, por causa de eu ter dito que ela foi minha filha?

— Para ser sincero, acredito que essa história mexeu muito com a Dani. Quando a dona Belinda se hospedou aqui, por alguns dias, conversou muito com ela. A Dani foi tomando consciência do que estava fazendo com o nosso casamento. Isso foi ótimo, porque eu não agüentava mais. Ela foi ficando mais segura, tranqüila e passamos a viver melhor. A senhora não imagina. No entanto, aquela maldita situação com a Charlaine, acabou com nós dois e com o nosso casamento. Não tenho como provar que nunca tive nada com aquela infeliz e a Dani não acredita em mim.

— Eu posso conversar com ela a respeito disso?

— Sim, se quiser.

— De certa forma, eu me sinto culpada por tudo. Refleti bastante a respeito e entendi que eu quis mudar a vontade de Deus e ter minha filha de volta. Saber que ela está vivendo bem, não foi suficiente para mim. Fui egoísta e quis acolhê-la como não fiz no passado, quando a deixei com minha mãe e vim morar na Europa. A Dani talvez tenha se empolgado com algumas lembranças que teve do passado e eu alimentei essa ilusão de viver duas vidas: a de continuar sendo minha filha e, paralelamente, filha da Belinda. Toda essa situação não a deixou se concentrar na realidade. Ela se desequilibrou e não soube lidar com os acontecimentos na vida de vocês. Junto com um processo espiritual obsessivo, não teve opinião, força, equilíbrio.

A aproximação de Danielle chamou-lhes a atenção. Maria Cândida se levantou alegre e foi cumprimentá-la.

William as deixou conversando e se retirou.

Quando começou a falar no assunto, educadamente, Danielle pediu:

— Por favor, eu não quero mais tocar nesse assunto nem com a senhora nem com ninguém. Quero viver a vida com meus erros e acertos. Quero viver o meu presente.

— O Will me disse que quer o divórcio.

— É um assunto nosso. Nem minha mãe sabe disso. A decisão foi minha.

— Sinto muito, Dani. O que posso fazer para ajudar?

— Deixar que eu siga meu caminho. Seja somente minha amiga, como foi de minha mãe.

Foi difícil para Maria Cândida aceitar o que ela queria, porém Danielle estava muito consciente do que fazer.

* * *

Como desejava, Danielle se mudou para Londres e permitiu que William a visitasse conforme ele pediu. Eles conversavam e pareciam conservar a amizade.

A gestação corria maravilhosamente bem. Ela fazia o pré-natal com o médico indicado por Nanci. Queria ser bem assistida, quando fosse dar à luz Tifanie. Nem de longe gostaria de passar o que experimentou em Long Island quando sua filhinha nasceu morta.

A cada quinze dias, William viajava para a Inglaterra. Passavam o dia juntos. Conversavam, almoçavam e ele pernoitava em um hotel. A esposa nunca o convidou para que dormisse em sua casa, uma residência pequena e encantadora. Um chalé de madeira e pedras a meia hora da cidade. William nem sequer conhecia o chalé. Sabia que havia uma lareira em cada cômodo para aquecer nos dias frios, pois a neve era bem densa no inverno. O lugar era lindo e magnificamente silencioso.

Danielle morava sozinha. Não tinha vizinhos por perto. Somente Meg lhe fazia companhia. Precisou comprar roupinhas de lã e até sapatinhos para vestir na cachorrinha nas noites de frio e o bichinho parecia gostar.

Mesmo estabilizada, quando se encontrava com o marido, ela nunca falou a respeito do divórcio.

Sempre conversava por telefone com sua mãe, que havia voltado para o Brasil, e dizia não saber o que fazer a respeito de seu casamento.

— Isso é orgulho besta, Danielle!!! — zangava-se Belinda. — Por que está se castigando tanto?!

— Não estou me castigando, mamãe.

— Então o que está fazendo aí, nesse fim de mundo, sozinha?! Quase sem recursos!

— Não vivo sem recurso! Quem disse isso?! O meu chalé é encantador! Tem de conhecer!

— A Nanci e o Edwin disseram que é longe da cidade. Que os vizinhos são longe. Vivo morrendo de preocupação com você! Está distante de tudo e de todos. Se a sua irmã não estivesse aqui, eu iria para aí agora! — Após alguns instantes, comentou amorosa: — Oh, filha... Eu não quero que aconteça o que ocorreu na outra gestação.

— Não vai acontecer. Eu estou muito bem. Moro a meia hora do centro de Londres, mamãe. Não enfrento engarrafamento. Por favor! Aqui é ótimo!

— Está longe sim, filha. Perto de estranhos e distante daqueles que a amam. Que fazem tudo por você. O Guilherme e a Olívia estão em Berlim. A Nanci e o Edwin estão aqui, visitando-me. A Maria Cândida, na França. Até o seu marido você não quer aí. O que pensa da vida, filha? Faz dias que estou lhe falando isso! E se acontecer alguma coisa com você, aí, sozinha?

— Não vai acontecer nada. Falta, praticamente, um mês para a Tifanie nascer. Quando estiver mais perto, daqui uns quinze dias, vou para a casa da Nanci. Até lá ela estará de volta. O Will disse que vem pra cá. E... Se algo acontecer antes, o irmão e a cunhada do Will podem me ajudar até ele chegar. É gente boa. A senhora conheceu no casamento.

— Eu vou para Londres junto com a Nanci. Semana que vem estou aí. Cuidarei de você e da minha netinha, quando ela chegar. Sabe disso.

— Sei, mamãe, eu sei. Depois, todos passaremos o Natal juntos! Vai ser o máximo! Ai! Não vejo a hora! — deu um gritinho engraçado.

— Estou preocupada, filha — tornou Belinda, séria. — Por que não está com o seu marido, em seu apartamento? Tinha uma vida ótima, Dani! Um homem bom ao seu lado. Por causa de uma besteira, de uma secretária imbecil que ninguém sabe onde está, você...

— Mamãe — interrompeu-a —, a Charlaine me telefonou — contou pausadamente.

— O quê?! O que essa maldita queria?!

— Conversamos muito, ou melhor, ela falou bastante. Pediu desculpas. Contou-me exatamente o mesmo que o Will. Ela disse que não sabe explicar por que fez aquilo. Disse que gostava dele sim. Mas não queria estragar o nosso casamento e estava arrependida. Somente agora soube que eu estava grávida e havia me separado dele por causa do que ela fez.

— Você contou para ele?

— Não.

— Por que não?!!! — gritou Belinda. — Ligue para o seu marido e corra para os braços dele!!! Peça desculpas, filha!!!

— Ah, mamãe...

Belinda era envolvida por Raul para convencer Danielle a procurar o marido. Ela percebeu que a filha chorava em silêncio e aconselhou, com jeitinho, tocando em seu ponto fraco:

— Eu sabia que, para me ligar a essa hora, tinha acontecido alguma coisa. Mas não era para mim que deveria ter telefonado. Era para o seu marido. Você está arrependida do que fez e precisa procurar o Will o quanto antes. Se não fizer isso logo, quando decidir, pode ser tarde demais.

— Por quê?!

— Cada dia que passa, o seu marido se vê mais longe de você e acha que não há possibilidade de voltarem. Ele pode arrumar outra, se é que já não arrumou.

— Ele não fez isso!!! Não pode fazer isso!!! A filha dele vai nascer!!!

— Foi você quem o deixou livre! Talvez ele não tenha lhe contado por causa da gravidez. Está só esperando a filha nascer e... Ele não vai correr atrás de você a vida inteira! Você acredita que vai?!

— Não... Ele... Ele não pode arrumar outra! Não nos divorciamos. O Will me vê a cada quinze dias e não falou nada.

— E daí?! — O silêncio foi absoluto e longo. Depois, Belinda prosseguiu: — Dani, preste atenção, filha. Sei que você está arrependida. Não se sente bem por estar longe dele e... Você o ama, Danielle! Assuma isso! Faça alguma coisa agora, antes que seja tarde! Diga que acredita nele, que se arrependeu! Que perdoa! — A filha não respondeu. — Dani?! Está me ouvindo?

— Estou... — chorava sem deixar que a mãe percebesse. — Hoje é quarta... Na sexta à noite ele vem a Londres. No sábado nos vemos.

— Você não vai esperar até sábado! Ligue hoje! Agora!

— Está nevando muito, mamãe.

— E o que tem a neve com o telefonema, Danielle?! — zangou-se.

— Ele vai querer vir para cá agora, se eu ligar. O tempo não está bom para voar e... Se conseguir um vôo, talvez não chegue aqui por causa da neve. Na sexta, o tempo vai melhorar conforme a previsão.

— Danielle, se estivesse aí, eu lhe daria muitas palmadas!!! — gritou.

— Por quê?!

— Agora que me diz que está nevando! Que pode estar isolada! Você não tem responsabilidade! E se te acontece algo, menina?! E se você passa mal?!

— Estou ótima, mamãe. Acredite em mim!

— Tá bom!... — suspirou fundo e tentou se acalmar. — Vou acreditar. Só que, amanhã, você vai para a casa da sua irmã no centro de Londres. Está me entendendo?! Os empregados estão lá e vão cuidar de você até eu chegar!

A filha riu e, para contentá-la, aceitou:

— Está bem. Pode deixar.

— Dani?!

— Oi!

— Liga para o seu marido. Conversa com ele — pediu com jeito meigo.

— Desde que me mudei, nunca telefonei para o Will, mamãe... — tornou em tom triste.

— É hora de ligar e você sabe disso.

— Tudo bem. Eu ligo.

— Dani, só mais uma coisa!

— O quê?

— A sua irmã não quer que eu conte ainda, só que... Você terá mais um sobrinho ou sobrinha!

— A Nanci está grávida de novo?! Que legal!!!

— Deixe que ela te conta, tá? — tornou alegre.

— Pode deixar. Nossa! Estou muito contente por eles!

Conversaram durante mais algum tempo, depois se despediram.

Ao desligar, pensou em William e sentiu uma infinita e profunda tristeza.

Sua mãe tinha razão. Ela o deixou livre e a cada dia ele se sentia mais distante e descompromissado dela.

Lembrou-se de como eram felizes, dos passeios pela cidade, das visitas aos museus que não conhecia, de todos os programas que faziam juntos, das flores que o marido lhe mandava ou da delicada rosa solitária, muitas vezes, com um simples bilhetinho apaixonado. William realmente era muito romântico. Gostava quando lhe ensinava as coisas e de quando ele ficava narrando sobre a história de Paris como se fosse um guia turístico.

Ela sorriu por um instante ao recordar de seu sorriso iluminado, o seu riso gostoso de ser ouvido, seu jeito aristocrático e bem britânico, sua educação polida e seu jeito carinhoso.

Era tão fácil amá-lo. Era tão bom amá-lo.

Por que aquele ciúme idiota, que não a deixava viver bem? Por que não disse que acreditava nele quando viu a verdade em seus olhos? Por que foi tão dura e fria não o deixando participar da gravidez, aproximando-o da filha desde o início?

Tantas perguntas e nenhuma atitude.

Lembrou-se da história da cidade de Paris, que William lhe contou. A cidade nasceu em uma ilha, foi palco de batalhas, destruições e pestes, mas se reconstruía a cada episódio. Agora era grande luzente, bela, perfeitamente linda. Como sua vida poderia ser depois de tantos reajustes, se William lhe desse uma chance.

Sentia tanto sua falta. Falta de seu carinho, de sua atenção. Como foi tola por se distanciar dele durante a gravidez. Por que não aproveitou os seus afagos, os seus carinhos... Em vez disso, afastou-se. Deveria ter sido tão bom.

Indo até o quarto, mexeu em um pequeno armário e pegou uma foto onde estavam juntos.

Uma dor apertou-lhe o peito e seus olhos se nublaram.

Eles eram lindos juntos. Sorriam ao se abraçar, colando um rosto ao outro.

Pensar em ficar sem ele, amedrontava-a.

Por que perder tempo? Por que jogar fora um amor tão bonito?

Danielle foi até a sala e ligou para William, que estranhou seu telefonema.

— Alô.

— Will?! — sua voz parecia assustada, como se tivesse medo de não ouvi-lo.

— Dani?! Tudo bem?! — preocupou-se. Ela nunca lhe telefonou desde que foi para Londres.

— Você está ocupado, Will?

Imediatamente, levantando-se da grande mesa de reunião, onde todos o olhavam com incrível atenção, ele respondeu sem se importar:

— Não. Não estou ocupado não. Pode falar — afirmou saindo do recinto, sem dar satisfação aos demais. Caminhou lentamente para a sala da presidência, que agora ocupava, e a ouviu com atenção.

— Eu parei de trabalhar essa semana — ela contou sem saber por onde começar uma conversa.

— A outra encarregada voltou?

— Sim. Voltou. Eu não posso assumir nada, digo, outra função, porque daqui a pouco o nenê vai nascer e...

Enquanto a ouvia, ele deslizava os dedos, como se fizesse um carinho, no porta-retrato sobre sua mesa, onde havia uma fotografia dos dois juntos, abraçados e sorrindo. A mesma foto que ela tinha em suas mãos. Ainda intrigado, estranhando a ligação e sentindo-a muito diferente, quis saber:

— Dani, está tudo bem mesmo? O nenê está bem?

— Está. Está sim.

— Tem certeza?

— Will...

— Fala — Podia ouvir sua respiração e percebeu que sua mulher estava chorando. Diante do silêncio, insistiu: — Dani, o que está acontecendo?

— Nada — tornou com voz embargada. Continuou, quase sussurrando: — Exatamente, nada... Eu não consigo parar de pensar em você e... Queria ouvir sua voz.

— Você está em casa?

— Estou.

— Sozinha?

— Sim. Quer dizer, eu e a Meg. Ela está aqui no meu colo.

— A Meg está bem? — indagou com graça, para animá-la.

— Está — falou sorrindo, e ele percebeu. — Sei que deve estranhar a minha ligação... É que estou angustiada. Ficar aqui sozinha me fez refletir muito sobre nós e... — Com voz de choro, declarou: — Eu te amo, Will. Queria que você estivesse aqui. Estou arrependida por tudo que lhe fiz. Eu te amo muito. Eu deveria estar junto de você.

— Dani, não chora. Está me ouvindo?

— Estou ouvindo, mas não estou chorando — respondeu com a voz embargada, tentando negar. — Só estou triste.

— Não fique assim. Pense no nenê. Ela não vai entender essa emoção e... — Enquanto conversava com a esposa, ele fez uma anotação, pegou um casaco pesado, típico para aquela época do ano e saiu da sala. Ao passar pela secretária, entregou-lhe um bilhete onde estava escrito: "Uma passagem para Londres. Agora!!!" — Dani, estou indo para a garagem. Talvez a ligação caia.

— Não desligue. Continue falando comigo. Preciso ouvir a sua voz.

— Se cair eu ligo de novo. Estou indo para nossa casa. Vou pegar meu passaporte para ir até aí.

— Está nevando muito, Will. A estrada está bem difícil.

— Eu chego. Acredite em mim.

A ligação teve de ser refeita algumas vezes e ele precisou desligar ao embarcar no avião.

As horas se arrastavam.

Já eram quase oito da noite e William não chegava.

Danielle achava-se aflita, inquieta. Andava de um lado

para outro a fim de se acalmar. Tentou ligar para o celular do marido, mas não conseguia. Só caía na caixa postal.

Onde William estaria? Ele nunca havia ido até o chalé. Será que se perdeu?

Ficar preso naquelas estradas à noite, a neve e o frio poderiam até matá-lo.

— Meu Deus! O que eu fiz?! — desesperou-se ela. — Ele já deveria ter chegado há mais de duas horas!

Foi por diversas vezes até a porta e viu que começou a nevar novamente. Fazia muito frio.

Pensou em ligar para sua mãe, ela saberia lhe aconselhar e confortar, mas não deveria ocupar o telefone. William talvez tentasse ligar para dizer que não estava conseguindo chegar.

Ela foi a todas as lareiras, colocou mais lenha e voltou para o sofá.

De repente Meg começou latir, latir muito.

— O que foi, Meg? O que você quer me falar? Ai, meu Deus! Estou sentindo uma coisa! Faça o Will chegar rápido, por favor — começou a rezar.

A cachorrinha não parava de latir e, mais uma vez, Danielle foi até a porta e a abriu para olhar. Inesperadamente, o animalzinho saiu correndo.

— Meg! Meg, vem aqui!!! Volte, Meg!!! — gritou. Saiu até o jardim, olhou a rua e não a viu. Entrou em casa, pegou um agasalho mais pesado e voltou ao portão.

Ao sair para a rua, totalmente deserta, decidiu voltar. Algo a impediu de ir atrás de Meg. Sentando-se no sofá, rogou:

— Deus, me ajuda! O que eu fiz?! Eu não deveria tê-lo deixado vir para cá com um tempo desses. O avião pode ter caído! E a Meg?! Ela vai morrer!

Pensar nisso a deixou ainda mais desesperada.

Na espiritualidade Raul e Carina a assistiam e tentavam acalmá-la.

O ranger do portão de ferro chamou-lhe a atenção.

Ela correu até a porta e a abriu. Era William. Ele chegava sorrindo, lindamente, e trazendo Meg dentro de seu casaco. Danielle não acreditou e correu ao seu encontro.

Depois de se abraçarem, ele a beijou com carinho e apertou-a contra o peito. Curvando-se, beijou-lhe a barriga e pediu, abraçando-a:

— Vamos entrar! Está frio demais!

Dentro de casa, Danielle abraçou-o ainda mais e o beijou com ternura.

— Você demorou tanto! Estava desesperada! Liguei para o seu celular e não atendeu. O que aconteceu?!

— Aluguei um carro no aeroporto e ele não é muito adequado para o gelo. Mas só havia esse modelo disponível hoje. Acho que alugaram todos os outros. No caminho, quando fui ligar para você, descobri que havia descarregado a bateria do celular — riu. — Também... Conversamos tanto! Precisei dirigir muito devagar. Foi terrível! — contava bem-humorado. — O carro derrapou no gelo e a estrada estava escura, totalmente deserta. Só as luzes das poucas casas e chalés, bem distantes umas das outras, iluminavam um pouco. Não conhecia bem o vilarejo. De repente, vi aquele cachorrinho, bem familiar, no meio do caminho

— sorriu. — Parei, abri a porta e eis que era a Meg! Então descobri que estava perto.

— Ela escapou quando fui olhar para ver se estava chegando. Ela havia começado a latir. Tinha percebido que você estava chegando. Que incrível! — sorriu admirada.

— É! Acabou me encontrando! Danadinha! — Tirou as luvas, o casaco pesado e o cachecol em torno do pescoço, depois o paletó, ficando só de suéter. Sentou-se, contemplou-a por algum tempo e a puxou em seu colo, afagando-lhe a barriga.

Aninhada em seus braços, olhou-o nos olhos e disse com voz meiga:

— Desculpe-me por tudo, Will. Sei que nada justifica o que eu fiz. Perdoe-me, por favor!

Ele sorriu. Colocando o indicador em seus lábios, pediu silêncio. Vendo-a se calar, disse:

— Não me lembre do que eu já esqueci. Amo você.

— Também te amo.

O marido a beijou com carinho. Acariciou-a por longo tempo e a olhava sempre, esboçando leve sorriso. Não acreditava no que estava acontecendo.

Encabulada, ela retribuiu o sorriso e falou com jeito meigo:

— Tem sopa, pão e queijo. Quer?

— Quero. Estou morrendo de fome. Não almocei hoje. — Dando-lhe um tapinha na perna para que se levantasse, falou: — Vou lavar as mãos e o rosto. Onde é o banheiro?

— Ali — apontou.

Danielle foi até a cozinha esquentar a comida e ele, após se lavar, procurou-a.

O marido parecia bem contente. Conversou bastante e se mostrava descontraído. Enquanto ela estava muito alegre, apesar de envergonhada por tudo o que o fez passar, não só naquele dia, mas também nos últimos meses. Fazia de tudo para agradar-lhe. Não parava de acariciar-lhe a nuca, vendo-o sentado à mesa, esperando a sopa esquentar.

Quando foi servido, ele perguntou:

— Não vai comer?

— Não. Eu andei tomando chá e comendo biscoitos... Não estou com fome — respondeu em pé, ao seu lado, afagando-lhe os cabelos.

William a abraçou, beijou-lhe a barriga e só depois, começou a comer. Ela acomodou-se ao seu lado. Não tirava os olhos dele e ficou ouvindo-o.

— Gostei daqui. O chalé é pequeno e bem aconchegante.

— Aqui é bem gostoso mesmo. Vai ver durante o dia. O lugar é lindo! Principalmente quando neva!

— É bem longe do serviço. Não era cansativo ir e voltar todos os dias?

— Não. Eu gosto. Sabe que acostumei andar de carro! Dirigir bastante. Não fiquei mais enjoada. Não é curioso? Eu enjoava, antigamente, quando andava de carro por muito tempo.

— E o seu carro?

— O Jipe?! Está lá na garagem. É lá nos fundos. Quem passa na rua não a vê.

Continuaram conversando. O tempo passava e ele reparou algo estranho: só ele falava.

— Você está tão quieta. O que foi?

— Acho que fiquei muito tensa com a sua demora. — Sorriu. Após alguns instantes, lembrou: — Ah! A Nanci e o Edwin querem que sejamos os padrinhos do Twiller.

— O Edwin já me falou e eu concordei. Só precisava ver com você.

— Será bom batizá-lo logo ou, então, terão de fazer dois batizados ao mesmo tempo — riu sem conseguir guardar segredo.

— Por quê? Vai querer batizar a Tifanie junto?

— Não estou falando da nossa filha. A Nanci está grávida novamente!

— Sério?!

— Não é para dizer nada. Deixe que ela conte. Foi minha mãe quem me falou hoje.

— Fico feliz por eles. Que bom!

Ao vê-lo terminar, perguntou:

— Quer café?

— Não. Obrigado. Estou exausto. Quero relaxar um pouco. — Ao observá-la séria e pensativa, propôs: — Vamos assistir a um filme juntos. Depois quero dormir até!... — riu.

— É. Pode ser — concordou de um jeito estranho, sem entusiasmo.

Danielle se levantou. Tirou o seu prato e colocou na pia. Ficou calada de repente. Parecia desassossegada.

Foram para a sala. Ligaram a TV e colocaram um filme. O marido a chamou para que ficasse ao seu lado. Ela aceitou, mas não parava sentada. Ia e vinha do banheiro. Fez pipoca e voltou para a sala.

William começou a se preocupar ao vê-la respirar fundo,

colocar as mãos nas costas, na altura dos rins e se esticar. Aquela cena lhe era muito familiar e ficou apavorado, lembrando quando a viu fazer aquilo. Sem demonstrar-se nervoso, perguntou muito sério:

— Dani, o que você tem?

— Eu não sei... É uma coisa... — contorceu-se como se quisesse alongar o corpo.

— Dani, o carro em que vim não é bom para a neve! Onde estão as chaves do seu Jipe? — quis saber levantando-se.

— Ali — apontou para um móvel. — Mas não vai adiantar. Ele não sai da garagem há dois dias por causa da neve.

— Danielle, pelo amor de Deus! Você não vai fazer isso comigo novamente! Você não tem juízo! — exclamou, indo ao encontro dela.

— Will, não fale igual a minha mãe! — disse meio irritada e parecendo aflita. — Acho que estou sentindo uma dor muito forte! Will, me ajuda! — pediu nervosa, quase gritando, como se implorasse. — Me leva para o quarto!

— Não! Vou levá-la para um hospital!

Apanhando um casaco pesado, ele a fez vestir. Agasalhou-se também e só pegou os documentos da esposa.

Conduzindo-a para o carro, percebeu que Danielle não estava bem. Sentia contrações e, provavelmente, entrava em trabalho de parto.

— Will, não vai dar tempo!

— Vai sim! Não vou passar pelo que já passei. Por Deus, não vou! Eu posso dirigir devagar e vamos chegar com segurança e a tempo. Confie em mim.

A distância até o hospital parecia ter dobrado de tamanho. Danielle gemia e, às vezes, gritava. O marido se concentrava no caminho, tomando muito cuidado para dirigir naquele terreno de gelo e neve.

Chegando ao hospital, Danielle quase não conseguia sair do carro. Segurou-o pela roupa e exigia que ele fizesse alguma coisa para a dor passar.

Colocaram-na em uma maca e correram para a emergência com o marido ao seu lado que, tentando acalmá-la, não percebeu que adentrou na sala onde a levaram.

— Will, quero uma peridural! Já combinei com o doutor Kurt!

— Não há mais tempo para uma anestesia, minha querida. O nenê já está nascendo! — avisou uma enfermeira sorridente.

— Eu quero o meu médico!!! — ela exigia, agarrando William pelo casaco.

— Se o seu marido o chamou, ele está a caminho — tornou a enfermeira, simpática.

— Will!!! Faça alguma coisa!!! É terrível!!! Não posso mais!!! — gritava.

— Pode! Você pode sim, Dani! — dizia calmo ao seu lado, oferecendo-lhe a mão que ela passou a apertar com força quando gritava. Enquanto ele a afagava com a outra.

Uma médica chegou imediatamente. Não houve tempo de nada. Nem de pedir para ele sair. O que ela fez foi amparar a criança que nasceu rapidamente. Quase num susto.

William ficou parado, petrificado, com um largo sorriso estampado no rosto onde lágrimas corriam incessantes.

— É uma menina! — anunciou a médica em meio aos gritos agudos da criança. — Uma grande e linda menina! — Oferecendo generosos cuidados à criança, perguntou: — Você é o pai?

— Sim. Sou eu — disse sorrindo, incrédulo.

— Então vem aqui, papai! Corte o cordão! — tornou a médica.

Ele se aproximou, pegou a tesoura oferecida e separou mãe e filha sob forte emoção de riso e de choro. Em seguida, voltou para junto da esposa, abraçando-a, beijando-a, fazendo-lhe carinho e secando suas lágrimas.

Tifanie foi entregue nos braços de Danielle, que não conseguia falar. Sorria e chorava de emoção enquanto beijava a filha.

* * *

O dia estava claro quando Danielle, deitada em um leito confortável e aquecido, acariciava o rosto da filha ao seu lado.

— Ela é linda! Parece com você! — disse o pai orgulhoso.

— Não. Parece com você. Os olhos são claros, os cabelos escuros.

— Será?! — duvidou, examinando-a curioso e feliz. — Não dá para ver os olhos direito. — Vaidoso, mudou de idéia e concluiu: — É! Você tem razão! Ela se parece comigo sim.

— Convencido! — falou, achando graça da forma como ele se expressou.

— Ela é sim! — afirmou de um modo engraçado. — Vou lhe mostrar minhas fotos de bebê! Vai ver!

— Obrigado, Will.

Ele a beijou com carinho, afagou-lhe os cabelos e comentou:

— Viu? Eu fiquei com você. Assisti a minha filha nascer!

— Eu vi! — sorriu de modo maroto.

— Foi tanta emoção! Fiquei tão envolvido que não tive tempo de pensar nada. Fiquei ali, acompanhando você. Quando ela nasceu... E chorou... Nossa! — contava empolgado. — Quando cortei o cordão!... Foi tanta emoção! Viu! Eu cortei o cordão!

Danielle começou a rir de seu jeito e não disse nada, enquanto o marido não parava de falar que assistiu ao parto.

Na espiritualidade, Raul, Carina e outros companheiros que os auxiliaram, observavam satisfeitos.

— Fiquei assustado. Tão preocupado quanto eles — confessou Raul. — Diante de tudo, William se saiu muito bem. Ficou calmo o tempo todo. Não perdeu o controle e ainda assistiu ao parto. Quem diria — sorriu.

— A Danielle... Sempre teimosa. Se tivesse ouvido os conselhos de Belinda, dias atrás, não precisariam dessa correria toda. Ainda bem que, inspirada por Raul, a mãe encontrou palavras que a comoveram e a fizeram ligar para o marido. Ele, sensível, atendeu a inspiração e foi ao encontro da esposa. Se não fosse isso, Danielle estaria sozinha quando tivesse a filha. Seria bem difícil. E olha que quase não deu tempo! — disse Carina, sorridente.

— Graças a Deus, deu tudo certo — disse um companheiro.

— Estou tão feliz pela Evelyn ter nascido entre eles.

— Tifanie! O nome dela agora é Tifanie, Raul! — riu Carina.

— É verdade. Estou muito feliz por isso. De certa forma sinto-me como pai dela, pois fui seu pai mesmo que por poucos meses, não é?!

Carina sorriu largamente, entendendo a satisfação de Raul e não disse nada.

Os demais companheiros se despediram e se foram.

— Agora, com Desirée aprendendo e se recuperando longe da crosta, tudo será bem diferente para eles.

— Será diferente para todos nós — concordou Raul, sobrepondo o braço em seus ombros, sentindo-se satisfeito.

* * *

Olhando para o marido, que não tirava o sorriso do rosto, Danielle perguntou:

— Ligou para minha mãe?

— Liguei. Contei tudo. Ela disse que vai lhe dar uma surra quando chegar aqui. Ficou bem zangada, mas por fim... Está louca para ver vocês duas. Acha que vem amanhã ou depois.

— Não vejo a hora de vê-la — sorriu. — Ligou para a dona Maria Cândida?

— Liguei. Ela está vindo para cá.

— Ai, que bom. Estou com saudade dela. Fui tão dura com ela quando conversamos pela última vez. Tomara que não esteja chateada comigo.

— Ela nunca vai se chatear com você. Porém, ninguém

se conforma com o que fez. Foi morar sozinha, longe de todos. E se eu não chego a tempo? E se não estivesse lá com você?

— Não foi tão complicado assim — sorriu com jeito travesso.

— Dani, eu nem vou falar nada! — disse mais sério, parecendo zangado. — A bolsa estourou dentro do carro! Quase a Tifanie nasceu no carro, a caminho do hospital, em uma noite fria, escura e nevando!

— Eu te amo, Will! — interrompeu-o, sussurrando e sorrindo com doçura. Olhou-o com meiguice, fazendo-o se enternecer.

— Eu também amo você — tornou no instante seguinte, sorrindo, totalmente brando. Beijou-a com carinho e depois falou, calmo: — Só me lembre de não confiar mais em você quando formos ter nosso próximo filho.

— Você quer mais um?! — perguntou surpresa e forçando um sorriso engraçado.

— É... Se você quiser... Só que da próxima vez eu vou acompanhá-la em tudo, até no parto! Viu como eu fui capaz?!

— Acho que é cedo para falarmos sobre isso — sorriu.

— Agradeço muito a Deus por ela estar aqui e bem — emocionou-se.

— Eu também. Obrigada por me compreender e por tudo o que fez por nós.

Ele sorriu, encantado, e falou orgulhoso:

— Ela nasceu em Londres, como eu queria! Tifanie Phillies! Que nome lindo! Não acha?!

— É! Tifanie... Sempre quis uma filha com esse nome. Mas... Não terá o meu sobrenome?!

— Acho que ficou tão lindo assim! Não acha?! — perguntou com jeito manhoso.

— Tifanie Linhares Phillies — ela pronunciou. Em seguida admitiu: — De fato, Tifanie Phillies fica mais bonito. Você tem razão. Ficou bem melhor.

— Ótimo! Temos de cuidar dos documentos dessa mocinha — riu, olhando para a filha. — Hoje mesmo vou providenciar tudo. Por ter chegado aqui, o principal ela já tem: o passaporte para a vida!

Fim.

Schellida.

Romances de **Schellida**
Psicografia de **Eliana Machado Coelho**

CORAÇÕES SEM DESTINO
Amor ou ilusão? Rubens, Humberto e Lívia tiveram que descobrir a resposta por intermédio de resgates sofridos, mas felizes ao final.

FORÇA PARA RECOMEÇAR
Sérgio e Débora se conhecem e nasce um grande amor. Mas encarnados e obsessores desaprovam essa união, trazendo dor e comprometimento à tarefa abraçada.

UM DIÁRIO NO TEMPO
Dois corações apaixonados. Será esse um amor impossível? A felicidade estava escrita em um diário perdido no tempo.

O BRILHO DA VERDADE
Samara viveu meio século no Umbral passando por experiências terríveis. Esgotada, consegue elevar o pensamento a Deus e ser recolhida por abnegados benfeitores, começando uma fase de novos aprendizados na espiritualidade. Depois de muito estudo, com planos de trabalho abençoado na caridade e em obras assistenciais, Samara acredita-se preparada para reencarnar.

UM MOTIVO PARA VIVER
Raquel nasceu em uma fazenda numa pequena cidade do Rio Grande do Sul. Morava com o pai, a mãe, três irmãos e o avô, um rude e autoritário imigrante polonês. Na fazenda vizinha, seu tio Ladislau, a mulher e duas filhas. O drama de Raquel começou aos nove anos, quando então passou a sofrer os assédios de Ladislau, um homem sem escrúpulos, mas dissimulado e gozando de boa reputação na cidade.

O DIREITO DE SER FELIZ
Fernando e Regina apaixonam-se. Ele, de família rica, bem posicionada. Ela, de classe média, jovem sensível e espírita. Mas o destino começa a pregar suas peças...

DESPERTAR PARA A VIDA
Um acidente acontece e Márcia, uma moça bonita, inteligente e decidida, passa a ser envolvida pelo espírito Jonas, um desafeto que inicia um processo de obsessão contra ela.

O RETORNO
Uma história de amor começa em 1888, na Inglaterra. Mas é no Brasil atual que esse sentimento puro irá se concretizar para a harmonização de todos aqueles que necessitam resgatar suas dívidas.

LIÇÕES QUE A VIDA OFERECE
Rafael é um jovem engenheiro e possui dois irmãos: Caio e Jorge. Filhos do milionário Paulo, dono de uma grande construtora, e de dona Augusta, os três sofrem de um mesmo mal: a indiferença e o descaso dos pais, apesar da riqueza e da vida abastada.

PONTE DAS LEMBRANÇAS
Ciúme, orgulho e vingança fazem sofrer. Só o verdadeiro amor e o perdão podem ser pontes para uma vida feliz.

SEM REGRAS PARA AMAR
Gilda é uma mulher rica, casada com o empresário Adalberto. Arrogante, prepotente e orgulhosa, sempre consegue o que quer graças ao poder de sua posição social. Mas a vida dá muitas voltas.